D1236639

UN SEUL CRIME, L'AMOUR

MARY LETOURNEAU
et
VILI FUALAAU

UN SEUL CRIME,
L'AMOUR

*Avec la collaboration de Bob Graham
et de Marie-Thérèse Cuny*

document

FRANCE LOISIRS
123, boulevard de Grenelle, Paris

Édition du Club France Loisirs, Paris,
réalisée avec l'autorisation des Éditions Fixot.

© Éditions Fixot, S.A., Paris, 1998.
ISBN : 2-7441-2826-0

« Pour se réaliser, l'amour doit faire éclater la loi du monde. À notre époque, l'amour est scandale et désordre, transgression : celle de deux astres qui rompent la fatalité de leurs orbites et se rencontrent au milieu de l'espace. »

Le Labyrinthe de la solitude,
Octavio PAZ

Prologue

Soona

Il y a une période où j'aurais volontiers étranglé Mary pour ce qu'elle avait fait. D'abord je ressentais de la colère en tant que mère, elle avait trompé la confiance que j'avais en elle. Non seulement Mary est aussi une mère, mais nom d'un chien, elle était l'institutrice de Vili !

Pourtant aujourd'hui, assise sur ce banc de la salle d'audience, je la regarde et j'ai envie de lui tendre les bras. Si je pouvais seulement être à ses côtés et lui montrer que je la soutiens.

Si je pouvais m'avancer pour l'embrasser devant tous ces gens, la rassurer, lui dire que tout ira bien. Je sais bien pourtant, au fond de moi, que rien n'ira bien, qu'elle va les prendre, ces sept ans et demi de prison, mais ça ne fait rien, elle a mon soutien, et j'aurais voulu montrer aux autres qu'ils auront beau l'enfermer, la punir autant qu'ils voudront, mon cœur est avec elle, et je ne ressens plus aucune colère envers elle.

Je suis sincèrement désolée à présent, je m'en veux de ne pas avoir le cran de la prendre dans mes bras, là, devant tout le monde. Je crains tous ces journalistes, et leurs réactions. Beaucoup ont déjà entendu parler de moi, ils connaissent mon nom, mais personne ne connaît mon visage, et il vaut mieux que ça reste ainsi. En allant au tribunal ce matin, je me demandais encore comment je réagirais vis-à-vis de Mary. La colère ou le pardon ? Je n'étais sûre de rien, jusqu'au moment où je l'ai vue arriver dans la salle d'audience, avec ses boucles blondes, ses grands yeux d'enfant écarquillés, l'air tellement perdu et désorienté. À cette minute j'ai compris que mon cœur était avec elle.

Je me suis assise dans un coin, loin des regards insistants des journalistes, en essayant de contenir ma rage après eux... C'est la manière dont ils la traitent qui me met en rogne. Je suis une femme simple, je comprends des choses simples. Et ce que j'entends ici ne me plaît pas. La cour dit qu'elle a commis un crime. Le viol de mon fils, qu'ils disent, mais moi je n'ai jamais vu ça comme un viol. Ou alors ce viol est une drôle de chose. J'ai toujours cru que le viol, c'était prendre quelqu'un contre sa volonté. Et qu'est-ce qu'on a dans cette histoire ? On a deux parties consentantes, deux personnes conscientes de ce qui s'est passé entre eux, et qui le désiraient. Je sais bien, moi, que ce n'est pas un viol, et Dieu le sait aussi. Sûr que c'était un adultère, ça, je ne peux pas dire le contraire, mais pas un viol ! Ils ne connaissent pas mon fils !

En écoutant les avocats et le juge, les choses se compliquent encore dans ma tête. Je finis par me demander à quoi servent nos lois. J'ai toujours pensé qu'elles étaient faites pour nous protéger, même si je sais qu'il est impossible de traiter chaque cas séparément, de l'examiner individuellement, selon ses caractéristiques propres. Mais il faudrait aussi admettre que certaines choses sont particulières dans la vie. On ne peut pas toujours suivre la loi à la lettre, telle qu'elle est écrite. À mon avis, c'est le cas pour Mary et Vili.

C'était un mercredi, quand les policiers m'ont appelée pour la première fois à cause de tout ça. Le lendemain, ils arrêtaient Mary et l'inculpaient. Un tas de gens voyaient le problème différemment, chacun avait son idée, et moi, j'avais déjà les idées confuses, tout embrouillées.

Quand il se passe quelque chose, je tente toujours de comprendre par moi-même comment c'est arrivé, et pourquoi. C'est ce que j'ai essayé de faire. J'ai téléphoné à Mary pour qu'on se rencontre quelque part dans la marina, un endroit à peu près tranquille. C'est assez drôle, car j'ai appris plus tard que c'était là que Vili et elle se rencontraient souvent.

J'avais décidé d'emmener une amie avec moi pour ce rendez-vous. À cause de l'état d'esprit dans lequel j'étais à ce moment-là, en colère, inquiète, et aussi parce que je ne savais pas comment les choses allaient tourner. On est arrivées à la marina vers 9 heures du soir, il faisait déjà sombre, Mary était en retard, et quand elle s'est enfin montrée, le parking était déjà fermé. Nous sommes allées de l'autre côté de la route, dans le parking du restaurant, chez

Anthony. Il y avait beaucoup de monde, avec tous ces gens qui entraient et sortaient, et personne ne nous a prêté attention. On est restées dans la voiture de mon amie, pour discuter.

Je n'avais vraiment qu'une seule question à lui poser : « Pourquoi ? » Et je l'ai répétée plusieurs fois :

– Dis-moi seulement pourquoi c'est arrivé, Mary ?

L'ambiance a chauffé par moments, quand j'élevais la voix. Parce qu'elle me parlait d'amour, et de son intime conviction, au plus profond de son âme... Moi, je n'étais pas là pour entendre ces salades. Je lui répétais :

– Non, Mary, dis-moi pourquoi, c'est tout. Dis-moi seulement comment c'est arrivé !

Elle était incapable de me fournir une explication, et jusqu'à ce jour, alors que le tribunal va l'envoyer en prison pour la deuxième fois, pour sept ans et demi, elle ne m'a toujours pas dit pourquoi.

Ce soir-là, recroquevillée dans la voiture sur le siège du passager, Mary m'a fait pitié, elle était pathétique, enfantine, à sangloter en marmonnant tous ces trucs sur l'amour et le reste. J'ai essayé de m'y prendre autrement :

– Pourquoi tu n'es pas venue me voir ? On aurait pu s'en sortir ensemble ! J'aurais peut-être piqué une colère, fulminé après vous deux, sûrement même, mais ça ne serait pas sorti de ma maison ! On se serait débrouillées, on aurait trouvé une solution.

C'était la meilleure façon de faire, j'en suis toujours persuadée.

1

La cellule des condamnés

Mary

J'ai froid et je grelotte, malgré la couverture enroulée autour de mes épaules.

Ils vont me condamner à présent. Personne ne nous croira. Personne ici ne croira une seconde à l'amour. Je suis une criminelle, Vili une victime ; pour eux, c'est aussi simple que cela.

Je n'ai ni montre ni pendule. J'ignore l'heure qu'il peut être, je cherche à la deviner. Je voudrais tant qu'il soit minuit et demi. C'est notre heure à nous, elle nous réunit quoi qu'il arrive, où que nous soyons, quoi que nous fassions. À minuit et demi, tout peut s'arrêter, le monde disparaît autour de nous. Unis dans la même prière, nous pensons très fort l'un à l'autre. Cette prière ne s'adresse pas à Dieu mais à nos souvenirs, pour célébrer le contact de nos deux peaux. La tendre chaleur des bras de l'autre, la pure jouissance de cette force qui nous rapproche et fait de nous un seul être.

Je cherche un endroit pour m'agenouiller ailleurs que devant cette fenêtre condamnée, ce lavabo douteux, ces toilettes sordides, cette porte métallique et son guichet espion.

Pour notre communion secrète je choisis sur la banquette de ciment l'endroit le plus propre. Après avoir épousseté la plante de mes pieds, je m'y agenouille, face au mur nu et vide, comme en prière.

Je ferme les yeux et son visage m'apparaît instantanément. Il est là, son regard me pénètre... sa bouche... sa voix me parvient... Je peux toucher ses mains et je sais que nous sommes de nouveau réunis. Nul ne peut rien contre cette magie et chaque baiser devient réel, par-delà les murs de ma cellule.

Hier soir j'avais mauvais moral, comme d'habitude depuis ces derniers mois.

La fatigue, aggravée par quatre jours sans nourriture correcte, commençait à m'atteindre profondément, et lorsqu'ils ont refermé la porte sur moi, le bruit lourd du verrou a failli anéantir cette résolution qui m'a si longtemps permis d'être forte. Encore une autre nuit, et une autre cellule. Une cellule de condamnée. Pire, une condamnée que l'on croit suicidaire.

Les petites gouttes de pluie s'écrasent silencieusement sur la vitre. Elles viennent du ciel, portées par le vent de la liberté, et je ne peux les atteindre. La minuscule fenêtre est scellée dans le mur, symbole de ma punition, elle offre au regard l'illusion du monde extérieur, tellement inaccessible hélas, qu'il est un rappel constant de la prison, et de la punition.

Me voilà face à moi-même, confinée dans ce monde absurde, devant cette vitre sale tachée d'empreintes de doigts à l'intérieur. J'y vois la trace de ceux qui ont passé ici d'interminables heures, visage collé contre la vitre, pour échapper à l'enfermement de la cellule.

Un rayon de lumière m'éclaire comme un phare, et j'aperçois au loin le soleil se coucher lentement sur le Pacifique, parfaitement encadré par le châssis de cette lucarne sur l'autre monde. Je ne distingue pas la chaîne montagneuse derrière laquelle il disparaîtra dans peu de temps, mais ses rayons s'étirent presque à l'horizontale le long de la baie, illuminant les gratte-ciel du centre ville. Mon regard est attiré instinctivement, peut-être parce qu'elle brille davantage, vers la cathédrale Saint-James. Est-ce un effet de lumière ou mon imagination ? Le crépuscule semble dessiner un halo scintillant qui auréole la pierre tendre et rose de ses deux tours. Soudain elles s'illuminent d'un éclat aveuglant, dont la clarté se fraie un chemin jusque dans ma cellule. Simple reflet du soleil sur une partie métallique du toit de la cathédrale ? Ou message divin ? Saint-James n'est-elle pas un lieu spécial pour moi ? Elle abrite tant de souvenirs précieux... Le jour de mon examen de fin d'études, la cérémonie de Pâques avec mes enfants, le sanctuaire où Vili et moi aurions aimé nous retirer, loin du monde.

Nous y sommes allés une fois seuls tous les deux. Vili dessinait sur son carnet de croquis tout ce qui lui passait par la tête. Pendant ce temps, j'étais agenouillée dans la paix bienfaisante de la chapelle, pour prier Dieu de m'accorder l'aide dont, je le savais, j'aurais forcément besoin plus tard.

Alors ce soir, en regardant le soleil jouer de tous ses pastels sur les tours de la cathédrale, mon âme retrouve sa force et sa détermination.

Je me détourne de la lucarne pour affronter mon triste univers. La prison se charge de nous délivrer psychologiquement le message de la punition. Tout y est fait pour être aussi démoralisant que possible. Cellule vide, sol de ciment, murs recouverts d'une vieille peinture d'un beige mat et sale. Une banquette étroite, en ciment elle aussi, à peine surélevée par rapport au sol, court le long du mur, jusque sous cette malheureuse fenêtre. Elle doit me servir de lit. Un minuscule évier métallique, des toilettes, juste derrière la porte intérieure, seule intimité possible pour échapper aux regards des gardiens. J'imagine tous ceux qui sont passés avant moi dans cette cellule numéro 7B16. Cette prison centrale n'est construite que depuis une vingtaine d'années, mais ma cellule porte déjà la marque ancienne de tous les mécréants et meurtriers qui l'ont occupée. Il y règne une atmosphère lourde que le désinfectant ne parvient pas à dissimuler. Sueur des corps, parfums de peur et de désespoir, émanations naturelles de tous les criminels confinés entre ces murs ? Je l'ignore, l'odeur est impossible à identifier, mais elle imprègne tout, les murs, les objets de la cellule, le sol et même les surfaces métalliques. Elle est partout autour de moi.

La trace des graffitis, inlassablement tracés puis effacés au fil des ans, forme une bordure le long des murs, où la peinture n'est plus qu'une grande tache noircie et sale. Certains sont plus récents, la plupart en espagnol, ils sont probablement l'œuvre d'immigrés mexicains clandestins. D'autres

14

écrits proviennent de toute évidence du membre d'un gang.
« Les Enragés ». Des noms, des commentaires sur la société
ou des individus en particulier, y sont barbouillés au crayon,
à demi effacés, puis recouverts par d'autres effacés à leur
tour.

Étrange bibliothèque d'archives, où je devrai moi aussi
laisser ma trace. Je dois le faire. Être ici représente tant de
choses. Soigneusement, je cherche un emplacement libre
sur le mur de gauche, à mi-chemin entre la porte et la
lucarne, et j'écris « *Fuck All Y'All* ». C'est le titre d'une
chanson de rap que Vili m'a fait écouter un jour, en
m'expliquant la signification de chacun des mots. Durant
un instant je me demande si je ne devrais pas y ajouter une
explication, mais ceux qui connaissent déjà le sens de cette
phrase n'en ont pas besoin, quant aux autres, ils ne
comprendraient pas le message sous-jacent. « Allez tous
vous faire foutre, tous autant que vous êtes. » J'y appose ma
signature, à côté du nom de Vili.

On m'a déplacée ici, au septième étage, dans le quartier
des prisonniers considérés comme suicidaires. C'est le quatrième transfert depuis mon arrestation il y a quatre jours.
Dans leur infinie sagesse, ces gens ont donc décidé que
j'étais suicidaire. Au départ, ils m'avaient mise dans une cellule plus propre et nettement plus confortable ; c'était avant
mon entretien avec le psychiatre de l'administration péni-
tentiaire. Procédure normale, m'avait-on dit. Je m'y étais
préparée, et lorsqu'on m'a conduite dans son bureau, j'étais
déjà sur la défensive.

– Pourquoi suis-je ici, au milieu de prisonniers dangereux ou suicidaires ?

L'air de tout savoir sur tout, il a répondu, presque avec
dédain :

– Parce que nous nous demandons si vous songez à vous
supprimer.

Quand j'ai éclaté de rire, il a paru un peu surpris. Je
m'efforçais quant à moi de maîtriser une rage naissante :

– C'est ce qu'on raconte dans vos bouquins ? Trop de
personnalité égale Suicide ?

– Écoutez Mary, c'est la procédure normale, nous nous posons la question de savoir si après tout ce que vous avez vécu, vous n'êtes pas effectivement suicidaire.

J'ai alors opté pour une réponse métaphorique, sans penser une seule seconde aux conséquences d'une telle désinvolture.

– Non, je ne vais pas me tuer... et pourtant je vais mourir... Vous savez que les gens peuvent mourir sans avoir à se tuer eux-mêmes ?

De toute évidence j'en avais trop dit, le psychiatre a coché quelques cases sur son rapport et, tout ce que je sais, c'est que je me suis retrouvée propulsée au septième étage, dans ce trou à rat. À présent, assise sur la banquette de ciment, je peux réfléchir à l'ineptie de cette visite chez le psychiatre, et je réalise que j'aurais dû m'efforcer de l'aider à comprendre la situation. J'ai raté l'occasion.

Je suis bien sûr consciente de ce que j'ai fait, je sais pourquoi on m'a arrêtée. Je m'attendais aux procédures légales inévitables, et à ce qu'on me mette en prison. Et pourtant, je me sentais dans un excellent état d'esprit. On allait me comprendre, je n'étais pas une criminelle. Aimer n'a jamais été un crime. En fait je voulais savoir s'il était possible de m'entendre intellectuellement avec ce psychiatre, du moins essayer d'éclaircir le débat, par une image symbolique. Je voulais lui dire : « Je ne vais pas me tuer, mais je meurs d'être là. »

À présent... me voilà parmi les fous, ceux qui veulent en finir avec l'existence, alors que j'ai tant de vie en moi, et d'espérance.

J'ai découvert pourquoi on m'avait exilée, grâce aux autres prisonnières, bien plus expérimentées que moi en matière de système pénitenciaire.

– Bon Dieu, Mary, t'as dit les mots interdits : le « M » et le « S »... Ne parle jamais de ça, ne prononce jamais les mots « Mourir » ou « Suicide ». Dès que tu dis ça, ça les coince, et tu te retrouves aussi sec comme les autres en cellule unique et sous surveillance.

Je ne suis pas certaine qu'il s'agisse là de la vraie raison. Mon avocat David Gehrke a peut-être demandé aux autorités pénitentiaires de me surveiller attentivement, pour prévenir une tentative de suicide, dont je me servirais éventuellement pour faire pression sur le processus légal. Parallèlement il a bien précisé que je supporterais mieux l'enfermement si l'on m'envoyait ici à Harbor View, qui dispose d'un service de psychiatrie. Il a dit : « Aidez-la... »

Le problème est que, personnellement, je ne me crois pas capable de tenir longtemps dans un endroit comme celui-là, même s'il me convient mieux qu'une prison ordinaire. Et la colère me prend. Je n'ai rien à faire ici, je n'ai tué personne. Ils ne vont tout de même pas m'enfermer pendant sept ans et demi parce que je suis amoureuse? Ils me croient folle! Qui est fou? Que vient faire la loi dans une histoire d'amour, et de quel droit priverait-on de liberté une femme qui n'a commis qu'un seul péché, vouloir vivre avec l'homme de sa vie? De quoi s'agit-il? De morale extrémiste. D'hypocrisie devant les autres lois naturelles, les pulsions humaines.

L'espace d'un moment, réfugiée sur cette bande de ciment, censée me servir de lit, j'essaie d'oublier, frileusement enveloppée dans le sac de couchage que l'on m'a fourni en guise de couverture. Pas même le petit luxe d'une couverture à soi, pour un minimum de confort. Ils pensent peut-être que je pourrais l'enrouler autour de mon cou pour me suicider. J'ai du mal à imaginer où et comment je pourrais l'accrocher pour me pendre!

J'essaie maintenant de me souvenir des recommandations de David Gehrke, lorsqu'il est venu me voir un peu plus tôt.

David, bien que toujours porté à l'optimisme, est un homme pondéré, un avocat de confiance. Il s'est retrouvé impliqué dans cette histoire, parce que nous étions voisins. Je connaissais sa femme et ses enfants, et nous fréquentions la même paroisse. C'est un homme bon, autant qu'un bon avocat, et je sais qu'il est plein de louables intentions. Je lui ai demandé ce qui allait se passer à l'audience, il m'a répondu, de sa voix traînante :

– Mary, voilà, je pense qu'il serait bon pour vous, enfin, vous voyez ce que je veux dire... de ne pas trop vous montrer à votre avantage demain?

Devant mon étonnement il a très vite ajouté :

– Je ne veux pas dire par là qu'il faut vous exhiber dans un état lamentable comme si on vous avait battue, mais je pense qu'il faut montrer aux gens que vous souffrez profondément de tout ce qui se passe. Ne pas paraître trop... enfin... vous voyez...

Comme il connaît bien mes « manies » ! Les psychologues m'ont décrite dans chaque rapport comme un être « maniaco-dépressif et narcissique ». Alors que je ne veux qu'une chose, être présentable devant la cour. Diable, David me connaît pourtant suffisamment pour savoir que je ne vais pas leur montrer de faiblesse. Je veux garder la tête haute devant eux, car ils m'ont affublée de tous les noms possibles. Or je n'ai toujours pas honte de ce qui est arrivé. Et je n'aurai jamais honte. Jamais.

Ne pas se montrer à son avantage, dit-il... Il plaisante ! Après quatre nuits dans des cellules différentes, peu de sommeil, et quasiment pas de nourriture correcte, je ne pourrais pas, même si je le voulais, paraître à mon avantage. J'effleure la peau de mon visage, elle m'a toujours servi de baromètre pour estimer ma condition physique. Elle est molle et sans éclat. Je passe les doigts dans mes cheveux, ils sont emmêlés et ont grand besoin d'être lavés.

Chose étrange, je ne me sens pas vraiment sale, bien que l'on m'ait privée de douche depuis mon arrestation, et j'ai même essayé de tresser mes cheveux. Je repense à la phrase de David :

– Mary... ce serait une bonne idée de ne pas paraître trop à votre avantage...

Désolée, David, je sais que vous ne comprendrez pas, mais je ne peux pas me comporter ainsi. Ce n'est pas de la provocation ouverte, mais j'ai simplement besoin d'être moi, et d'en garder l'apparence.

Les journaux ont décrit mes cheveux comme « joliment bouclés ». C'est une de leurs obsessions en ce qui concerne mon physique.

« Cette ravissante institutrice, joliment bouclée... » Ils y font toujours référence. Agiraient-ils ainsi pour un homme dans la même situation ? Peut être diraient-ils alors « ce travailleur ordinaire, aux cheveux châtain terne et raie sur le côté » ? Tout cela fait partie du cirque médiatique et de ses incohérences.

Je me lève pour appeler le gardien, sachant que je n'ai guère de temps devant moi, et qu'il sera long et difficile de parvenir à mon but.

– Ouais... qu'est-ce qu'vous voulez ?

J'ai bien failli répondre à cet instant que j'avais découvert un cadavre dans la cellule, quelqu'un qui s'était suicidé, ou quelque chose dans ce genre, puis je me suis dit qu'il valait mieux éviter de trop faire la maligne.

– Monsieur, j'aimerais pouvoir me laver les cheveux.

– Euh... désolé madame, pas moyen. Vous ne pouvez pas sortir d'ici cette nuit.

– Non, je veux dire les laver ici dans la cellule. Tout ce qu'il me faut c'est un peu de shampooing. Est-ce que je peux en avoir, s'il vous plaît ?

– J'sais pas, je vais voir.

Cinq minutes, puis dix minutes passent, toujours pas de réponse. Pendant ce temps, j'ai réfléchi et trouvé exactement comment faire.

Je rappelle le gardien et lui explique que j'ai besoin de parler à l'infirmière.

– À quel sujet ?

– Je suis désolée, je ne peux pas vous l'expliquer, c'est quelque chose de très féminin.

Il repart et revient avec l'infirmière de la prison, qui n'a pas l'air d'apprécier cette convocation en cellule. Le ton est coupant, rapide :

– Quel est le problème ?

Je prends une profonde inspiration.

– J'ai besoin de shampooing, si je n'ai pas de shampooing, je vais déprimer profondément, et vous savez ce que font les gens profondément déprimés ?

Je n'ai pas mentionné les fameux mots qui commencent par S ou M, mais je pense qu'elle a saisi le message.

– Euh... je vais voir ce que je peux faire.

Elle revient avec une tasse minuscule, remplie d'un liquide rouge, qui n'est certainement pas du shampooing. Je renifle, et une âpre odeur de fraise me monte aux narines. Le genre de mixture dont se servent les petites filles en jouant à baigner leur poupée. J'imagine qu'elle a pris ça dans le distributeur de savon liquide des toilettes voisines.

Je la gratifie d'un « merci » plus que sincère et d'un sourire crispé.

Durant la demi-heure suivante je tente d'accomplir la performance grotesque qui consiste à me laver les cheveux dans cet endroit. Le robinet au-dessus du minuscule lavabo métallique fournit un mince filet d'eau irrégulier. Que l'eau soit froide est le cadet de mes soucis. J'essaie seulement de mouiller complètement mes cheveux. Je les frictionne ensuite avec ce drôle de liquide à la fraise. J'ai de gros doutes sur la qualité du produit que je me suis mis sur les cheveux, mais qu'importe, la sensation de se laver la tête est agréable. Au bout d'une éternité, j'arrive finalement à me rincer les cheveux.

Puis vient la tâche la plus difficile à accomplir. J'appelle de nouveau :

– Gardien, gardien !

Cette fois, nouvelle tête, mais réponse identique :

– Qu'est-ce que vous voulez ?

– J'ai besoin d'une serviette.

Il a l'air décontenancé :

– J'peux pas vous en donner une, vous savez où vous êtes ici.

Il désigne la cellule, indiquant par là que les suicidaires sous surveillance n'ont évidemment pas droit à une serviette... juste au cas où.

Je prends un air vraiment contrarié :

– Enfin ! Qu'est-ce que vous croyez que je veux en faire ? Me pendre avec ? Regardez mes cheveux, ils sont tout mouillés. Si vous ne me donnez pas de serviette, je vais être obligée de me servir de ma blouse et, demain, je me retrouverai au tribunal avec une blouse toute trempée, et il faudra bien que j'explique pourquoi au juge.

Ce gardien doit avoir un peu plus de vingt ans, il réfléchit un instant au ridicule de la situation. Puis il marmonne :

– Mmmm. Vous marquez un point.

– Écoutez, donnez-m'en une, juste pour quelques secondes, vous pourrez même rester là dans le couloir à me regarder sécher mes cheveux.

Il demeure encore immobile et incertain, je lui adresse un grand sourire, en le regardant dans les yeux, suppliante :

– Allez...

Il accepte enfin et me rapporte une serviette. Elle aussi doit provenir des toilettes voisines. Je ne saurais l'affirmer, mais elle a de toute évidence déjà servi.

Dans un grand élan de gratitude, je lui dis :

– Je vous adore...

Maintenant il est détendu :

– Oh que non... vous ne m'adorez pas...

– Mais si. À condition que vous me fassiez encore une faveur.

– Ouais, quoi ?

– Apportez-moi un tampon.

Ses yeux s'élargissent sous le choc, tant il est pris au dépourvu.

– Ouais... ouais. Bien sûr, pas de problème.

Il fonce et revient quelques secondes plus tard.

– Voilà, madame... le... ce que vous avez demandé.

Je le remercie d'un sourire et en réclame un deuxième.

– Quoi ? Un autre ? Bon. D'accord.

Il revient à nouveau rapidement, et je lui en réclame un troisième.

Il est intrigué à présent. Mais n'ose pas poser de question. J'explique.

– J'ai un gros problème féminin...

– Ah ouais... alors d'accord...

C'est au moment où j'obtiens mon huitième tampon que le gardien réalise à quoi ils me servent. De bigoudis pour mes cheveux.

Puisque les journalistes ont dit, lors de ma première comparution devant le jury, « joliment bouclée », je ne dois pas faillir à ma réputation.

J'entends déjà les voix des médias gronder par-delà les murs : « Avez-vous vu son attitude ? Comme elle se tient droite ? la tête haute ? et si bien coiffée ? Elle n'a même pas honte ! »

J'ai besoin de garder la tête haute et, pour affronter la situation, de me sentir nette et digne. Des cheveux propres et bien coiffés seraient-ils vraiment le signe de ce « narcissisme » dont on m'accuse ? Il faudrait souffrir sans aucune dignité ?

Oh oui, je souffre de ce qui nous arrive à Vili et moi, je souffre de tous les adjectifs dont on m'accable. Blessée de voir chaque jour, dans la presse et dans les yeux des gens, la condamnation de mon amour pour lui, la négation du sien pour moi. Meurtrie de me retrouver pour la deuxième fois en prison.

Et plus je souffre, plus je lutte, et plus la dignité m'est nécessaire. Mes cheveux bouclés sont comme un rempart.

Assise sur la banquette de ciment, les cheveux dégringolant dans mon cou, je contemple mon graffiti, en chantonnant à voix haute la chanson de Vili, et en cherchant le ton :

– Yeah, fuck all, Y'all.

Je le revois la chantant pour moi, une lueur dansante dans ses yeux rieurs, se délectant de chaque mot. Allez tous vous faire foutre...

Me voilà redevenue un être humain, prête à affronter le jour maudit qui s'annonce. J'essaierai, de toutes mes forces, de ne pas m'effondrer devant cette justice agressive et inepte, qui voudrait refuser à une femme le droit d'aimer.

2

Allez vous faire foutre !

Vili

J'ai l'impression d'être coincé dans cette maison depuis une éternité. On dirait que tout le monde discute en même temps, ça dure depuis des jours à présent, il y en a même qui m'engueulent, c'est un boucan permanent. Leni rapplique sans arrêt pour me bassiner :

– T'es content maintenant ! T'as vu ce que t'as fait ?

Elle arrête pas de revenir là-dessus. Elle me tape sur les nerfs. Si elle était pas ma sœur, il y a longtemps que je lui aurais ouvert le crâne. Ça me déprime un maximum. Si seulement elle me foutait la paix, mais non, elle rapplique et recommence, toujours la même merde.

Un jour où elle a remis ça une fois de trop, j'avais un couteau à la main. Je l'ai seulement regardée dans les yeux, elle s'est arrêtée net. Je crois qu'elle a capté le message à ce moment-là, elle m'a regardé, a fixé le couteau et a fermé sa grande gueule. Elle a compris ce qui me passait par la tête à cet instant, elle s'est tirée vite fait.

J'y comprends rien. Qu'est-ce qui s'est passé au fond ? Ils ont arrêté Mary. Voilà ce qui s'est passé. Elle s'est encore fourrée dans le pétrin. Comment elle fait pour se coller tout le temps dans la merde comme ça ?

La première fois, pour la première arrestation, on ne pouvait pas y échapper. Ces saletés de flics sont arrivés, l'air au courant de tout, me racontant qu'ils étaient désolés pour moi, qu'ils allaient me sortir de là, j'avais qu'à leur raconter ce qui s'était passé. Tous le genre sympa les mecs, j'avais qu'à leur déballer mon histoire, et ils allaient m'aider, ils voyaient bien que j'étais une pauvre victime et tout un tas de trucs comme ça.

M'aider ? Sans blague ? Vraiment m'aider ? Tout ce qu'ils ont fait c'est de foutre ma vie en l'air et celle de Mary avec. Si c'est ça aider quelqu'un ! Pourquoi ne pas nous foutre la paix tout simplement ? Comme si j'étais une victime ! Moi ? Tu parles. Des conneries tout ça. Rien que du flan. Le seul mal qu'on m'a fait, c'est eux qui l'ont fait en débarquant. C'est comme ça que tout a commencé à aller de travers. Dès que Mary a été arrêtée, tout le monde s'est pris pour un fichu expert en la matière, sans blague, ils ont commencé à décortiquer ce qui s'était passé, à porter des jugements sur tout, sans savoir le plus petit morceau de vérité sur nous deux.

Tous ces experts à la noix passaient leur temps à dire qu'on m'avait fait du mal, que j'étais traumatisé à cause de mon âge, que c'était horrible qu'une femme occupant un tel poste de confiance ait pu en tirer avantage. Mais de quoi ils parlaient tous ces imbéciles ? Non seulement ils n'écoutaient pas ce que j'avais à dire, mais ils ne s'adressaient même pas à moi !

Je pensais exactement comme dans cette chanson à la mode que j'écoutais souvent : « Allez tous vous faire foutre ! »

C'est à peu près à ce moment-là qu'ils ont mis Mary en prison pour la première fois, j'écoutais la chanson, et je me disais : « Voilà, c'est exactement ce que je pense, qu'ils aillent tous se faire foutre. » C'est du rap, ça parle d'un type qui réussit super dans son boulot, et que les autres veulent foutre en l'air, comme s'ils savaient tout mieux que lui.

C'est exactement pareil pour Mary et moi. C'était super bien entre nous. Vraiment bien. Jusqu'à ce que ces salopards, ces enfoirés, s'amènent en prétendant savoir qui a fait quoi et qui est à blâmer !

Je me souviens quand ils ont arrêté Mary la première fois, elle était furieuse, et moi aussi. On se voyait tous les jours, toutes les nuits depuis bien longtemps, on était ensemble, c'était notre affaire, on ne faisait qu'un et voilà tout. Ils m'ont volé tout ça. À elle aussi. On a eu l'impression qu'un rideau tombait sur notre histoire. Mais on se disait qu'on pourrait le relever quand on voudrait ce rideau, il n'y avait qu'à attendre. Seulement quand elle est sortie de prison, on aurait dit qu'il y avait encore, derrière le rideau, une espèce de sale vitre, avec tous ces flics devant, et derrière, et autour de nous, et que rien ne serait plus jamais pareil. Chaque fois qu'on voulait sortir sans se faire voir, il fallait se planquer, Mary modifiait complètement sa coiffure, elle faisait des rinçages de couleur, comme je ne l'avais jamais vu faire, changeait de maquillage, mettait trop de rouge à lèvres avec un trait de crayon tout autour, comme font les gamines de quatorze ans. D'une certaine façon c'était assez marrant, mais d'un autre côté ça me flanquait le cafard, tout ce cinéma. On était pas supposés se voir, c'était interdit, à cause de cette saleté de loi, mais on a réussi à contourner le truc. Par exemple on s'est offert une de ces boîtes à message vocal. Mary était sortie depuis quelques jours à peine, qu'on est allés dans un centre commercial à Auburn, elle m'a dit de faire un tour dans les magasins pendant qu'elle s'en occuperait. On a fait ça en douce.

Mary devait soi-disant acheter des trucs pour ses gosses, et la boîte à message en même temps, pendant que je tournais en rond dans le supermarché avec vingt dollars en poche, sans savoir quoi me payer. Une fois qu'on l'a eue en main, on s'est mis d'accord pour rester en contact chaque jour. On a inventé un code, avec des séries de chiffres qui n'avaient de sens que pour nous. Genre : 104, pour « Je t'aime », et 3110024, pour « J'ai besoin de toi tous les jours ».

Après la première arrestation, on s'est retrouvés pour parler de tout ça. Elle m'a raconté ce qu'on lui avait posé comme questions, comment elle avait dû tout avouer, et a voulu savoir quelle histoire j'avais racontée aux flics, si c'était la même que la sienne. Si seulement ils nous avaient laissés tranquilles, c'est tout ce qu'on demandait. S'aimer tranquilles.

Le procès avait eu lieu dans le courant du mois d'août, et la cour avait interdit à Mary de me revoir, sous peine d'avoir beaucoup d'ennuis.

Mais on s'en fichait pas mal. On a décidé qu'on se verrait pas devant tout le monde, comme avant son arrestation, c'est tout, mais qu'on resterait ensemble.

Le week-end du 4 Juillet, je savais que Mary était complètement déprimée à cause de toutes ces histoires de justice et de trucs légaux. J'ai proposé qu'on s'en aille tous les deux pour le week-end faire une balade en voiture jusqu'en Oregon. On partirait le vendredi soir, et on s'arrêterait pas avant d'avoir trouvé une petite plage sympa. On s'arrêterait que pour faire le plein et manger un sandwich.

Quand on est arrivés en Oregon, on a déniché un petit coin super, avec une jolie plage, et des gens qui préparaient des tas de feux de joie. On s'est arrêtés là pour s'asseoir sur le sable et regarder les feux. La nuit était déjà tombée. On était bien, là, serrés l'un contre l'autre, sans couverture, même pas un sac de couchage, mais on s'était installés tout près des feux, et le sable est resté chaud longtemps grâce à la chaleur des flammes. Quand tout le monde a quitté la plage, on a fait l'amour. On entendait le bruit des vagues qui grondaient doucement dans la nuit. On était bien. On s'est allongés près d'un feu qui couvait, et on a attendu que le ciel s'éclaircisse doucement, que le soleil commence à pointer son nez au-dessus de l'océan. Ensuite il valait mieux retourner dans la voiture, au cas où quelqu'un nous apercevrait et nous reconnaîtrait, à cause de toutes ces photos qui étaient parues dans les journaux.

On avait pas vraiment de plan, ni d'endroit précis ou aller, seulement l'idée d'être ensemble, heureux et tranquilles. C'était tellement reposant d'être loin des autres, loin du harcèlement quotidien. D'avoir la paix. À un moment j'ai même dit à Mary que ce serait chouette si on pouvait filer tous les deux et ne plus jamais revenir. Personne ne saurait où, on avait qu'à continuer de rouler droit devant nous.

Mary a pris ça vachement au sérieux. Elle m'a expliqué qu'elle ne pouvait pas fuir comme ça aussi simplement. Elle avait la responsabilité de ses enfants. En y réfléchissant j'étais sérieux moi aussi à ce moment-là, et ça m'a fait drôle qu'elle pense qu'à ses gosses. Genre, j'ai ma famille, et il y a ma fille Audrey... merde, Audrey est *notre* fille, celle de Mary et la mienne ! Mais elle était si petite encore, à peine un mois, et j'arrivais pas à réaliser vraiment que j'avais déjà un enfant. Ce genre de sentiment paternel et tout, ça s'était pas encore déclenché chez moi.

Finalement on est restés la nuit, et le jour suivant on est rentrés, parce que Mary avait des trucs à faire, avec son avocat et tout le reste.

Ça me cassait les pieds. C'était après la première arrestation quand ils avaient envoyé Mary en prison pour six mois. Impossible de la voir ou d'entrer en contact durant ces six mois, sauf un jour, quand elle est sortie avec son avocat, David Gerkhe, elle a pu aller dans une cabine publique pour me passer un message.

J'étais dans cette saleté d'école, j'ai reçu le message : 911 : « Tu me manques désespérément. », et puis un autre 104911 : « Je t'aime et tu me manques désespérément. » Finalement : 187911 : « Je voudrais être là, tu me manques désespérément... »

Quand je suis rentré à la maison, il y avait aussi deux messages dans la boîte vocale, longs de plus de trois minutes chacun, tout ce que le répondeur pouvait contenir. Pour le premier, elle avait réussi à dire « je t'aime »... avant de fondre en larmes. Et moi aussi j'ai pleuré en l'écoutant. Le deuxième message c'était qu'une suite de sanglots, elle arrivait même pas à parler. J'avais les nerfs ! Grave. Je me suis dit que j'allais piquer une bagnole et foncer chez son avocat, elle y était sûrement, mais impossible de dénicher une bagnole dans le coin.

De toute façon, elle est sortie au bout de six mois, et on s'est retrouvés comme avant ! Dès le premier jour. Je lui ai donné un numéro de cabine téléphonique, et elle m'a appelé. C'était tellement bon d'entendre sa voix à nouveau. Une voix douce, qui chuchote certains mots avec tendresse. Elle m'a demandé si j'avais grandi depuis six mois. J'ai répondu que j'en savais rien, peut-être un peu, et pris un peu de poids aussi, alors elle a éclaté de rire en disant qu'elle voulait parler d'autre chose de plus intime... Une blague à elle.

À y repenser, j'ai l'impression d'avoir rêvé tout ça. Mary était relâchée, mais elle n'avait plus le droit de me voir, ordre du tribunal. Ils auraient dû s'en douter, que ça marcherait pas. La preuve, dès la première nuit de sa libération, on s'est retrouvés tous les jours dans un parking, pas loin de chez moi.

Mais cette fois les choses étaient différentes. On ne s'était

pas vus du tout depuis six mois, alors on discutait davantage, peut-être parce qu'on était vraiment stressés tous les
deux, et c'est ça qui nous a conduits à la deuxième arrestation, il y a quatre nuits de ça.

On était dans la voiture, on baisait, on se disputait en
rigolant, à propos de l'étroitesse de la banquette, et de la
façon dont elle s'y prenait, on était obligés de se tortiller
comme deux serpents. Je râlais :

– Mais qu'est-ce que tu fais ? Remue-toi un peu !

Grimpée sur moi, elle s'est mise à râler à son tour :

– Mais je ne peux pas ! Qu'est-ce que tu crois, on est
dans une voiture !

C'est à ce moment-là que cette saleté de bagnole de flics
s'est pointée, et qu'ils nous ont vus. Ils sont passés devant
nous, et ils ont fait marche arrière aussi sec pour se garer.

Mary est sortie pour aller à la rencontre du flic, il a fait
semblant d'être aimable :

– Il y a quelqu'un d'autre dans la voiture madame ?

Elle a dit non ! Je le croyais pas ! Non ? Je veux dire
merde, où j'allais me planquer maintenant dans cette saloperie de petite bagnole ? Ça tournait mal. Mary avait tout
foiré à nouveau. Ils ont appelé d'autres flics, et la dernière
fois que je l'ai vue, on l'emmenait au poste de police, les bras
dans le dos, menottes aux poignets.

Elle arrêtait pas de crier qu'elle m'aimait, je l'entendais
depuis la voiture des flics. Elle savait hurler que ça : « Je
t'aime », et encore : « Je t'aime... »

À ce moment-là j'étais carrément en rogne. Je me disais,
mais qu'ils nous laissent partir ! Elle et moi, on se séparera si
ça doit arriver, mais ça n'a aucun sens de la mettre dans un
tel pétrin, c'est les autres qui sont malades, personne n'a
rien fait de mal.

Plus tard on m'a traîné au poste de police, et je crevais
d'envie de massacrer tous ces salauds de flics dans cette saloperie de commissariat. Ils m'ont collé derrière une table en
disant qu'ils voulaient discuter. Tu parles ! Ils m'ont donné
un bloc de papier et un crayon, et j'ai écrit dessus « Allez
vous faire foutre ! » sur toute la première page. Après ça, j'ai
écrit chaque mot séparément sur une page différente et en
grosses lettres. L'un de ces pédés de flics a dit tout tranquillement : « Oh... ça c'est pas gentil... »

Et ils voulaient me poser toutes ces foutues questions, ils voulaient savoir où on avait l'intention de filer, à cause de tous ces trucs dans la voiture, des fringues de gosses et du fric, et son passeport, et tout ça... Je leur répondais : « Nulle part ! On se tirait nulle part ! »

Ils me croyaient même pas ! Rien de neuf dans tout ça. Ils n'avaient déjà pas voulu entendre la vérité avant, ils allaient pas s'y mettre maintenant ! Quelle bande de cons !

Ce qui m'embêtait le plus, c'étaient les ennuis qui m'attendaient avec ma mère. J'étais sûr qu'elle allait tellement me botter le cul que je m'en souviendrais le restant de ma vie.

Quand je suis rentré à la maison, elle a commencé aussitôt à gueuler, et elle mâche pas ses mots ma mère. Rien ne lui fait peur.

– Tu peux pas laisser ta queue tranquille ? Tout ce que tu sais faire c'est de recommencer ?

Après quoi elle a continué à gueuler en samoan, et je ne comprenais même plus ce qu'elle hurlait si fort.

Les deux ou trois jours suivants, pendant qu'ils se préparaient à traîner Mary devant le tribunal, j'ai pas bougé de la maison. Tout le monde me tombait dessus, surtout ma mère. Elle arrêtait pas de me seriner que c'était Mary la victime. Une fois elle a même dit :

– Je connais Mary maintenant, tu es bien plus mauvais qu'elle ! Tu n'es qu'une petite saloperie d'adolescent de merde ! Tout ce qui nous arrive c'est ta faute !

Et je savais bien que, dans un sens, elle avait raison.

Je crois que je suis resté là deux ou trois jours peut-être, mais ça m'a paru long. Il y avait beau avoir du monde à la maison, j'étais quand même tout seul. Je dormais pas la nuit puisque je dormais le jour. Je me rongeais complètement de l'intérieur.

La dernière nuit, je crois qu'il était aux environs de minuit et demi, j'ai prié. J'ai demandé à Dieu son pardon, je lui ai dit que si j'avais mal agi c'était sans le savoir, et donc qu'il fallait me pardonner. Je pouvais prier que comme ça, j'ignore encore ce que j'ai fait de mal, ou ce qu'on a fait de mal tous les deux. Je me sentais vaguement coupable, avec l'impression d'avoir fait quelque chose de travers, mais je ne savais toujours pas quoi.

Cette journée-là, j'ai dormi. Je voulais pas me lever, je savais que Mary passait devant cette femme juge, et qu'elle allait la coller en taule pour un bon bout de temps. Je voulais dormir, seulement dormir, et rêver avec l'espoir que j'allais mourir en dormant. C'est le moment le plus dur de ma vie avec elle, c'est la seule fois où j'ai eu le sentiment de vouloir mourir pour Mary.

Les autres sont persuadés que c'est elle qui m'a forcé à faire tout ça, mais moi, je sais bien que c'est moi, pas elle. Bientôt, ils vont commencer à dire que c'est sa faute, si j'ai songé à mourir, alors que c'est vraiment à cause d'eux, parce qu'ils l'ont éloignée de moi.

Dans mes rêves, je vois Mary, comme dans un poème, nous nous tenons les mains, puis lentement nos mains glissent, glissent, et soudain nous nous retrouvons séparés.

C'est ça le plus dur, ce moment précis où je réalise qu'elle est en train de s'en aller.

3

La sentence

Mary

J'avais décidé de me réveiller avant que les gardes amènent les chariots du petit déjeuner, afin d'être prête le plus tôt possible à affronter cette journée.

Depuis ma plus tendre enfance, chaque soir, avant de m'endormir, je fais la même prière, j'appelle Jésus dans mon cœur, afin qu'il me protège. Prier m'apporte toujours la sérénité, je dors ensuite sans aucun cauchemar. Même ici, en prison, j'ai prié Jésus hier soir, seule avec lui, et durant quatre heures, peut-être cinq, j'ai réussi à dormir sur cette affreuse banquette de ciment, recroquevillée comme un bébé en position fœtale.

Quelque part au loin, j'entends le bruit du chariot, le tintement des plateaux du petit déjeuner que l'on distribue dans les cellules voisines.

Je refuse celui qu'on m'offre derrière la porte et réclame du lait à la place. Un petit pot se fraie un chemin comme par magie au travers de la lucarne de fer. Je sais que je n'ai guère de temps pour me préparer. Mes cheveux sont encore humides de la veille, j'enlève rapidement les huit tampons qui m'ont servi de bigoudis pour leur rendre la liberté. Je meurs d'envie de me laver le visage et de me brosser les dents.

Je viens à peine de jeter les tampons par terre sous la banquette, qu'un garde ouvre déjà la porte.

– Allez, Letourneau, on y va !

Je lui demande la grâce de prendre au moins une douche, ou de me brosser les dents, mais le regard glacé que j'obtiens en réponse est négatif. Je n'ai pas de chaussures, il faut quelques minutes supplémentaires au garde ronchon pour me dénicher une vieille paire de sandales en plastique.

Une fois de plus je dois tendre les mains, comme une criminelle, pour qu'il me passe les menottes, procédure inconfortable à laquelle je ne m'habituerai jamais. Nous franchissons la passerelle qui mène de la prison à la cour centrale. Je dois encore attendre, cette fois dans une cellule de passage minable et sale. Par terre, sous la cuvette des toilettes, traînent des résidus de papier hygiénique. Je refuse de m'asseoir sur le banc de bois, tout ici est tellement immonde, je n'ose même pas toucher quoi que ce soit de mes mains.

Alors je reste debout derrière la porte et commence à fredonner des chansons que nous adorions écouter Vili et moi. Le *Always*, de Atlantic Star et *Let's get it on* de Marvin Gaye. De temps en temps le garde me jette un coup d'œil en hochant la tête, il doit se poser des questions sur ma santé mentale.

Deux autres gardes viennent enfin me chercher pour m'escorter jusqu'à la salle d'audience, un homme et une femme. L'heure de mon entrée en scène a sonné.

Tandis que nous descendons par l'ascenseur dans la cour spéciale du quatrième étage, l'un des gardes plaisante, plus amical qu'hostile :

– Alors Mary, c'est encore toi la star aujourd'hui !

Le parcours se termine en silence. Mais les portes du couloir sont à peine entrouvertes, que déjà j'entends crier : « La voilà... la voilà... »

Je me suis préparée mentalement à l'assaut des médias. Je savais que les journalistes seraient présents au moment de l'audience, mais ça... ça... rien n'aurait pu m'y préparer.

Aussi loin que porte mon regard, tout le long du couloir vers la salle d'audience, des douzaines, peut-être des centaines de représentants des médias. Des caméras de télévision perchées sur des épaules, des reporters en rangs serrés brandissant des appareils photo et encore des caméras qui tournent, cliquettent, des flashes dans tous les sens. Une galerie de visages surexcités, toute la panoplie des présentateurs de télévision est là, regards inquisiteurs, une véritable armée qui tente de passer de force entre les gardes et moi. Ils sont vraiment tous là, à débiter leurs ragots sans fin, leurs questions stupides, uniquement préoccupés de sourire, toutes dents dehors, dans l'espoir d'obtenir une réponse. Je vis un vrai cauchemar. Je voudrais me glisser rapidement au travers de cette marée humaine, me faufiler dans la salle d'audience avant que ma maigre escorte et moi-même ne nous retrouvions submergées par l'océan de journalistes. D'où sortent-ils ? On dirait que tous les journalistes d'Amérique se sont donné rendez-vous à la même porte. Je me demande s'ils sont aussi nombreux pour les affaires de meurtre. Ont-ils seulement conscience de ce qu'ils font ? Et ces photographes qui se contorsionnent pour une malheureuse photo ! Il y en a même un allongé par terre, à mes genoux, qui me mitraille depuis le sol. Les moteurs des caméras bourdonnent à mes oreilles, je perçois le grésillement des flashes dans mon dos. Pensent-ils réellement tirer quelque chose d'une photographie de ma nuque ? !

Je lance un coup de pied à celui qui se traîne à mes genoux, une bonne ruade. Il ne semble même pas y prêter attention et continue à prendre ses clichés comme un robot. Je finis malgré tout par sourire, car en dépit des bousculades, des cris et des questions, je réalise l'absurdité totale du comportement de ces gens. Une meute désordonnée. Aucun sens commun. S'ils reculaient un peu, de manière à nous laisser un passage décent, s'ils posaient au moins leurs questions l'un après l'autre, je pourrai m'arrêter et leur parler. Mais devant ça... Impossible !

J'aimerais bien les questionner moi aussi. « Qui êtes-vous ? D'où venez-vous ? Que faites-vous là ? Pensez-vous rendre service à la société ? Est-ce cela que vous appelez du journalisme ? » Je voudrais aussi leur demander pourquoi ils n'ont pas désigné d'avance un photographe et un cameraman de télévision pour filmer toute la séquence. S'ils sont réellement obligés de couvrir l'événement, ils n'ont qu'à se mettre d'accord, et se partager les images ensuite. De cette façon ils auraient au moins obtenu des clichés convenables. Je songe aux centaines de rouleaux de pellicules tournant en même temps, aux kilomètres de prises de vue gâchées. Nous n'avançons presque plus. Soudain je me sens prise à bras-le-corps, coincée par les épaules comme un pantin, et presque transportée par les deux gardes qui serrent les rangs autour de moi. Solidaires dans la tourmente.

L'homme, plus grand et plus musclé, me prévient :
– Ne t'écarte pas de nous, Mary.

Je suis bien heureuse qu'il réussisse à nous frayer un chemin dans cette foule opaque. Nous nous heurtons ensemble aux portes de la salle d'audience, elles s'ouvrent soudainement, et nous nous retrouvons littéralement catapultés à l'intérieur.

Elles se referment derrière nous dans un claquement sec. Me voici brutalement isolée, dans un autre monde. Comme si je passais d'une émeute en place publique à la rigueur d'une église.

La salle est fraîche, l'atmosphère presque glaciale. Le silence règne, pas un bruit, et la vingtaine de personnes présentes, avocats, huissiers, fonctionnaires, quelques journalistes et membres du public, demeurent parfaitement immobiles, le regard braqué dans ma direction. Je me sens assez ridicule, insecte bizarre plaqué contre la porte, dans cet uniforme rouge vif qui ressemble plus à un pyjama qu'à un vêtement. Comme une intruse, j'ai presque envie de lever les bras pour m'excuser du dérangement, et de dire à ces gens que je me suis trompée d'endroit. Ce formalisme glacial m'est toujours étranger.

J'aimerais bien surprendre ces visages durs et impassibles, déconcerter tous ces gens en costumes sombres qui déjà me condamnent. Il y a une caméra de télévision non loin de moi, ils veulent filmer le spectacle jusqu'au bout, regarder s'effondrer la bête, l'horrible femme qu'ils cherchent à crucifier. J'ai du mal à tenir mes mains tranquilles. Refuge de mon angoisse, elles tremblent sur la table devant moi.

Encore suffoquée par le contact de la foule, je refais lentement surface et commence à reconnaître certains visages. Mon avocat David Gehrke, des amis, un ou deux psychologues, et même le procureur Lisa Johnson.

David Gerkhe s'est occupé de mon cas par hasard. Peu de temps après ma première arrestation, on m'a dit que j'aurais besoin d'un avocat. Mais je n'en avais pas. Un ami m'a parlé de David et de sa famille qui habitaient dans le voisinage. Je me suis souvenue de sa femme Suzan et de leurs deux enfants, à peu près du même âge que les miens. Nous avions déjà partagé quelques goûters d'anniversaire, des randonnées scolaires, je savais que Suzan était également institutrice. Mais j'ignorais à quoi ressemblait David.

Je lui ai donc téléphoné un week-end. Je savais qu'il savait. L'histoire avait déjà fait le tour de la presse locale, et surtout la une du *Seattle Times*. Mais je lui étais reconnaissante de sa discrétion.

– David, vous avez dû apprendre que j'ai quelques ennuis.

– Oui... oui.

– Je peux venir vous voir demain ? Peut-être après le déjeuner, et parler de tout ça ?

– Bien sûr, aucun problème.

Le jour suivant j'étais chez lui. Pendant que Suzan occupait les enfants dans la salle de jeux, David et moi avons discuté trois bonnes heures du pétrin dans lequel je me trouvais.

Tout paraissait tellement simple. Il me suffisait de l'engager comme avocat.

Nous nous sommes revus hier au soir, pour discuter des événements d'aujourd'hui.

– Ne vous inquiétez pas Mary, j'ai beaucoup à dire.

David est maintenant confronté à la situation la plus énorme de sa carrière d'avocat. Exposé aux médias, contraint aux interviews et aux débats télévisés. Cette affaire est aussi importante pour moi que pour lui.

Beaucoup à dire, affirme-t-il. Bien sûr, mais au fond de mon cœur, je souhaite qu'il dise les choses que je voudrais dire moi-même. Je lui ai demandé de rester ferme cette fois, de donner à la cour ma version des faits. La dernière fois nous nous sommes montrés conciliants, doux comme des agneaux, voire repentants. Devant le juge, j'ai dû prononcer des mots tels que « Je suis désolée », « Je m'excuse », « J'ai besoin d'aide ». Tout cela pour apaiser la cour et obtenir sa clémence. Aujourd'hui je ne souhaite apaiser personne, je veux simplement être franche et dire la vérité. J'en ai besoin comme de boire à une source.

David m'a expliqué que la procédure durerait environ trois quarts d'heure, peut-être une heure. Mais nous sommes là depuis deux heures, et le procureur, une femme, n'a pas encore fini d'établir ses accusations : à l'entendre, je suis une inconsciente, une menteuse, en qui on ne peut avoir confiance, puisque j'ai ouvertement méprisé la cour, le juge, la société, la communauté, écarts éminemment prévisibles selon elle. Je suis un danger public.

J'ai compris, depuis le début déjà, que cela n'était pas la justice, mais la justification de la justice par elle-même, et celle des politiques qui la font. Si je veux connaître la justice, il faudra m'y prendre autrement.

Alors que défilent les témoins de l'accusation – l'officier de police qui nous a découverts dans la voiture, l'officier de probation, le psychiatre désigné par la cour, et même le procureur Lisa Johnson, j'attends stoïquement, les mains jointes pour garder mon calme.

David se lève enfin.

– Il est difficile pour moi d'être ici, Votre Honneur. Je sais que je vous ai déçue, et que j'ai déçu Mary... Je suis un ami de Mary, et aussi son avocat. J'essaie également de prendre en compte les intérêts des enfants directement concernés par cette affaire. Je parlerai d'eux brièvement tout à l'heure...

David parle longuement de loyauté, de sérénité, de la difficulté d'être juge, et de celle de comprendre ce qui s'est passé. Et combien il est difficile de prendre la décision d'enfermer quelqu'un pour sept ans et demi, de le séparer de son enfant... Il évoque même le jugement de Salomon.

– Vous avez pris la bonne décision le 14 novembre dernier, Votre Honneur... mais...

Et il enchaîne en rappelant que tous ceux qui ont critiqué alors la décision du juge étaient dans l'ignorance des faits, ou avaient le cœur trop dur. Mais pas le juge qui m'a honorée de six mois de prison, d'un traitement psychiatrique et d'une liberté sur parole.

– Nous avons tous reconnu que Mary était malade et qu'elle avait besoin d'aide...

Malade. Chaque fois qu'il use de cet argument pour ma défense, mon cœur se remplit de colère. David n'a pas trouvé d'autre moyen légal pour assurer ma défense.

Il n'en finit pas d'apaiser la cour, de dire qu'il est désolé que sa cliente ait méprisé les règles et les lois fondamentales de notre pays. Et la liberté de chaque individu de disposer de lui-même ?

J'attends qu'il arrête de jouer ce jeu, j'espère qu'il va enfin parler pour moi, de ce que je pense et ressens, qu'il ne va pas trahir ma confiance. Mais rien... Je crois comprendre à présent où il voulait en venir, et ma gorge se noue. Il ne va pas leur dire. Il n'osera pas. Je voudrais pouvoir le tirer par la manche, pour qu'il arrête de parler, et lui demander : « David, que signifie ce discours ? Vous parlez en mon nom ou au vôtre ? Vous me défendez, ou cherchez-vous seulement à briller aux yeux de vos collègues ? »

Il est là, en train de raconter à tout le monde à quel point je suis malade, il retombe dans le même piège trop simple, pour arriver à la même solution trop bête :

– Mary est malade, qu'on la fasse soigner, il lui faut un traitement plus long.

Je ne m'attendais pas à ce qu'il ait de nouveau recours à ce genre d'argument. Je commence à être en colère. Je ne crois pas à ce discours. Je voudrais pouvoir me lever pour parler et me défendre moi-même. Tout cela ne sert à rien. Mon avocat retombe dans la même chausse-trappe que la première fois, l'alternative étant : « Ou vous faites soigner Mary, ou vous la mettez en prison. »

Personne ne peut et ne veut envisager d'autre solution ? J'ai besoin d'être soignée, de suivre un programme sérieux, d'avaler des pilules ou je ne sais quoi, de raconter ma vie au psychiatre ! Parce que je suis amoureuse ?

Il ne veut pas leur dire. Le mot amour dans cette histoire leur fait tellement peur. L'admettre serait si simple. Mais la passion dérange. Ce consensus entre la défense et l'accusation pour me considérer non comme une femme passionnée mais comme une malade mentale, pour éviter la vérité à tout prix, me donne la nausée. David continue son laïus. C'est sans espoir.

– Votre Honneur, nous avons des destins d'enfants dont vous devez maintenant tenir compte. Et de nouveau la tâche n'est pas facile pour vous. Il y a ce jeune garçon, qui sera déçu de la sentence, qui risque peut-être de devenir suicidaire, qui se sent responsable aujourd'hui, comme hier. Sa vie a été complètement bouleversée, il s'est retrouvé l'otage des chaînes de télévision, exposé au ridicule, jeté hors de son école... Il y a cette petite fille qui a besoin d'une mère... et enfin les autres enfants de Mary...

Vili n'est l'otage de personne, à part des décisions de justice qui nous empêchent de nous voir. Il se moque pas mal des reportages à la télévision, il est bien capable d'envoyer promener qui il veut quand il veut.

– Le paradoxe, Votre Honneur, est que pour protéger ce jeune garçon, il faille mettre Mary en prison. Ce qui le déprimera davantage, causera encore plus de dégâts, avec des conséquences plus graves. La société n'a pas besoin de se protéger de Mary Letourneau. Son obsession n'est dirigée que vers une seule personne. La seule qui ait besoin d'être protégée de Mary Letourneau, c'est Mary Letourneau! Il faut la protéger d'elle-même, et l'enfermer n'est pas la solution pour y parvenir. Elle est déjà sous surveillance par crainte de suicide, Votre Honneur... La justice... si difficile à rendre...

La justice! Elle est absente de cette cour. D'amour et de liberté il n'est jamais question. Tout ce beau discours mériterait que je me lève pour applaudir. Ou alors que je demande à la cour de l'oublier complètement. Il ne me concerne pas. Ce ne sont pas les mots que je voulais entendre. J'ai écouté le long monologue de mon avocat, il a même su se montrer émouvant parfois, mais n'a pas dit à la cour ce que je voulais qu'elle sache.

Soudain, c'est à moi que le juge s'adresse :

– Madame Letourneau, avez-vous quelque chose à ajouter ?

Je regarde David, l'œil féroce. Il avait affirmé que je n'aurais pas à prendre la parole aujourd'hui. Qu'il ne s'agissait que d'une formalité! Quelle infamie! Il savait que je voulais m'exprimer, que je voulais crier enfin à la face du monde *ma* version de l'histoire, et hier il m'a convaincue du contraire.

– On ne vous laissera pas parler, Mary.

Il m'a trompée. Il regarde ailleurs, en rangeant son paquet de dossiers.

Et moi je regarde le juge, désespérée, le suppliant des yeux, essayant de lui faire comprendre que j'aurais moi aussi des choses à dire, tant de choses que je suis prise au dépourvu. Je voudrais ouvrir la bouche, me défendre seule, hurler la vérité.

Au lieu de cela, je baisse la tête. Il est trop tard, je ne m'y suis pas préparée...

La sentence tombe, elle était prévisible. Sept ans et demi de prison.

En entendant le juge Lau, une femme, prononcer la phrase qui me condamne, je ressens presque du soulagement, un poids de moins sur les épaules. Au moins n'aurai-je plus à subir l'humiliation du programme de soutien psychologique. Me voilà libre de me battre pour gagner ma cause.

On vient de m'infliger sept ans et demi de prison, et pourtant ma tête est plus légère, à la limite de l'euphorie. Les menottes se referment sur mes poignets, sans que je m'en rende vraiment compte. Je dois avoir l'air égaré. J'entends à peine les paroles de réconfort que l'on chuchote autour de moi. Je veux sortir d'ici, de cette cour, retourner en prison, au fond de ma cellule, d'où je pourrai vraiment entamer le combat vers la liberté, et la reconnaissance de la vérité. Je veux retrouver ma dignité d'être humain.

Au moins ne suis-je plus la fausse malade qui avait soi-disant besoin d'aide, et suppliait un juge de lui pardonner ce dont elle se sent fière au contraire. Ils ont abattu leurs cartes, cette femme amoureuse est une criminelle et une violeuse. Ils ont eu ce qu'ils voulaient.

Au-dehors, la presse se rue de nouveau sur moi. Cette fois le délire est à son comble.

« Mary, par ici, Mary, par là... Comment vous sentez-vous ? que pensez-vous ? qu'allez-vous faire ? Que pensez-vous de... »

Des questions sans fin, hurlées de tous côtés, abrutissantes et braillées sur tous les tons. Ils imaginent que je vais m'arrêter pour leur faire un long discours ? Leur donner un compte rendu détaillé de mes émotions dans un couloir ? Ou bien leur faut-il simplement un résumé de quinze secondes pour le flash de midi ?

Je les vois défiler comme au ralenti, tous ces visages, ces bouches glapissantes, suppliantes, avides, souriantes, quémandeuses. Des chiens qui aboient après leur proie.

Nous sommes presque arrivés mes gardes et moi, nous atteignons enfin le refuge béni de l'ascenseur, lorsque le dernier reporter se dresse devant nous. C'est une femme. De toute évidence, elle ne travaille pas pour la télévision, son visage n'est pas maquillé, ses cheveux sont tirés en arrière et noués en queue de cheval. Elle tient son bloc devant elle, de manière agressive, presque comme une arme de défense.

Ses mots me transpercent :

– Mary, est-ce que ça valait la peine ?

Je ne peux que lui sourire. Comme je voudrais arrêter le temps, et cette foule en furie, pour tout lui expliquer...

Peut-on respirer sans oxygène ? Peut-on vivre sans amour ?

Si seulement elle savait de quoi elle parle.

Soona

Je suis furieuse de constater la façon dont les flics, les juges et les instances éducatives ont transformé un problème familial en une affaire hors de proportion. J'aurais mené ça autrement, moi, évité tout ça. J'ai l'impression que les Blancs ne peuvent pas s'empêcher de tout étaler en public ; c'est une autre culture. Ma culture à moi, c'est d'abord la famille, et les affaires de famille se traitent en famille. Et il s'agissait bien d'une affaire de famille. La communauté samoane, ici à Seattle, serait restée discrète, elle aurait gardé le secret aussi longtemps que nécessaire, mais du côté de Mary, avec son mari et sa famille, j'ai bien vu qu'il n'y avait aucun moyen de s'arranger entre nous.

Je lui disais tout ça, et elle hochait la tête, en m'implorant toujours de comprendre que l'amour qu'ils avaient l'un pour l'autre était exceptionnel. Ça m'a fichue en rogne à nouveau, j'avais pas besoin de ce genre de parenthèse romantique pour le moment ! Comme tout le monde, comme n'importe qui, je ne voyais que le problème de l'âge.

— Mary, il faut que tu regardes les choses en face, c'est un gosse de treize ans ! Et tu es une femme mariée, avec un tas de gosses déjà. T'as un fils qui a pratiquement le même âge que Vili...

Mais elle arrêtait pas de dire :

— Je sais, je sais, je sais...

— C'est toi la plus vieille dans tout ça, tu le savais bien, tu n'aurais pas dû laisser faire... dis-le moi maintenant, de mère à mère, entre quatre yeux, hein ? Pourquoi ? Pourquoi c'est arrivé ?

On est restées là dans la voiture, peut-être deux heures, et je n'ai pas eu de réponse. Mais au moment de la quitter, même si mon cœur ne comprenait toujours pas, j'avoue qu'il lui avait au moins pardonné. Une mère ne peut que prier quand son enfant aime véritablement celui ou celle qu'il a choisi. Pour que leur union ne soit pas superficielle, mais basée sur des sentiments profonds, sur ce qu'ils peuvent s'apporter l'un à l'autre.

Et je commençais à comprendre qu'elle aimait vraiment mon fils, même s'il n'avait que treize ans. J'ai toujours dit, et je l'ai répété bien des fois depuis, Vili, c'est « une vieille âme dans un jeune corps ».

Et Mary l'a en quelque sorte prouvé.

Les médias ont dit que j'étais en partie fautive de ne pas savoir où traînait mon fils, et j'ai peut-être été trop indulgente avec Vili, en le laissant passer autant de temps chez elle. Mais j'avais toujours eu confiance en Mary, et si je peux comprendre l'opinion des autres en ce qui me concerne, je n'en veux personnellement à Mary que pour une seule raison : avoir trahi cette confiance, d'une mère à une autre. En tant qu'institutrice, je savais que Mary était formidable, et il est possible que l'administration de l'école où elle travaillait ait une part de responsabilité aussi. On savait qu'elle avait organisé des travaux pratiques à l'école, comme le font tous les enseignants qui entreprennent beaucoup de choses avec leurs élèves. Ils auraient peut-être dû surveiller tout ça, histoire de voir comment se déroulaient les choses.

Et moi aussi, qui suis assise là à faire le compte de tout ça, pendant qu'ils la jugent, moi aussi je suis à blâmer. Sans doute autant que Mary et Vili. Je pense que toute personne proche a quelque chose à se reprocher dans l'histoire. La première fois qu'on m'a dit qu'ils avaient des relations sexuelles, j'ai d'abord reçu un choc, comme n'importe quel parent, je suppose. Mais ce choc n'était pas aussi grand qu'on pourrait le penser, il n'y a qu'à voir ce qui se passe de nos jours, on est bien obligé de constater que les choses sont différentes pour les gosses. Ils commencent l'éducation sexuelle au cours élémentaire ! Moi, quand j'allais à l'école, personne ne parlait de sexe. La société porte elle aussi une certaine responsabilité, elle nous abreuve de trop de sexe à la télévision, et au cinéma.

Je pense que Vili s'est montré un peu plus curieux que les autres à ce sujet. En écoutant Mary, j'ai bien compris qu'elle n'avait pas prémédité de se retrouver au lit avec mon fils. Elle n'avait pas du tout ce genre d'intention, mais voilà, une étincelle a allumé le feu de bois, et une chose en amène une autre. J'ignore ce qui s'est passé dans sa tête, pour que ça arrive, tout ce que je sais, c'est qu'elle n'était pas assez forte pour refuser ce que mon fils voulait d'elle. Et, Dieu me pardonne, quand il veut faire quelque chose, si je ne suis pas là pour le surveiller, il le fait.

J'ai aussi pensé : « Mets-toi à la place de Mary, tu as fait un mauvais mariage, tu voudrais être aimée, que ce soit conscient ou non, il suffit que quelqu'un fasse attention à toi, te porte ce genre d'intérêt, et voilà ce qui arrive... »

À présent, je vais être le témoin, dans cette cour, d'une parodie de justice. Je ne suis venue là que parce que l'avenir des enfants me concerne. D'abord il y a Audrey, le bébé de Mary et Vili. Ma préoccupation est qu'elle devra grandir sans connaître sa mère. Les autres enfants de Mary, qui sont avec leur père, auront tous des souvenirs de Mary en tant que mère, ils auront toujours des petites choses en commun, des choses faites ensemble, des images d'enfance. Mais les souvenirs d'Audrey ne viendront que de sa grand-mère, de son arrière-grand-mère et de la famille de son père.

Dans le meilleur des cas, elle ne saura que peu de chose à propos de sa mère. J'ai bien essayé de convaincre les gens de la prison de me laisser lui emmener l'enfant, mais ils se sont montrés inflexibles. Ne voient-ils pas qu'ils sont tout simplement en train de déposséder une petite fille de sa mère ?

Le silence est pesant. Au moment où le juge énonce la sentence, je suis sous le choc. À ce moment précis, je voudrais être avec elle. J'avais beau m'attendre à ce qu'elle écope des sept ans et demi qu'on lui avait promis la première fois, j'avais malgré tout gardé un petit espoir et je suis triste pour Mary à présent. Je suis triste aussi pour tous ceux qui sont embarqués dans ce pétrin. Pour elle, pour sa famille, son avocat, mon fils, ma petite-fille, et ses quatre autres enfants. La seule personne pour laquelle je ne ressens rien, c'est son mari.

Mais pour Mary, c'est comme si quelqu'un de ma famille venait de mourir. C'est tellement dommage, elle avait tant de cartes en main, et elle a tout perdu. Elle a déjà sacrifié sa liberté une fois et, pour la retrouver, elle devait déjà payer un certain prix : ne plus revoir mon fils et ses enfants. Je pense que Mary s'était dit que, même hors de prison, elle resterait une prisonnière, car le prix qu'on lui demandait, en particulier de ne plus revoir ses propres enfants,

était bien trop élevé. Ça, je peux dire que je n'arrive pas y croire !
Même un meurtrier a le droit de voir ses gosses, un meurtrier peut
coller les photos de tous ceux qu'il aime sur les murs de sa cellule.
Pas Mary. Si un mari tue sa femme, il a toujours le droit de voir
ses enfants, et il a le droit de les retrouver dès l'instant où il sort de
prison. Pas Mary.

La loi, dans sa grande sagesse, a décidé qu'elle n'était pas
capable de voir ses enfants ou Vili sans leur faire de mal, alors
qu'elle les aime du fond du cœur.

4

Une vie presque ordinaire

Mary

Mon père, John Schmitz, a toujours été le personnage le plus important de la famille. Il était notre équilibre. C'est un homme remarquable qui a exercé une grande influence dans ma vie. Je me revois toute petite en train de lui entortiller des bigoudis dans les cheveux. Il avait une trentaine d'années, et déjà une calvitie naissante, alors il laissait pousser ses cheveux très longs sur le devant, pour la recouvrir. Je prenais mes petits bigoudis roses en mousse, et je lui faisais une tête d'Iroquois, pendant qu'il lisait ou travaillait dans son fauteuil. Je me souviens des déjeuners de mardi gras, des voyages à Disneyland.

Mon père est un républicain très conservateur. Je suis née en 1962, et il a entamé sa carrière politique en 1964, en tant que représentant du comté d'Orange, pour l'État de Californie, et plus tard, membre du Congrès à Washington. Je me revois en habit vert, une bannière portant son nom en travers de la poitrine, comme une petite « Miss America ». Je revois les pique-niques où mon père me prenait par la main pour les photographes, je devais avoir trois ans. D'autres fois, je dansais en grimpant sur ses pieds, et nous valsions autour du salon.

Il m'a toujours paru si grand. Les gens disaient qu'il était bel homme. Moi je n'en savais rien, c'était seulement mon père. Je l'adorais.

J'étais la première fille après trois garçons, John, Joe et Jerry. Après moi, il n'y a pas eu d'enfant avant quatre années, deux petites sœurs, Teri et Liz. Et puis Philip, mon petit frère, qui à cette époque n'était pas encore né, et qui allait nous quitter tragiquement à l'âge de trois ans, alors que j'en avais onze.

On m'a raconté que mon père était fier de moi lorsque j'étais petite, mais je ne m'en suis pas vraiment rendu compte. Il était souvent absent. Je pense que je l'admirais énormément, j'ai toujours apprécié la manière dont il dirigeait la famille.

J'ai compris assez tôt quelle politique il défendait et pourquoi tant de gens le suivaient. C'était un être noble d'une grande qualité humaine. À cette époque, son parti menait campagne. J'étais encore gamine, mais je faisais du porte-à-porte avec lui, pour distribuer nos brochures, assister à des pique-niques, et à beaucoup d'autres manifestations. Petite, je ne faisais que sourire dans les meetings ; plus tard, lorsque j'ai grandi, j'ai participé moi-même aux campagnes politiques. Je connaissais son combat, je comprenais l'idéologie républicaine de l'époque, il n'y avait guère de différence entre démocrates et républicains, avant que se pose la question de l'accession au pouvoir.

À la maison, nous avions chacun notre place à table. C'était une grande table ancienne pour douze personnes. Mes parents s'asseyaient toujours à chaque bout, j'étais à la gauche de mon père. Je me gardais bien d'être à la portée des bras de ma mère, et je plaignais les autres qui se trouvaient à côté d'elle. Ma sœur Liz, la plus jeune, était toujours assise près de ma mère, c'est resté sa place. Mon frère Jerry, le plus proche de moi, était en face de moi. John et Joe n'étaient pas souvent à la maison, la plupart du temps ils étaient dans leur collège privé, ou au club de sport. Ma sœur cadette Teri, que nous surnommions « Jello » s'asseyait n'importe où, elle n'a jamais eu de place fixe. Moi, on m'appelait « Cake ». C'est mon père qui a commencé. Au début j'entendais Mary Kay, puis c'est devenu « Mary O' Cake » et enfin « Cake ». Comme une sorte de mélodie ! Terri était surnommée « Banana ». Pour elle aussi le surnom était parti de Teri Anna, pour devenir « Teri Banana », puis « Banana » tout seul. Les langages de famille sont parfois bien mystérieux....

Mes parents discutaient à table, nous ne disions jamais

rien. Nous n'avions que le droit d'écouter. Ma mère était le chef de table, nous nous le tenions pour dit.

Mon père avait des rapports particuliers avec les gens. C'était un homme ouvert qui savait tout de suite les mettre à l'aise. Pour moi c'était le meilleur exemple de la manière dont il faut gérer les relations humaines, en abolissant les différences. Ma mère était toujours extrêmement prompte à remettre les gens à leur place, je sentais que ce n'était pas bien. Pour ce genre de choses, elle était tout le contraire de mon père, qui pouvait convaincre un employé chargé du ménage qu'il était indispensable, puisque quelqu'un devait faire ce travail.

J'ai compris que mon père était quelqu'un d'important vers l'âge de dix ans. C'est à la période où il a fait campagne pour la présidence en 1972. George Wallace souffrait encore de graves blessures suite à un attentat, mon père a pris sa place à la tête du parti américain. Il avait déjà quitté le parti républicain, il se sentait prêt à représenter une alternative politique en dehors des deux grands partis. Le troisième homme.

Nous vivions alors à Washington D.C., il était membre du Congrès.

Nous n'aimions pas la capitale, culturellement elle était trop différente de la Californie, et il y pleuvait tout le temps.

À l'époque où mon père était au Congrès, Nixon était Président et Ronald Reagan gouverneur de Californie, notre État d'origine. Nous voyions beaucoup Reagan lorsque nous vivions là-bas, au cours de pique-niques et de soirées. C'était un grand bonhomme.

À table, on a entendu parler du Watergate bien avant que l'affaire soit portée à la connaissance du public. Nous savions tous que c'était important, et secret aussi. Mon père et ma mère discutaient de l'évolution de l'affaire, et de la nécessité de la rendre publique. Je me souviens que c'était assez longtemps avant que les médias en parlent. Mon père n'a jamais été un partisan de Nixon, en fait il était pour sa mise en accusation. Un jour, à l'occasion de la visite historique de Nixon en Chine, il a déclaré qu'il ne voyait pas d'objection à ce que Nixon aille en Chine, sa seule objection était qu'il en revienne !

Nous avions un style de vie différent des gens ordinaires, pas vraiment privilégié, simplement différent. Parfois c'était déplaisant, car mes parents avaient des amis sénateurs ou membres du Congrès, et nous étions censés nous lier d'amitié avec leurs enfants. Mais cela ne nous semblait pas naturel d'être contraints à ce genre d'amitié avec des enfants qui ne nous plaisaient pas forcément, ou avaient des intérêts complètement différents des nôtres. C'était artificiel. Nous préférions nos amis de l'école ou les enfants des voisins.

Nous sommes allés à la Maison Blanche quelquefois, pour la course aux œufs de Pâques. Je me souviens que les gens attendaient dehors de pouvoir entrer, alors que nous entrions par une porte spéciale, avec un mot de passe. Cela nous amusait.

Nous n'avons pas su tout de suite que notre père briguait la présidence. Nous l'avons appris par la télévision. Il est apparu sur l'écran un soir, lors d'une grande convention, une foule de gens autour de lui brandissaient des pancartes portant son nom. Mon frère Jerry et moi, nous nous sommes regardés, étonnés. Sur l'écran de télévision, nous avons vu mon père et ma mère debout sur l'estrade devant une foule qui les ovationnait. C'était très impressionnant, alors nous nous sommes mis à taper dans nos mains, comme sur l'écran, pour exprimer notre joie d'enfants. Papa serait peut-être président !

Pendant toute sa campagne, qui a duré des mois, mon père a beaucoup voyagé. Mes parents étaient invités à des réceptions chaque soir. À cette époque, mon frère aîné nous surveillait, et notre tante Ruth était venue vivre à la maison. Elle était d'une grande sévérité, ce que nous n'avons apprécié que beaucoup plus tard.

Lorsque mon père s'est présenté à la présidence, des hommes des services secrets se sont installés devant la maison. Ils vivaient dans une grande caravane dissimulée dans un bosquet juste de l'autre côté de la rue. Nous les trouvions sympathiques et nous avons très vite lié connaissance. À l'époque je voulais même me marier plus tard avec un agent des services secrets !

Ils sont restés quatre mois et, au début, ils nous disaient ce que nous pouvions faire et ne pas faire. Par exemple, nous

48

ne devions pas trop jouer dehors. Ne pas nous éloigner du voisinage.

C'était passionnant pour des enfants, et quand ils sont partis, Jerry et moi avons organisé notre propre service de sécurité, nos petits revolvers étaient toujours prêts. Nous prenions notre rôle très au sérieux !

Parfois, nous allions à l'école dans la voiture des services secrets, parfois dans une limousine, mais nous n'aimions pas, car cela nous faisait remarquer. Alors nous demandions au chauffeur de s'arrêter au premier tournant et de nous laisser faire le reste du chemin à pied. Cela semblait inquiéter notre père, il nous recommandait d'obéir et d'écouter ces hommes, c'était très important. Quand il n'y avait rien de très officiel à la maison, nous allions jouer au base-ball avec eux dans le jardin.

Nous, les enfants, nous suivions le train de la campagne à la télévision pendant que ma mère et mon père, eux, traversaient tout le pays. Nous savions dans quel état ils se trouvaient, et où ils seraient le lendemain. Nous étions branchés sur la télévision en permanence, sur les grands débats télévisés, comme le célèbre « *Face the Nation* ». Nous collectionnions les badges, les autocollants et les pin's, j'en avais plein sur mon sac d'écolière. Cela nous donnait l'impression de participer.

Je me demandais si mon père avait des chances de devenir président, car il faisait campagne contre Nixon et McGovern. Les sondages ne lui donnaient qu'un faible pourcentage de voix, mais, à l'époque, je me posais réellement la question de savoir s'il pouvait gagner. Il militait pour certains principes de la droite, et j'entendais sans cesse à la télévision, que les gens allaient devoir choisir « le meilleur entre deux diables ». J'avais envie de leur crier que rien ne les y obligeait, qu'il existait un troisième choix : ils n'avaient qu'à voter pour lui.

Après l'élection, je suis retournée à l'école très fière de mon père, il avait bien travaillé et j'étais heureuse car il allait bientôt rentrer à la maison. En arrivant en classe, une religieuse est venue me tapoter l'épaule pour me consoler, en marmonnant que je devais sûrement être très déçue. Cela m'a profondément vexée. En réalité, j'étais extrêmement fière de mon père, et je ne pouvais concevoir qu'elle puisse parler de déception.

Après la campagne présidentielle, nous sommes retournés en Californie, dans la région de Corona del Mar, un endroit nommé Spyglass Hill. Il fallait attendre que notre maison soit achevée, elle était encore en construction. C'était très amusant de se promener au milieu des échafaudages, de choisir l'emplacement de nos chambres avant même que les étages soient construits. Je suis entrée au lycée. Mon père avait repris ses activités dans le corps législatif de l'État, et j'étais toujours aussi fière de lui, car je commençais à comprendre beaucoup plus de choses. Être au pouvoir était très important pour lui.

Je ne m'entendais pas du tout avec ma mère. Elle dénigrait toujours les gens, surtout ceux qui n'étaient pas catholiques. Si j'invitais des amis à la maison je savais ce qu'il fallait dire : « Oh! à propos ils sont catholiques... »

Je devais annoncer ce genre de chose le plus naturellement possible, et m'assurer aussi qu'ils n'étaient pas des enfants de parents divorcés. Ensuite, ma mère faisait une seconde distinction : il y avait selon elle plusieurs catégories de catholiques, et ce n'était pas suffisant de les dire catholiques, il fallait aussi répondre à la question suivante : « À quelle école vont-ils ? »

Car si des gens se disent catholiques et envoient leurs enfants dans une école publique, c'est le signe qu'ils appartiennent à un groupe de dissidents catholiques minoritaires.

Ma mère classait toujours les gens en catégories, elle trouvait certains de mes amis acceptables pour moi, et d'autres pas. Si je disais : « C'est une amie qui m'est très chère ! », ce n'était pas suffisant. « C'est un excellent camarade de classe ! », non plus...

Je devais demeurer très discrète sur mes amis de classe. Ma mère était aussi froide que mon père était tendre. Ils avaient chacun leur manière d'apprécier le genre humain, et il n'y avait aucune intimité entre eux à l'époque. Du moins, rien pour m'en convaincre. Lorsqu'elle a décidé de s'occuper de politique, elle ne le lui a jamais dit.

Un jour, j'ai demandé à mon père : « Comment fais-tu pour l'aimer ? » Il n'a même pas tenté de rationaliser la

chose, il a simplement répondu : « Ce n'est pas facile. »
D'une certaine façon cette réponse m'a étonnée, je m'attendais probablement à une déclaration plus rassurante.

Je pense que ma mère a toujours mal accepté que je sois si
proche de mon père. J'en suis arrivée au point où, vers l'âge
de onze ou douze ans, je ne lui demandais plus rien. Si
j'avais envie de faire quelque chose, de jouer au football ou
de m'inscrire à une chorale, je n'en informais pas ma mère.
Je montais seulement la voir pour lui demander :

– Je peux avoir le numéro de papa à Sacramento ? J'ai
quelque chose à lui dire.

Je la contournais très clairement à l'époque où mon père
était là-bas. Je prétendais ne pas vouloir l'ennuyer avec des
détails. Elle ne luttait même pas :

– Très bien, appelle ton père.

J'appelais donc mon père à Sacramento :

– Salut papa ! J'ai besoin de quarante dollars pour la
chorale de l'équipe de football. Tu veux en parler à maman
s'il te plaît ?

Il en parlait à ma mère, et j'avais ce que je voulais.

Ma sœur Liz était assez attachée à elle, plutôt symboliquement qu'autre chose, je ne crois pas qu'elles étaient
vraiment proches. Liz rêvait d'avoir une sorte de « mère-
sœur », et ce n'était pas le cas. C'était difficile pour moi de
les voir faire. Ma sœur s'asseyait tout près de ma mère en
disant :

– Oh ! maman, je peux te parler s'il te plaît ?

Ma mère était en train d'écrire, ou de revoir son programme, elle ne levait même pas les yeux, alors que ma
sœur, pendant ce temps, essayait de lui faire des confidences. C'était très sérieux, et ma mère marmonnait :

« Mm...mm.. mm... »

Elle ignorait complètement la pauvre Liz, qui déversait
dans le désert tout ce qu'elle avait sur le cœur. Une fois j'en
ai eu assez, j'ai frappé sur la table autour de laquelle se
tenait cette « conversation » :

– Tu ne pourrais pas lui répondre quelque chose ?
Qu'est-ce qu'elle te demande ?

– Mais j'écoute !

– Ah oui ! mm... mm... c'est ça ? »

Pour la spectatrice que j'étais, ce qui se passait entre elles était terriblement gênant.

Je connais bien ma mère et je ne respecte pas du tout ses opinions. Mais il existe une différence de taille entre ne pas s'entendre avec sa mère et ne pas la respecter.

Je la respecte en tant que mère.

5

Histoires de famille

Mary

C'était un jour ordinaire, je revenais de l'école. Ma mère avait fait venir tous les enfants dans le salon, pour nous parler. Droite, digne, visage fermé. Elle voulait nous prévenir que dès le lendemain, dans un journal, un article allait paraître sur mon père, et qu'il s'agissait de quelque chose de méchant.

J'ai d'abord pensé : « Rien de neuf, les journalistes l'agressent régulièrement. »

Mais ma mère a répété, en se tordant un peu les mains, gênée : « Quelque chose de vraiment méchant. À l'heure qu'il est, je ne sais même pas si c'est vrai. »

Un journaliste lui avait téléphoné hypocritement, pour lui signaler qu'un article sur mon père était sur le point de sortir. Il voulait savoir si elle avait des commentaires à faire. Et c'est ainsi qu'elle avait appris toute l'histoire.

Je me demandais bien de quelle histoire il s'agissait. Mon père n'était pas à la maison ce jour-là, mais d'après ma mère, il était déjà au courant. Que pouvait-il avoir dit ou fait pour attiser la colère des médias ? Lorsque ma mère nous l'a expliqué, j'étais certaine que c'était faux.

Le lendemain matin, je suis allée acheter le journal local en question. C'était en première page, partout. Mon père aurait eu une liaison avec l'une de ses militantes, et elle aurait eu des enfants de lui.

Je connaissais la femme en question, nous la connaissions tous, c'était effectivement une supportrice acharnée de mon père, on la voyait partout. Elle nous paraissait un peu

53

excentrique, bizarre, mais gentille et très serviable. On pouvait toujours compter sur elle s'il y avait besoin d'une volontaire. Elle s'appelait Carla. Carla Stuckle.

Si l'on avait besoin de quelque chose, pendant les campagnes de mon père, il se trouvait régulièrement quelqu'un pour dire : « Il n'y a qu'à appeler Carla. »

Elle était juste un peu trop complaisante, semble-t-il, et un peu trop partisane.

Je me rappelle qu'un jour, en allant à l'église avec mon père, j'avais plaisanté à son propos. Par hasard, ce jour-là, nous n'assistions pas à la même messe que d'habitude, et il était étrange que Carla s'y trouve aussi *par hasard.*

Dans la voiture, sur le chemin de la maison, je l'ai fait remarquer à mon père. :

– C'est curieux quand même, comment savait-elle que nous serions là à cette heure-là ? Ou elle a des pouvoirs extralucides, ou c'est une amie du hasard...

Elle était venue avec son fils, un petit garçon blond, dont j'ai su après qu'il était forcément mon demi-frère.

– C'est drôle, elle vient de Santa Anna jusqu'à Corona del Mar pour aller à la messe ? C'est loin de chez elle. Il y a au moins sept paroisses entre les deux.

Finalement je me suis permis une légère plaisanterie :

– Elle a le béguin pour toi, papa...

Ma mère était dans la voiture, ce n'était vraiment pas courtois de ma part de suggérer cela devant elle ! Mon père m'a vertement réprimandée. C'était avant que l'histoire n'éclate dans la presse, j'ai cru qu'il essayait simplement de la défendre, parce qu'elle était nouvelle dans la région, et seule dans la vie.

Deux jours après cette annonce fracassante, mon père est rentré à la maison, et il y a eu réunion de famille. Ma mère a pleuré devant nous. Tout était vrai. J'avais de la peine pour elle, et j'essayais de comprendre ce qui s'était passé entre eux pour qu'une telle chose lui arrive. Lorsqu'elle s'était mise au service du comté, une certaine distance s'était installée entre mon père et elle. J'ai réalisé à ce moment-là que certains couples pouvaient durer et d'autres pas.

Longtemps j'ai voulu croire qu'ils s'aimaient, même si ce n'était pas évident. J'ai tout essayé pour comprendre, pour *les* comprendre. Je suis passée par des stades différents, je pensais finalement que si Dieu leur avait donné autant d'enfants, c'était qu'ils s'aimaient. Je faisais naïvement le rapport entre le nombre de mes frères et sœurs et l'intensité de leur amour.

Après cette histoire, ma mère s'est transformée. Elle était déjà beaucoup moins glaciale depuis qu'elle s'occupait de politique, on ne peut pas faire ce métier en étant arrogant ou indifférent. Cette transformation s'est accentuée lorsqu'elle a été obligée de se mettre au niveau de toute une population, pour pouvoir la représenter.

Bien évidemment, les médias se sont précipités sur cette vieille histoire au moment de mon procès. L'occasion était trop belle de rappeler « les incartades paternelles » (qui lui ont d'ailleurs coûté sa carrière politique) et de me traiter comme la « digne fille de mon père ». Notre société, notre « rêve américain » ne pardonnent rien dans ces cas-là...

Une autre histoire de famille, qui me concerne plus directement, a elle aussi surgi dans la presse quand mon histoire avec Vili a été révélée. C'était inutile, mais les journalistes aiment tellement tronquer la vérité quand cela les arrange.

J'avais environ sept ans, nous étions en Californie. Un jour, mon frère m'a appelée dans sa chambre. Je jouais dans la roseraie, je devais porter un simple maillot de bains. Il voulait me montrer son pénis. J'ai trouvé cela très étrange. Ensuite il a dit qu'il allait me toucher « ici en bas ». Il l'a fait. Et j'ai bondi en arrière comme si on m'avait ébouillantée. Horrifiée, très fâchée contre lui, je lui ai dit : « Ne me touche plus jamais ! Jamais ! »

Il n'était pas allé très loin, ce n'était qu'un geste furtif, mais cela m'avait horriblement déplu, et surtout peinée. C'était confus, j'ignorais trop de choses à sept ans.

John devait en avoir quatorze environ. Il venait de rentrer de l'étranger, où il avait vécu dans une sorte de séminaire, dont il avait honteusement été renvoyé pour une affaire sexuelle avec une fille plus âgée. Je pense qu'elle avait une dizaine d'années de plus que lui. Ses parents avaient pris contact avec les nôtres, pour se plaindre de son comportement. Cela n'avait pas plu, à la maison !

John était probablement gêné et perturbé d'avoir eu ce geste envers moi, il m'a suppliée de ne pas le dire aux parents. Je n'ai rien dit. Environ un an plus tard, nous étions à Washington, il m'a attirée de nouveau dans sa chambre. Cette fois il voulait que je lui rende un service. Comme j'ignorais de quoi il s'agissait, j'ai écouté ses explications sans méfiance, et suivi ses directives.

J'ai été horriblement surprise. Je détestais ça. Je ne pensais pas vraiment que c'était mal, je n'en avais pas conscience, mais je voyais cela comme une vilaine chose de garçon. *Sa* vilaine chose. Quelques semaines plus tard, avant qu'il me redemande de le faire, j'ai entendu dire par une bande de gamins dans le quartier que « les bébés ne venaient pas de l'amour, mais de cette chose qui sortait au bout du pénis ».

Cette fois je me suis sentie complètement trahie par John. Jusque-là j'avais cru à une sorte d'expérience qu'il voulait faire, je ne sais pas très exactement quoi, sauf que cette chose me déplaisait.

Désormais je voulais lui échapper, me protéger de lui. Je savais depuis mon très jeune âge que j'étais vouée à faire des enfants, c'était une promesse faite à Dieu. Et dans ma tête de petite fille je me disais alors : « Si John croit qu'il va me faire manquer à ma promesse, il se trompe ! »

Je n'étais pas tellement effrayée au fond, qu'il essaie de recommencer, plutôt déterminée à respecter mon vœu. C'était pour moi l'offrande la plus pure de la vie, faire le vœu d'avoir des enfants avec l'homme que l'on aimera plus tard.

À ce moment-là je ne connaissais absolument rien des rapports sexuels. L'éducation que nous recevions nous préservait de toutes ces choses. Tout ce que je savais désormais, c'est que cette chose qui sortait au bout du pénis faisait les bébés.

Alors, pour me préserver de mon frère, je sortais dans le jardin à la tombée de la nuit, j'attendais là, assise sur les marches, que la voiture de mes parents arrive. Ils rentraient souvent tard du bureau ou de leurs réceptions mondaines. Dès que j'apercevais les phares de la voiture, je courais vite à l'intérieur me glisser dans mon lit, rassurée. Personne ne m'a jamais vue, je me faufilais comme une souris dans la maison.

Très vite après cette histoire, John a eu une petite amie dans le quartier, et tout est rentré dans l'ordre. Je pense toujours que ce n'était qu'une idée de gamin obsédé. Une chose qu'il s'était mise en tête. Pas réellement une agression sexuelle, une chose plutôt égoïste, personnelle. Je ne crois pas qu'il était capable de comprendre la profondeur de mes sentiments, mon amour et ma promesse à Dieu. C'était un garçon, pas une fille, et les garçons ne comprennent pas ça.

Je ne lui ai jamais reparlé de cette histoire, même lorsque nous sommes devenus grands. Ce n'était pas vraiment nécessaire, je n'avais pas été traumatisée à ce point par l'incident. Je l'ai d'ailleurs vite oublié, et cela m'a fait d'autant plus mal quand la presse s'est emparée de l'affaire.

Ce qui m'a surtout ennuyée, c'est que dans leurs rapports les psychologues aient dit que John m'avait « caressée ». Il ne l'a jamais fait, en fait il ne m'a jamais touchée, à part cette première fois où j'ai sursauté comme si j'avais effleuré un charbon ardent.

Je me suis sentie salie, trahie, une fois de plus. On a dévoilé un morceau de mon enfance, en déformant la vérité, en amplifiant les choses pour tenter d'établir des correspondances hasardeuses. Je tiens à le redire encore une fois, mon enfance fut sereine, enrichissante et belle...

6

Enfance

Vili

Mon plus vieux souvenir d'enfance, c'est l'image des trois étages de la grande maison à Hawaii où on habitait. Je me sentais tout petit là-dedans. Il y avait mon père et toute la famille, un tas de monde. La plupart de mes souvenirs sont assez confus, il se passait beaucoup de choses dans cette maison, mais il y a un truc qui m'est resté salement planté dans la tête, c'est mon père en train de tabasser ma mère. Nous les gosses on est dans la pièce à côté, on a la trouille, on écoute, on comprend pas ce qui se passe.

Et puis ça se met à crier, de plus en plus fort, on entend le bruit du coup du poing qu'il lui envoie, des fois en pleine figure. Alors on reste là, sans rien dire, la trouille au ventre, de peur qu'il nous tombe dessus après. Le lendemain matin, le visage de ma mère est couvert de bleus partout, et on n'ose pas en parler.

M'man ne nous a jamais rien dit là-dessus, et on n'a jamais su pourquoi ça se passait comme ça, mais moi j'étais malheureux pour elle. Je comprends toujours pas d'ailleurs.

Bref mon père était là, et ce que je ressentais devant lui, c'était tout de même bizarre... Je devais lever la tête pour le regarder, parce qu'il était vachement grand, et moi encore petit, et je me disais : « Pourquoi il fait des trucs comme ça ? » Je crois que, d'une certaine façon, je le haïssais pour ce qu'il faisait à ma mère. Et à d'autres moments j'étais plein d'admiration, parce que c'était vraiment un mec à Hawaii. Un grand mec. C'est lui qui fixait les règles partout dans l'île, en tout cas ça en avait l'air. Il était dans une sorte de gang, un truc de la mafia ou autre, et le gang bossait pour lui. Il avait qu'à dire aux autres ce qu'il fallait faire, et les gars le faisaient. Je crois bien qu'il était dans le trafic des drogues, il devait livrer par-ci par-là, brutaliser et cogner les gens et tout ça. Il avait l'air de tout contrôler sur cette putain d'île d'Hawaii. Je suppose que j'ai dû fantasmer sur lui, je croyais que c'était quelqu'un à qui il fallait ressembler. Je me souviens qu'une fois, on était sur la plage et mon frère Perry s'est fait prendre par un mauvais courant, il était entraîné de force. Mon père a foncé dans les vagues, il l'a arraché de l'eau comme un rien. Ce jour-là, il a sauvé Perry de la noyade.

Je suis retourné à Hawaii depuis, la famille m'a aidé à remplir un peu les trous à propos de mon père, moi je savais pas vraiment qui c'était. Il paraît que c'était un sale mec finalement, qu'il était tout le temps en prison, et en plus qu'il y a fumé du crack. Un truc que j'aime pas du tout.

On m'a dit que la plupart du temps il nous foutait la paix, qu'il avait eu cinq femmes et dix-huit gosses en tout avec elles. Maintenant on l'écoute plus, quand il téléphone et qu'il dit qu'il nous aime. Des conneries tout ça. Une fois il est venu à Seattle, je devais avoir onze ans, on l'a vu juste une nuit, mais on a même pas parlé avec lui. Il a juste dit : « Salut » et « Comment ça va ? », c'est tout. Une autre fois il m'a téléphoné quand il a appris les nouvelles sur Mary et moi. Il était en prison à ce moment-là. Il a commencé : « Alors fils, tu l'aimes ? » J'ai répondu que oui, alors il a dit encore : « C'est super mon garçon, super. » Après ça il est resté un moment sans rien dire, au téléphone, et puis : « Je suis fier de toi, tu es bien mon fils ! »

C'était encore une belle connerie, il devait croire que je faisais comme lui : le fils qui met ses pas dans les pas du père, avec un paquet de femmes et de mômes. Il était seulement fier que son fils ait fait l'amour avec son prof, rien d'autre. Et peut-être aussi à cause de toute cette publicité de merde dans les médias. Mais de moi, en tant qu'individu, il n'en avait rien à foutre.

Il ne sait même pas qui je suis vraiment, à part un moutard qu'il a fait un jour. J'écris des poèmes, je dessine, j'essaie de comprendre énormément de choses de la vie, souvent je me prends la tête sur une chanson, sur une musique, mais lui ? Il est juste en taule.

L'autre jour j'ai fait un petit poème pour Mary en deux secondes :

S'il est vrai que l'amour est vrai,
Et vrai qu'il ne meurt jamais
Pourquoi mon âme
Mourrait-elle à jamais ?

Quand j'étais tout petit, maman m'a donné un surnom : « Bouddha ». Un jour elle me regardait dormir, mon estomac était bien rond bien dodu, comme un bouddha. Ça m'est resté, et presque tout le monde dans la famille m'appelle Bouddha maintenant. Sauf quelques copains qui m'ont baptisé « Brute Amoureuse ». Mon frère Perry m'appelle aussi « Cupidon », il dit que je suis un ange de l'amour, le Roméo du coin... Mais c'est une blague, il l'a inventée quand il a su à propos de Mary.

Je devais avoir quatre ans quand ma mère a quitté mon père et Hawaii. Elle en avait marre des coups et de son comportement. Il était très jaloux d'elle et, parfois, il venait rôder autour de son travail, juste pour vérifier qu'elle allait pas déjeuner avec un autre type. Pourtant, il était déjà avec d'autres femmes, un peu partout dans l'île, il était bien connu pour ça apparemment. Et maman devait continuer à l'engraisser, et elle avait du mal à rassembler assez d'économies pour payer le voyage jusqu'à Seattle, on était cinq, elle, mes frères Perry et Faavae, ma sœur Leni et moi. Un jour mon père s'est pointé à la maison et il a demandé où étaient passés les meubles. Ma mère lui a répondu comme ça : « Ils sont partis, et moi aussi je te quitte. » Il devait avoir bu ou un truc comme ça, parce qu'il ne l'a pas crue. Le lendemain on a pris un vol pour Seattle, et on l'a laissé là-bas. J'étais content.

Je me rappelle aussi d'un autre truc à Hawaii, les arbres de Noël, c'était des tout petits machins en plastique. C'est tellement différent de vivre ici à Seattle, où les arbres de Noël sont hauts comme des gratte-ciel, couverts de neige et de tas de choses qui brillent.

Nous sommes samoans, même si je suis né à Hawaii, que ma mère a grandi à Hawaii; nous sommes de vrais Samoans, c'est-à-dire des Polynésiens américains. Il y a sept îles Samoa en tout, couvertes de forêts, la plus grande s'appelle Tutuila, et la capitale est Pago Pago. Quand les copains me demandent où c'est, je réponds : Pacifique Sud... Tout ce que je sais de là-bas, c'est qu'on y pêche le thon, qu'il y a des cocotiers partout, des bananes, des papayes, des ignames, des arbres à pain et de l'ananas, c'est beau quand les typhons s'en mêlent pas.

Ici à Seattle, la communauté s'est installée surtout en banlieue sud, près des usines Boeing, dans des quartiers comme Burien et White Center qui sont très proches l'un de l'autre. Je ne crois pas que nous ressemblons aux autres habitants des îles du Pacifique Sud, ou aux Asiatiques, qui eux aussi vivent en communauté à Seattle, comme les Cambodgiens, les Vietnamiens ou les Philippins. Ils ont toujours l'air de se battre entre eux ces types. Les Samoans, eux, forment une vraie communauté soudée et fraternelle. Tout le monde sait que les Samoans sont des types costauds, et personne va leur chercher de crosse.

On appelle « Hood » le coin où nous vivons. Un raccourci de *neighborhood* en américain [1]. Ce n'est pas vraiment un ghetto, ou un endroit de ce genre, mais il y a des gangs et tout ça, et chacun a son propre territoire dans le « Hood ». Le mien s'appelle « Roxbury Hood », un genre de banlieue ouvrière, où l'on trouve beaucoup d'ethnies différentes. Il y a des gens qui louent leur maison, pas très cher, mais aussi beaucoup de gens propriétaires. Des gangs se sont formés dans le coin, c'est comme ça qu'on se sent forts.

Il se passe des tas de trucs dans le « Hood », des vols de voitures, de magasins, des bagarres, toutes ces choses. J'étais dans un gang qui piquait des bagnoles, à un moment, juste pour rouler avec pendant quelques jours. Si des concurrents étrangers se pointent dans le quartier, ou même des flics, on

---

1. Comme « lieue » pour banlieue.

est très vite au courant, et on surveille. Si un autre gang essayait de s'installer dans le « Hood », il y aurait sûrement de la bagarre.

Mais je ne crois pas que ce soit déjà arrivé. Parfois les choses peuvent tourner à la violence, mais ce n'est pas souvent, quoique, une fois, j'étais dans une voiture, et quelqu'un a carrément tiré dessus. Ce sont des jeunes pour la plupart, mais quand on a vingt ans ou plus, on peut tomber dans le vol à main armée, la drogue et même se retrouver mort. C'est ça grandir dans le « Hood ».

Malgré tout ça, je préfère grandir ici que dans des quartiers de Blancs, comme Bellevue ou Renton, là où sont les gosses de riches. C'est pas une histoire de racisme, parce que dans les gangs que je fréquente, il y a aussi des Blancs, comme mon copain Chris. Mais il vaut mieux grandir dans le « Hood », moi je dis que ça ouvre les yeux d'un mec vite fait, alors que si on grandit dans les quartiers riches, on est des singes, on apprend rien sur la façon dont le monde tourne. C'est ce que je pense. Des fois on descend en ville, juste rigoler après les singes, ces jeunes Blancs gosses de riches, rien que des nuls.

Quand on est arrivés ici, j'avais environ quatre ans, et maman était seule pour élever et nourrir quatre gosses. La maison était toujours remplie de monde, des tantes, des oncles, des cousins, des amis. Maman travaillait tout le temps dehors, et il fallait presque que je me débrouille tout seul à mon âge. Ça m'a fait grandir vite.

Il y avait des jours où la maison était tellement pleine de monde, qu'on entendait discuter et crier et râler dans tous les coins. J'aurais bien voulu me trouver un endroit pour dessiner tranquillement. J'ai commencé à dessiner tout ce qui me passait par la tête, quand on est venus de Hawaii. Je fais ça facilement, et les gens disent toujours que c'est super. Je sais que c'est bien, et que j'ai un vrai talent, pas seulement parce que les gens le disent, mais parce que je regarde aussi ce que font les autres artistes, et bien souvent je trouve ça nul.

J'ai de drôles de rêves parfois. Un type vient vers moi, il est toujours habillé d'une longue robe blanche, avec un masque qui dissimule son visage et sa tête. Ça n'arrive pas souvent, mais quand ce type se pointe, je sais que quelque chose de mauvais va se produire. La première fois que je l'ai vu, j'ai cru que c'était un cauchemar, et je me suis mis à gueuler. Ma mère m'a dit de ne pas avoir peur, que c'était juste un rêve.

Donc l'homme est venu vers moi, et j'ai rêvé de la mort de mon arrière-grand-père. L'homme était assis en pleine église sur un banc, au milieu de la congrégation, pendant le service religieux pour l'enterrement de mon arrière-grand-père. Et quelque temps plus tard, mon arrière-grand-père est mort.

Ensuite, environ un an avant que mon grand-père meure, j'ai fait un autre rêve. L'homme est venu et m'a dit ce qui allait arriver.

J'ai prié Dieu, en le suppliant de ne pas prendre mon grand-père, mais Dieu a dit que son temps sur la terre était terminé, car sa tâche de pasteur était achevée.

Bien avant qu'il se passe quelque chose entre Mary et moi, l'homme en robe blanche est encore venu, il m'a montré une prison et des barreaux à une fenêtre.

Puis Mary a été arrêtée et on l'a mise en prison.

Je ne sais pas ce que je dois en penser. J'ai eu ces visions, c'est tout. Mais parfois j'ai vraiment l'impression d'être né sur une autre planète. J'essaie de vivre dans ce monde, mais je n'en fais pas partie.

Dans mon rêve, l'homme me demande de ne rien dire à personne de ce que j'ai vu, sinon ce serait le chaos.

7

Mère et institutrice

Mary

Dès mon plus jeune âge, j'ai toujours su ce que je voulais être. Cela ne faisait aucun doute à mes yeux. Je voulais être, dans l'ordre : une mère et une institutrice. J'étais une petite fille déterminée. Ma future place dans la vie en général, et dans la société en particulier, m'a toujours paru évidente.

J'ai grandi dans le comté d'Orange en Californie, tout près de la mer, et plus tard à Washington DC, avec le sentiment croissant que l'enseignement était le secteur dans lequel je pourrais réellement m'investir et servir à quelque chose. Je crois me souvenir que très tôt, dans ma petite enfance, je jouais déjà à l'école avec mes deux plus jeunes sœurs, Teri et Élisabeth. Teri était plus jeune que moi de quatre ans, et Liz d'un an, il était naturel que je tienne auprès d'elles mon rôle d'aînée dans la vie et de maîtresse d'école pendant les jeux. J'entends encore la petite voix de Teri réclamer : « Dis, Mary... on joue à l'école ? »

J'installais alors mon petit monde dans un coin du jardin de la maison, transformé en salle de classe par le truchement de mon imagination. L'idée d'enseigner un jour n'a cessé de grandir en moi, peut-être à force d'entendre Teri me souffler : « Mary, c'est toi le professeur. » J'adorais ça.

Je me sentais plus particulièrement proche de mon frère Jerry, en âge d'abord, car il n'avait que deux ans de plus que moi, et surtout parce que nous partagions la même curiosité du monde. De même que mes deux petites sœurs apprenaient beaucoup avec moi, les moments passés à jouer avec Jerry m'ont donné une certaine expérience, qui m'a d'ailleurs servi plus tard lorsque je suis devenue enseignante. Nous passions notre temps à explorer le monde, à chercher à comprendre et à apprendre des tas de choses. En ce sens, nous étions beaucoup plus éveillés que la plupart des enfants de notre âge.

Nous étions passionnés par ce que nous appelions tous deux « la science de la vie ». Nous n'en connaissions sans doute pas grand-chose à l'époque, mais le résultat de cette curiosité s'est avéré plus tard inestimable pour moi. Nous nous intéressions par exemple de très près à la vie des animaux, et nous n'avions pas peur de réaliser nos propres expériences. Un jour, nous avons fait se croiser un hamster et une gerbille. La gerbille est une sorte de petite souris, dotée d'une longue queue et de longues pattes arrière. Ce qui lui permet de sauter comme un kangourou miniature. Le résultat de ce mariage nous a donné une jolie petite créature qui ressemblait à une gerbille, mais pourvue de la minuscule queue du hamster. Il y avait aussi les serpents, et les opossums... Tous les animaux blessés ou égarés finissaient par atterrir chez nous, et nous les soignions avant de les rendre à la vie sauvage.

J'ai toujours voué une grande admiration à mon père. Sa carrière politique a eu pour conséquence des déménagements multiples. Toute la famille suivait bien entendu, c'est pourquoi mes frères, mes sœurs et moi avons souvent changé de lieu de résidence, donc d'école et d'amis.

Pourtant, lorsque j'entends des gens, faisant référence à mon enfance, s'exclamer : « Oh! la pauvre enfant, comme cela a dû la traumatiser... », je ne peux contenir mon agacement. Car c'est tellement loin de la vérité. En ce qui me concerne, tous les endroits où nous avons vécu m'ont apporté quelque chose. Que ce soit à Newport d'abord, au bord de l'océan Pacifique, dans le nord de la Californie ensuite, puis à Sacramento, et enfin à Washington, j'ai appris beaucoup sur beaucoup de choses, sur notre peuple et sur notre pays.

Bien entendu, à chaque changement de domicile, je changeais d'école. Du jardin d'enfance à la fin du secondaire, j'ai connu neuf établissements scolaires différents. D'une certaine façon, on pourrait dire que c'était perturbant. Mais je préfère voir les choses autrement. Chaque école m'a fait vivre une expérience éducative unique en son genre, ce qui a par la suite été profitable à ma carrière.

Je suis entrée en classe de CP à Newport Beach, pour finir l'année à Sacramento. De retour dans mon ancienne école en Californie du Sud, je suis entrée en CE1 pour, à nouveau, retourner à Sacramento. Peu de temps après, lorsque mon père est entré au Congrès, en 1971, toute la famille s'est installée à Bethesda dans le Maryland.

Mes parents étant des conservateurs convaincus, ils se sont toujours assurés que leurs enfants bénéficiaient à l'école d'une éducation correcte. C'est ainsi qu'à l'âge de neuf ans, alors que j'étais en CM1, ils ont décidé de me faire quitter l'école catholique Saint-Barthelemy de Bethesda, sous prétexte que l'on commençait à y donner des cours d'éducation sexuelle, en plus de l'enseignement traditionnel. De nombreux parents s'offusquaient également que les enseignantes, des religieuses, fassent leurs cours en vêtement civil, au lieu de porter la robe classique des religieuses. Mes parents, ainsi que d'autres, tous conservateurs et traditionalistes, ont fini par organiser un système de ramassage scolaire privé, afin d'inscrire leurs enfants dans un autre établissement, à des kilomètres de là. Ce n'était pas banal...

C'est ainsi que j'ai fréquenté l'école Notre-Dame-de-Lourdes à Rockeville, où il n'était plus question d'éducation sexuelle. Cela ressemblait assez à une bataille entre anciens et modernes. Les grands secrets du corps humain, ce serait donc pour plus tard, mais je dois dire qu'à cet âge ce genre de chose m'était assez indifférent. Alors que nous quittions la Californie, pour vivre à nouveau au bord de mer, à Seashore Drive, j'entrais en CM2. Cette année-là fut particulière. Mon institutrice, sœur Ida, était une femme merveilleuse, et son influence m'a considérablement marquée. J'ai compris avec elle l'importance capitale de l'enseignant dans notre société. Non seulement sœur Ida nous apprenait beaucoup, mais, en plus, elle nous encourageait à apprendre les uns des autres. Ce n'est que lorsqu'elle est tombée malade et a dû nous quitter que l'impact de son enseignement s'est imposé à tous ses élèves. Chacun d'entre nous a réalisé à quel point cette femme avait su créer dans sa classe une atmosphère merveilleuse et enrichissante. Avec elle les leçons étaient un plaisir, une véritable fête d'enseignement, un concept que j'ai introduit plus tard dans ma propre méthode éducative. Malheureusement sa remplaçante ne nous a pas donné la même joie d'apprendre, loin de là. La pauvre femme n'était pas très adroite, elle avait de plus une malformation de l'oreille et est très vite devenue un sujet de moquerie pour les élèves. Nous regrettions énormément d'avoir perdu sœur Ida et, à cet âge, les enfants sont cruels. Ce contraste entre deux personnalités m'a également beaucoup appris sur le rôle de l'enseignant et la qualité d'écoute qu'il doit être capable de créer dans une classe.

Une autre chose m'a frappée au cours de cette année : de nombreux élèves parlaient de leurs anciens maîtres comme d'amis, ils retournaient souvent les voir pour discuter avec eux de leurs problèmes personnels, en dehors du cadre scolaire. J'ai compris qu'un enseignant n'existe pas seulement au sein de l'école pour son élève, mais qu'il peut représenter davantage. Il peut être le maître à enseigner, à comprendre, et aussi à réfléchir sur sa propre destinée.

Les talents exceptionnels, presque visionnaires, de sœur Ida m'ont permis plus tard de diversifier mon apprentissage personnel du métier d'enseignant. J'ai eu tout le loisir, au fil de mes changements d'école, d'observer plusieurs instituteurs et professeurs. Il y en avait pour tous les goûts. Du maître d'école profondément ennuyeux au professeur passionnant, et passionné, en passant par celui qui débite ses cours comme une mécanique et ne s'occupe pas de vous tout simplement.

J'ai vécu étant enfant une expérience marquante à ce sujet. On nous avait donné un devoir qui consistait à exercer nos talents d'observation. Le sujet devait être scientifique, ce qui me plaisait particulièrement. On nous a remis à chacun une feuille de papier et une bobine de fil. Nous devions reconstituer une toile d'araignée. J'ai emporté le matériel à la maison, je savais parfaitement où j'allais trouver mon modèle. Elle était là depuis longtemps et avait servi à capturer beaucoup d'insectes. De ce fait, elle était très embrouillée. J'ai passé des heures à reproduire fidèlement la réalité, à l'aide du fil et du papier. Puis j'ai fièrement rapporté mon travail en classe le lendemain. L'institutrice l'a considéré avec un profond dédain, disant que j'avais représenté là un horrible fouillis, et non une belle toile d'araignée bien régulière. J'étais pétrifiée de déception.

Elle a exposé tous les autres travaux dans la classe, laissant délibérément le mien de côté. Elle n'a même pas voulu écouter mes explications, j'aurais voulu lui dire qu'il existe six textures différentes de toiles d'araignées, et que celle que j'avais choisie était complexe, la plus difficile à reproduire en fait. Les autres élèves avaient choisi le dessin d'une toile classique alors que je m'étais consciencieusement appliquée à faire du réalisme. Elle n'a pas compris. Je n'avais pas accompli le même travail que les autres, un point c'est tout. Son attitude m'a profondément vexée, car elle n'avait même pas tenté de prendre en considération mes efforts. C'était une grave erreur, et je me suis promis de ne jamais la faire. Chaque élève a sa personnalité propre, et la moindre des choses lorsqu'on enseigne est d'en tenir compte.

C'est aussi en CM2 que mes dons d'organisatrice ont commencé à poindre. Je faisais partie d'un groupe de danse, ce que nous appelons aux États-Unis un *drill team*. L'exercice tient autant de la gymnastique que de la danse rythmique, et du sens du défilé. Nous devions participer à une compétition, cela demandait de nombreux efforts, une discipline de fer et une grande pratique. L'année suivante je suis devenue capitaine d'un groupe de vingt-cinq filles, et lorsque notre entraîneur nous a quittées, je me suis retrouvée propulsée au grade d'organisatrice des répétitions. Avec l'aide de quelques parents, j'ai travaillé sur les enchaînements, et j'étais vraiment fière lorsque nous avons remporté la compétition d'État. Mon sens des responsabilités grandissait, j'aimais mon nouveau rôle, mi-enfant, mi-adulte, tant auprès de mes camarades que de mes frères et sœurs.

C'est alors, en 1973, qu'une affreuse tragédie a bouleversé toute ma famille, et ma propre existence. Mon plus jeune frère Philip était devenu mon « élève ». Mes deux sœurs avaient grandi, elles volaient de leurs propres ailes, et j'avais pris l'habitude d'avoir Philip avec moi, il était dans mes jambes toute la journée. Parfois je me sentais plus proche de lui que n'importe quel autre membre de la famille. Je ne remplaçais pas notre mère bien sûr, mais j'étais en quelque sorte sa deuxième maman, sa principale protectrice.

C'est un jour que je n'oublierai jamais, j'y repense quotidiennement, même aujourd'hui. Nous jouions dans le jardin, à côté de la piscine et personne ne s'est aperçu que Philip, on ne sait comment, avait perdu sa bouée. Il est tombé dans la piscine. Personne n'a rien remarqué avant plusieurs minutes. Lorsqu'on a découvert son petit corps, au fond de l'eau, visage tourné vers le ciel, il était inconscient. L'image des yeux grands ouverts de mon petit frère au fond de cette piscine me hantera toute ma vie. Je le vois encore, il me fixe droit dans les yeux. Je tremblais d'incrédulité, en état de choc. Incapable de comprendre. Quelques instants plus tôt il était là, rieur, à courir sur ses petites jambes, et je ne parvenais pas à croire à ce que je voyais au fond de cette maudite piscine.

Ma mère, hystérique, tentait désespérément de le faire revenir à la vie. J'étais là, impuissante, à la regarder insuffler de l'air dans cette petite gorge, je priais pour qu'il respire à nouveau, je guettais une crispation, un sursaut, un cri enfin... J'entends encore la voix de ma mère, suppliante, ses lèvres plaquées sur la bouche inerte de Philip :

– Oh! mon Dieu, mon bébé...

Il avait tout juste trois ans, et il est mort le lendemain à l'hôpital. Je me suis sentie coupable, et il est possible que cette culpabilité m'ait été renvoyée silencieusement par ma famille, ou que je l'ai enfouie quelque part en moi, j'étais en quelque sorte responsable, puisque Philip était toujours avec moi. J'étais son premier rempart, je me sentais déjà mère ; avais-je failli à ma tâche ? C'est une question à laquelle on ne peut jamais répondre seul, et je n'y ai pas encore répondu. Cette blessure ne se refermera jamais...

Du plus profond de mon âme, j'ai toujours voulu être une mère, mais, pendant quelque temps, les projets de mes parents pour moi n'intégraient pas ce désir inné. Je suppose que, dans toutes les familles catholiques, il y a celui que l'on destine à la prêtrise et celle que l'on voue au couvent. C'est ce qui m'est arrivé, et je me sentais offensée, lorsqu'un cousin ou une tante, voire ma propre mère, essayait de me convaincre de devenir religieuse. C'était peut-être notre sang irlandais et notre sens de la tradition qui s'exprimaient ainsi, mais, quelle qu'en soit la raison, il fallait que l'un de nous devienne prêtre, et l'autre religieuse. J'ai ressenti un immense soulagement lorsque, à mesure que je grandissais, cette pression qui s'exerçait sur moi s'est reportée sur ma sœur Liz, qui a durant des années sérieusement envisagé d'entrer au couvent. Ce n'était pas ma vocation. Et pour cause...

Il m'arrivait parfois de m'isoler dans ma chambre et d'imaginer dans mon cœur que j'étais mère. Je berçais des enfants, les nourrissais, les conduisais à l'école, j'étais environnée de merveilleux bébés. Ce n'était qu'un fantasme à l'époque, je sais à présent que c'était réellement mon destin. À l'adolescence, on rêve probablement au partenaire idéal, à une vie de couple idéale, et pourquoi pas au mariage parfait... Ce n'était pas exactement mon cas, mais mon homme idéal avait cependant un physique bien précis. Je le voyais avec des yeux sombres et des cheveux bruns bouclés. Rien à voir avec l'image de Steve, celui que j'allais épouser plus tard. De plus, mon imaginaire s'était fixé sur un personnage hors du commun, un hors-la-loi, le célèbre Jesse James. Je ne pense pas avoir jamais su à quoi il ressemblait, mais j'ai toujours imaginé son regard sombre et généreux. Cette image est née lorsque j'avais environ sept ans, sans doute parce que j'avais lu qu'il était gaucher comme moi. Dans mon idée, nous étions donc des êtres à part lui et moi. Il représentait mon rêve de héros masculin, une sorte de Robin des Bois du Far West. Puis est venu le temps où l'on m'a appris que Jesse James était en fait un mauvais garçon ! Je me souviens qu'après cette terrible révélation je suis allée me coucher, en me jurant que jamais je n'oserais raconter ce rêve à personne. C'était mon secret, ma figure mythique, mon idéal d'amoureux romantique.

Je ne doute pas un seul instant que les psychologues s'empareront de ce rêve d'adolescente pour en déduire que j'avais en réalité le désir inconscient de vivre avec un mauvais garçon. Ce serait là une explication fort banale, et tellement facile. La vérité, c'est que je n'ai jamais songé que ce rêve aboutirait à un mariage avec un personnage tel que lui. Je ne rêvais pas du mariage, mais d'être mère. Cela peut paraître curieux pour une jeune fille de ne pas avoir de rêve de mariage. Toutes les jeunes filles de mon âge semblaient en avoir. J'ai toujours cru profondément, en revanche, qu'il existait quelque part dans le monde un être destiné à chacun d'entre nous, l'âme sœur, l'autre moitié d'un être unique, et je le voyais toujours avec des yeux noirs et des cheveux noirs. Petite fille, j'ai assisté à de nombreux mariages de famille, et j'observais les mariés, je songeais bien sûr à la robe que je porterais un jour, à la coiffure que je choisirais, j'aurais les cheveux bouclés jusqu'aux épaules, je serais belle. Je savais bien qu'un jour ou l'autre je me marierais, mais bizarrement je n'en rêvais pas. Comme si le but de mon existence se situait bien au-delà du mariage lui-même.

Mère et institutrice, c'était clair. La seule fois où j'ai douté, c'est après la naissance de mon premier enfant, Steven, que j'ai eu avec Steve. Et c'est bien plus tard, alors que notre mariage avait déjà commencé à battre de l'aile, que le désir d'avoir de nombreux enfants a refait surface. Mais j'avais déjà donné quatre enfants à Steve, et je pensais avoir accompli mon destin.

Mon véritable premier amour fut un jeune garçon du nom de P.J. Kiley, et durant plus d'une année cet amour est resté secret. À cette époque ma mère m'avait interdit de fréquenter les garçons avant l'âge de quinze ans. C'était une sorte de contrat verbal. Je ne devais avoir mon premier rendez-vous officiel avec un garçon que le jour de mon quinzième anniversaire. Une sorte de formalité de passage vers l'âge adulte. Cela peut paraître extrêmement formaliste et froid entre une mère et sa fille. Or ce n'était pas le cas, cela ressemblait plutôt à une plaisanterie entre nous, et je lui glissais souvent sur un morceau de papier : « Un jour, maman... un jour... tu verras... » Nous en riions beaucoup. Peu de gens connaissaient P.J. Kiley. Il avait treize ans, un an de moins que moi. Nous nous étions rencontrés sur la piste de course, où il m'avait prêté ses chaussures de sport. Pour mes parents, les chaussures n'étaient pas la priorité. Nous étions probablement une fois de plus en plein réaménagement, je savais qu'il n'était pas question de les réclamer. Nous n'avions même pas de divan, excepté dans la pièce de réception principale, toujours joliment décorée. Mais c'était l'unique endroit organisé, le reste de la maison était un capharnaüm où tout était empilé sens dessus dessous, personne n'y trouvait plus rien. Les invités n'y avaient heureusement pas accès. Arrivent P.J. Kiley et sa magnifique paire de Nike bleues ! Il offre princièrement de les partager avec moi. C'était extrêmement romantique et, dès lors, nous nous sommes donné rendez-vous régulièrement, près de l'église, dans un petit coin à nous. Nous restions là assis pendant des heures, de préférence dans les bras l'un de l'autre, à nous embrasser longuement. C'était un véritable amour, et nous avions un petit jeu qui consistait en ceci : si l'un de nous disait ou faisait quelque chose qui énervait l'autre, nous disions :

– Tu me dois un baiser pour ça.

Ainsi nous collectionnions des tas de baisers d'avance, que nous échangions ensuite durant des après-midi entiers, dans une totale innocence. Cela dura toute l'année, et j'en ai encore des frissons en y songeant, tant cet amour était parfait. Nous avions toujours cru, je pense, que cela ne finirait jamais, mais P.J. a dû changer d'école, et nous nous sommes perdus de vue, ce qui arrive souvent dans les amours enfantines. Ce qui était magnifique, c'était la pure innocence de tout cela. Jamais nous n'avons songé à aller plus loin que le partage de ses chaussures de sport, et les chastes baisers délicieusement échangés à côté de l'église...

Plus tard, lorsque j'ai rencontré Vili, et que notre relation a commencé, j'ai ressenti exactement le même frisson, car ce que j'éprouvais alors n'avait rien à voir avec le sexe. Il s'agissait uniquement d'être ensemble et de ne faire qu'un. Au cours de l'un des contrôles psychiatriques que l'on m'a fait subir après mon arrestation, l'un des psychologues a suggéré que j'aurais volé à Vili une part de son enfance, en ne lui laissant pas le temps de connaître une expérience comme celle que j'avais vécue avec P.J. Kiley à quatorze ans. Cela m'a mise en colère, car c'est totalement faux. Les sentiments que j'ai éprouvés pour Vili au début de notre relation étaient aussi purs, parfaits et innocents que ceux que j'avais ressentis adolescente. C'était un peu comme si je revivais tout cela, les tendres baisers échangés, les premiers frissons de l'amour. Je n'ai rien volé à Vili, au contraire, il a pu connaître les premiers élans des amours adolescentes, car je ressentais la même chose que lui à ce moment-là. J'aurai voulu que cela reste ainsi...

Peu de temps après ma séparation d'avec P.J. Kiley, j'ai fêté mon quinzième anniversaire, et par conséquent l'autorisation de fréquenter officiellement un garçon. C'est à ce moment qu'est arrivé le garçon après qui couraient toutes les filles. Un véritable athlète, du nom de Ron Garretson. C'était la grande star de l'école, toutes les filles le voulaient. Il y avait bien quelques garçons qui s'intéressaient à moi, mais Ron est arrivé et m'a invitée à sortir... J'allais vivre sur un nuage pendant mes deux prochaines années de lycée. Nombre de gens, surtout les autres filles, étaient très étonnés que Ron m'ait remarquée, car il était plus âgé, peut-être de trois ans, et il pouvait choisir n'importe qui sur le campus. Il était en terminale et moi, en troisième, beaucoup de filles étaient jalouses de moi. C'était à la fois valorisant et inconfortable.

Un jour j'étais dans les toilettes, et un groupe de filles jacassant et riant est arrivé après moi. Elles ne pouvaient pas me voir, j'étais déjà enfermée dans l'une des cabines. Elles se sont mises à discuter devant les lavabos de leur principal sujet de préoccupation : Pourquoi Ron m'avait-il choisie ? À ce moment-là nous n'avions pas, lui et moi, de relations sexuelles, c'est survenu plus tard. Ces filles étaient donc en train de discuter de nous, sans rien savoir, et j'ai entendu l'une d'elles dire tout haut, en ricanant :

– Évidemment ! On sait pourquoi il est avec elle ! C'est parce qu'elle lui fait tout ce qu'il veut, et on sait bien ce qu'il aime !

La fille avait exagéré le mot « tout », exprès. Et les voilà parties dans des détails très explicites sur ce « tout » que j'étais supposée « faire » à Ron, et comment c'était là mon seul moyen de le garder selon elles.

J'ai failli sortir brusquement de ma cachette, pour leur faire honte, mais finalement j'ai décidé que la meilleure des réponses à leurs plaisanteries était de rester tranquille et de poursuivre ma relation avec Ron, sans autre commentaire. Elles auraient trop aimé que je tombe dans leur piège stupide.

Cette liaison a duré quelques années et, bien que Ron ne m'ait jamais dit une seule fois qu'il m'aimait, je sais, d'après beaucoup de ses amis intimes, ce qu'il ressentait pour moi. Certains m'ont même dit à quel point ce sentiment était profond, et d'une certaine façon je m'en rendais compte. Mais lorsqu'il a quitté l'école avec une bourse d'études supérieures, la séparation était inévitable. Nous en avons parlé librement, je lui ai dit qu'il devait suivre son chemin, moi le mien, et que nous verrions bien comment les choses se passeraient ensuite. C'était la fin d'une époque sentimentale.

J'ai connu d'autres relations sérieuses, aussi profondes qu'avec Ron, mais elles étaient, semble-t-il, destinées à s'éteindre. J'ai eu plusieurs propositions de mariage aussi, cinq pendant la période du lycée, et là, j'ai commencé à réfléchir sérieusement à ma vie, car j'avais besoin de lui donner une direction, un véritable sens. J'étais préoccupée personnellement par le problème du sexe dans mes relations avec les garçons. C'était une question inévitable, je me suis alors fait une promesse solennelle : plutôt que de collectionner les histoires d'amour, si profondes et sérieuses soient-elles, je devais m'engager totalement pour l'avenir. Je décidai donc de faire un vœu : « Ma prochaine relation sexuelle n'aura lieu qu'avec l'homme que j'épouserai. »

Et j'ai décidé de respecter ce vœu. À ce moment-là je ne me doutais pas des conséquences que cela impliquait.

Mon père m'avait écrit une fois que je possédais de nombreux dons, mais que je devais me concentrer sur l'un d'eux, pour être sûre de bien l'utiliser. C'était à l'époque où je venais d'avoir un entretien avec un conseiller scolaire, qui m'avait recommandé d'exercer mes talents en étudiant la musique, la comédie, la danse, et de suivre des cours de théâtre. Ce qui m'a amenée directement à l'université d'Arizona, et aussi à une liberté nouvelle.

La vie là-bas n'était qu'une grande partie de plaisir. Une ronde de légèreté, d'amusements, de discussions interminables dans les bars du coin, dans laquelle chacun pouvait entrer s'il le désirait...

J'étais avec une amie intime, Caroline. Je me rappelle que nous avions passé une semaine entière à nous priver de nourriture, pour pouvoir dévaliser les magasins de vêtements. Il s'agissait d'être les plus belles à une soirée où nous étions invitées. Nous avions économisé et aussitôt dépensé deux cents cinquante dollars en robes, et vingt-cinq dollars en rouge à lèvres pour être « dans le coup » !

La futilité de telles activités ne m'échappait pourtant pas, et elles commençaient à perdre de l'intérêt à mes yeux. Je m'enfermais de plus en plus souvent dans ma chambre d'étudiante, à ruminer et réfléchir à l'avenir. Je voulais trouver mon chemin, il était grand temps.

C'est la première fois que j'ai senti vibrer en moi ce besoin impérieux de maternité. J'ignore s'il s'agit de chimie personnelle, ou de personnalité, ou d'instinct tout simplement, mais il me fallait maintenant un enfant. Mon destin devait s'accomplir.

Un soir je me suis rendue dans la petite chapelle de l'université, et je suis restée des heures à prier, pour que le Seigneur me guide. Très peu de temps après, j'étais à une soirée avec Caroline, et je rencontrais Steve. Il était aussi à l'université, où il étudiait le commerce.

Je me souviens parfaitement du moment où il s'est dirigé vers moi et m'a tendu la main en disant : « Ravi de vous connaître. » Sa voix était claire et agréable. Cette soirée s'est déroulée sans événement notable, mis à part le fait que Steve m'ait serré la main, ce qui était assez inhabituel à cette époque. Nous avons dansé je crois, et bu quelques bières, avant de rentrer chacun chez soi. Mais j'allais le revoir. Dieu en avait décidé ainsi.

8

Message divin

Mary

Steve Letourneau m'avait donc serré la main très poliment, ce qui m'avait beaucoup étonnée. Dans les années quatre-vingt, c'était un peu démodé. Mais c'était une poignée de main franche et solide, accompagnée d'un regard droit, et je me suis dit sans plus : « Tiens ? il me trouve sympathique ! » Quelques jours plus tard, j'ai demandé à ma meilleure amie Caroline :

— Tu te souviens de Steve ?

— Quel Steve ?

Apparemment ce garçon ne l'avait pas marquée.

— Mais si, ce garçon blond qui m'a serré la main ?

— Non, je ne m'en souviens pas, comment est-il ?

J'ai utilisé une formule pour le décrire, dont je me suis souvent servie ensuite à son sujet :

— Il est « gentil ».

Et c'était vrai. Steve était, et il l'est encore à bien des égards, un gentil garçon. Après notre premier rendez-vous, il m'a téléphoné pour m'inviter à une soirée, et il est venu me chercher en voiture. La plupart des garçons du collège n'avaient pas de voiture personnelle, car ils étaient originaires d'autres États, tout comme Steve. Mais lui avait quitté l'Alaska pour venir étudier en Arizona, avec une vieille Buick décapotable de 1969. Une énorme voiture jaune à la capote blanche, qui avait l'air d'arriver tout droit de Californie ! D'abord, j'ai cru qu'elle n'était pas à lui. En fait, elle ne lui allait pas du tout, bien trop grande et prétentieuse ; or Steve n'avait rien d'un crâneur. Ce n'était que

Steve Letourneau, originaire d'Alaska, sans ambition particulière, et qui avait atterri à l'université d'Arizona pour étudier le commerce. Un garçon ordinaire. Bien plus tard, on allait le décrire dans les journaux comme un grand et robuste footballeur, un athlète. Pourtant, s'il a effectivement joué au collège et représenté une fois son club d'étudiants lors d'un match, il n'était pas du tout footballeur.

Steve avait emprunté quelque chose comme vingt-cinq mille dollars en Alaska, pour venir à l'université d'Arizona, et il en avait consacré une bonne part à l'achat de cette monstrueuse voiture jaune. Je ne comprenais pas qu'il ait pu dépenser une telle somme pour cette folie, alors qu'il devait rembourser son crédit et devait encore payer ses études. Une BMW ou une petite voiture raisonnable, j'aurais compris, mais cette chose! Cette décapotable couleur citron! Ça n'avait tout simplement aucun sens!

Notre premier rendez-vous a eu lieu peu après le début de ma première année d'université. Je venais de rompre avec Bill Savage, un autre étudiant, deux semaines auparavant. Une rupture qui m'avait « brisé le cœur », même si la formule est sans doute un peu excessive pour décrire l'état dans lequel je me trouvais. Une chose est sûre : Steve est entré dans ma vie au moment où je me relevais d'une déception amoureuse.

Ce que j'ai ressenti vis-à-vis de Steve à ce moment, je pourrais le résumer en une formule succincte : « Sans problème ». Tout chez lui était d'une simplicité biblique, ni complication ni face cachée et, hélas, aucune profondeur. Nous avons continué à nous voir le reste de l'année, puis aux vacances d'été, nous avons, chacun de notre côté, repris le chemin de la maison. Moi pour Newport, lui pour l'Alaska. Nous n'avions eu aucune relation sexuelle, il n'avait rien demandé, ce qui me rassurait beaucoup. Nos rapports étaient tranquilles, simples, encore une fois, « sans problème ». Je sentais bien qu'il n'allait pas me manquer. Nous nous sommes dit d'un ton très détaché : « Bonnes vacances, on se revoit à la rentrée ! »

C'était bon de revenir en Californie, de retrouver ma famille et ma meilleure amie Michelle. De faire des balades à Mexico et à Palm Springs, d'aller danser. Steve m'a appelée une première fois au téléphone, juste pour dire : « Salut, ça va ? » La deuxième fois, il avait déniché un petit job d'été à Air Alaska. Il bénéficiait donc de réductions importantes sur les billets d'avion et comptait en profiter pour venir me voir. Je n'ai jamais considéré cela comme une preuve d'intentions sérieuses de sa part. J'ai pensé : « Steve arrive d'Alaska pour une petite visite, et c'est tout. » Il est venu avec un ami, Sean, et ils sont restés à la maison quelques jours. Mon amie Michelle n'a jamais compris ma relation avec Steve. Chaque fois que nous en parlions elle disait : « Mary, il n'arrivera à rien dans la vie, il est vraiment bête ! »

Plus tard, bien trop tard (j'étais mariée avec lui depuis plusieurs années), j'ai réalisé que Michelle avait raison, et que j'en avais conscience depuis le début sans vouloir me l'avouer.

Je suis rentrée à l'université deux semaines avant Steve, sans trop avoir pensé à lui. Nous avons pourtant continué à sortir ensemble. En un sens, il faisait office de petit ami, de chevalier servant, et cela me convenait. Nous nous donnions rendez-vous au club des étudiants, nous allions aux manifestations officielles de l'université, c'était reposant et je ne me posais pas de questions.

En même temps, je songeais de plus en plus sérieusement à ma future carrière d'enseignante. À la fin du second semestre, je pensais quitter l'université d'Arizona, pour celle du Maryland. Un de mes professeurs, qui y était maître de conférence, m'en avait beaucoup parlé. C'était de toute façon plus séduisant que de vivre en plein désert d'Arizona, où l'on se sentait tous un peu prisonniers et qui offrait peu d'échappatoires. J'étais donc décidée à retourner d'abord à Washington, où mes parents s'étaient à nouveau installés, à m'inscrire ensuite dans le Maryland pour un cycle spécial, et à me consacrer à mes études de futur professeur. Le mariage n'était toujours pas une priorité. J'y songeais comme toutes les filles de mon âge, sans plus.

Un jour, j'étais en train de rêvasser en attendant le début du cours d'allemand quand, machinalement je me suis mise à griffonner la liste des cinq jeunes gens que je considérais alors comme des soupirants convenables. J'étais peut-être naïve, sûrement même, mais je n'avais que vingt ans...

J'avais résumé en deux mots les côtés positifs de chaque garçon. Il y avait Ron Garretson, au sujet duquel j'avais noté : « Aisance financière ». Pour Pat Carrion, un diplômé de Harvard : « Catholique, cultivé ». Kevin Watney était affublé d'un « Caractère attachant », bien que je n'aie aucun penchant véritable pour lui. Quant à Bill Savage : « Charisme, patrimoine familial ». Puis venait le tour de Steve Letourneau. Les deux caractéristiques que je lui avais attribuées étaient : « Loyal, franc ». J'avais résumé ainsi l'homme que je devais épouser un jour, comme un être en qui je pouvais avoir confiance. C'est étrange, car pour les quatre premiers j'avais cité des qualités pratiques, intellectuelles ou sociales. Concernant Steve Letourneau, la seule qualité qui m'était venue à l'esprit était sa franchise. Je n'avais rien trouvé d'autre. Je pensais qu'en amitié comme en amour il devait être sincère, et j'avais confiance en lui.

Mais je demeurais perplexe en relisant les « qualifications » de ces cinq prétendants potentiels. Je me suis alors posé sincèrement la question, comme je l'ai toujours fait dans ma vie devant une décision à prendre : « Jésus choisirait qui ? » C'est cela qui m'a renvoyée à Steve, car, en fin de compte, les autres n'avaient pas du tout le genre de qualités qui « plaisent » à Dieu. Je me souviens même d'avoir pensé en souriant qu'il valait peut-être mieux m'enfuir à toutes jambes, loin du campus de l'université d'Arizona.

C'est un peu plus tard dans le semestre, un peu avant Noël, que nous avons fait l'amour pour la première fois. Jusque-là, Steve s'était montré extrêmement respectueux, et ne m'avait jamais rien demandé. Honnêtement, je ne sais plus comment c'est arrivé. C'est un peu flou après toutes ces années. Je ne me souviens ni du jour ni du reste. Ce n'était sûrement pas un feu d'artifice. Mais c'était arrivé ! Et finalement je m'en voulais, furieuse d'avoir rompu pour lui mon vœu personnel. Je me souviens d'avoir pensé alors : « Oh non, pas lui ! Pas Steve Letourneau ! »

Cette situation m'ennuyait plutôt. Car même si nous avions désormais des rapports sexuels, je n'éprouvais aucune passion dévorante à son endroit.

Il demeurait en tout et pour tout le « gentil » Steve Letourneau, le copain « sans problème ».

Il m'a fallu très peu de temps pour comprendre que j'étais enceinte. Un peu paniquée, je me raccrochais à l'idée que c'était un signe du ciel, et que ma liaison avec Steve devait avoir un sens. Et si Jésus avait choisi pour moi ? Je devais me décider. J'avais vingt et un ans, des études à faire, et je n'étais pas amoureuse. Je suis extrêmement sensible, souvent rêveuse, mais je sais aussi me montrer réaliste. J'envisageais le plus calmement possible les trois possibilités qui s'offraient à moi.

Un : me marier. Deux : garder l'enfant toute seule en comptant sur ma famille pour m'aider. Trois : confier le bébé à l'adoption. J'éliminais cette troisième éventualité dès le début. Comment pourrais-je, moi qui voulais tant être mère, me séparer du bébé ? Il n'en était pas question. Il y avait les deux autres possibilités. Au fond de moi, je savais bien que l'idéal serait de rester célibataire. Le bonheur d'être mère n'était pas inconciliable avec mes études. Mais réfléchir toute seule dans la solitude d'une chambre d'étudiante à un projet d'avenir aussi important, loin des miens, en plein désert d'Arizona, c'était vertigineux. J'avais besoin de me confier.

Je décidai d'appeler ma belle-sœur, qui avait vécu la même situation avec mon frère. J'espérais qu'elle allait pouvoir m'aider à prendre la bonne décision.

La conversation que j'eus avec elle fut affreusement confuse. J'étais là au téléphone, sanglotante et incapable de dire un mot. Évidemment elle ne comprenait pas ce qui m'arrivait. Finalement, entre deux sanglots, j'ai réussi à articuler l'essentiel. J'ignore ce que j'attendais d'elle au juste, certainement un peu de réconfort, mais sa réponse fut simple, abrupte et d'une logique implacable :

– Bon, eh bien, tu n'as plus qu'à prévenir ta mère !

Il n'est jamais simple pour une fille d'annoncer à sa mère ce genre de chose. Et si j'avais préféré parler d'abord à ma belle-sœur, c'est que j'essayais d'en retarder l'échéance. J'ai fini par m'y résigner, mais sans sanglots cette fois. La première émotion était passée, et j'ai réussi à dire calmement :

— Maman, je suis enceinte, je pense qu'il faut que je me marie.

Ma mère a répliqué immédiatement :

— Bon, mais est-ce que tu l'aimes ?

J'étais prise au piège, il m'était impossible de dire non. Dire non, c'était entrer dans une explication à n'en plus finir. Pourquoi faire l'amour avec une personne que l'on n'aime pas ? La vérité était probablement que je l'aimais, d'une certaine façon. Et c'est encore le cas, après tout il est le père de quatre de mes enfants. Mais l'amour connaît tellement de nuances.

J'ai entendu dire une fois qu'il existait trois degrés amoureux. Le premier, celui que je n'avais jamais connu avant Vili, c'est la fusion absolue entre deux êtres qui ne font plus qu'un. Cette sorte d'amour fou qui vous consume totalement et vous fait dire : « Je t'aime et je t'appartiens pour la vie. » Je ne savais même pas que c'était possible avant Vili. Le deuxième degré est plus proche de l'affection et de la confiance que de l'amour, c'était un peu ce que je ressentais pour Steve. Quant au troisième, il s'agit de l'amour que l'on ressent pour l'humanité en général.

Je ne pouvais pas classer Steve dans la troisième catégorie, il ne pouvait qu'être au-dessus, donc je pouvais répondre sans risque que je l'aimais.

Il le fallait de toute façon. Admettre le contraire après avoir fait l'amour avec lui me dérangeait trop. Non seulement ce n'était pas une chose que j'étais prête à reconnaître à l'époque, surtout devant mes parents, mais de plus, ils ne l'auraient pas comprise. Plus tard, et avec le recul, j'ai pu dire : j'ai eu une relation sexuelle avec untel ou untel, et je ne l'aimais pas. Mais à ce moment-là, c'était particulièrement difficile à expliquer à mes parents. D'un autre côté, en acceptant de dire que j'aimais Steve, je me mettais moi-même dans l'obligation de me marier. Je peux affirmer honnêtement aujourd'hui que, si quelqu'un m'avait véritablement conseillée, j'aurais pu au moins répondre la vérité à ma mère : « Je ne suis pas sûre. »

J'étais encore complètement désemparée, j'ai donc décidé d'aller voir le maître de conférences de l'université du Maryland, cette femme dont j'avais suivi les cours. J'espérais qu'elle pourrait aussi m'aider à faire un choix. Curieusement elle s'est montrée assez distante et m'a posé la même question que ma mère :

– Est-ce que tu l'aimes ?

À elle, j'ai osé dire la vérité :

– Ce que j'aimerais vraiment, c'est aller à l'université du Maryland, en attendant d'avoir mon enfant, et retourner dans ma famille ensuite.

J'espérais tellement qu'elle serait d'accord avec moi que j'insistais :

– Après tout, ce n'est plus rare, de nos jours, d'être enceinte et à l'université en même temps, personne ne veut savoir si on est marié ou pas. Ce n'est pas la même chose qu'au lycée.

Je ne m'attendais pas à sa réponse :

– Et que devient le père ?

La question était respectable et justifiée, même si je m'efforçais de la contourner depuis le début. J'ai alors rétorqué que je ne pouvais tomber amoureuse de Steve simplement parce que j'étais enceinte de lui. Et qu'en réalité je ne voulais pas me marier. Je voulais seulement aller au bout de ma grossesse, et ensuite m'interroger sur l'amour, en toute liberté.

Elle a répliqué :

– Tu poses beaucoup de questions complexes, et je sais que tu dois te décider, malheureusement je ne suis pas apte à te répondre.

En sortant de son bureau j'étais affreusement désappointée, car j'avais cru qu'elle m'aiderait à prendre cette décision, quelle qu'elle soit.

J'ai fini par aborder le problème avec Steve, je lui ai demandé très humblement ce qu'il voulait faire.

Et la réponse est tombée, aussi simple que Steve Letourneau lui-même :

– Je veux me marier.

Je ne pouvais pas refuser, tout comme je ne pouvais refuser le bébé, alors j'ai téléphoné à ma mère pour lui annoncer la nouvelle. Je me suis engagée dans cette union délibérément et sans penser à moi une seule seconde. Je n'avais plus vraiment le choix. Les préparatifs du mariage ont commencé aussitôt.

Quelque temps plus tard, alors que j'étais enceinte d'un peu plus de dix semaines, j'étais en train de lire, assise à mon bureau, lorsque je me suis sentie inondée de sang. J'ai d'abord cru mourir. Je n'avais aucune idée de ce qui se passait. Le sang coulait sous ma chaise, et tout le long de ma jupe, je suis sortie de la pièce pour courir au centre médical du campus. Sur le chemin je sentais ma jupe trempée coller à mes jambes flageolantes et s'alourdir du flot de l'hémorragie. J'ai réussi à atteindre l'entrée de la clinique avant de vaciller et de m'affaisser sur le sol. Juste le temps de murmurer : « Je saigne. »

Un médecin a pris immédiatement la situation en main, et je me souviens qu'il a dit :

– Elle est en train d'avorter.

Et je songeais : « Oh ! non, ne dites ça, ne prononcez pas ce mot, non, je n'avorte pas ! »

On m'a envoyée aux urgences tellement j'avais perdu de sang, et le médecin a immédiatement voulu faire un curetage. Il disait que c'était la procédure habituelle pour nettoyer l'utérus, car j'avais perdu énormément de sang. Il a contacté ma mère à Washington, pour l'informer de l'opération. Elle l'a arrêté tout de suite, en lui expliquant qu'elle aussi avait fait deux fausses couches naturelles, et qu'on n'avait pas pratiqué de curetage pour autant. Que je risquais des complications pour l'avenir, donc qu'il valait mieux attendre. Le médecin a accepté, et on m'a simplement dit de garder le lit le reste de la semaine.

Dix jours plus tard, épuisée mais lucide, j'ai pensé qu'il était désormais inutile de précipiter ce mariage, car je m'interrogeais toujours :

« Est-ce que je veux épouser Steve ? Est-ce que je veux *encore* épouser Steve ? »

Steve, lui, était toujours égal à lui-même :

– Je ferai ce que tu veux ! Je veux ce que tu veux

Il était – comment dire ? – plus qu'arrangeant. Faible. Il me faisait confiance pour décider de tout. Mais il se reposait entièrement sur moi, et c'était moi qui portais le poids de la décision. Ce qui revenait aussi à dire : si tu m'aimes, tu m'épouses, si tu ne m'aimes pas...

Et je ne savais toujours pas dire non. Je n'ai pas appelé ma mère pour annuler quoi que ce soit, question d'orgueil. Ç'aurait été une façon d'admettre que j'avais voulu l'épouser uniquement parce que j'étais tombée enceinte.

C'était un vendredi saint, le mariage était prévu en mai, et je suis allée comme d'habitude à la petite chapelle du campus prier pour Jésus, mais aussi pour qu'Il me guide. La grande messe de semaine sainte s'est achevée, et je suis restée toute seule, agenouillée dans le silence, à prier et réfléchir très longtemps. Toujours la même interrogation :
« Jésus, dois-je épouser cet homme ? Aide-moi. »
J'attendais encore un signe du ciel.
Quelques jours plus tard, je suis retournée à la clinique pour un examen de vérification. Et ce fut le miracle. J'allais quand même avoir un bébé. En fait, je portais des jumeaux et je n'en avais perdu qu'un au cours de l'hémorragie. C'était tellement miraculeux que mon cœur s'est mis à battre de reconnaissance. Mon fils connaît la vérité, je lui ai tout raconté, et parfois il parle de son jumeau disparu. Le petit frère parti du ventre de maman. C'est un peu un mystère pour lui. Pour moi c'était véritablement un miracle, car si ma mère n'était pas intervenue, alors que j'étais déjà sur la table d'opération, on m'aurait enlevé mon fils. Un enfant vivait en moi, grâce à Dieu et à ma mère.
C'était le message de Dieu, le signe qu'il fallait continuer dans la même voie.

J'ai discuté du mariage avec Steve, et une fois de plus il a affirmé qu'il était sûr de lui, qu'il m'aimait pour toujours. Alors, cet homme dont j'avais décidé qu'il était « sans problème », ce « monsieur Gentil », est devenu mon époux. Le mariage a eu lieu dans la chapelle de l'université de Georgetown à Washington, où mon père terminait une année sabbatique consacrée à la recherche.
Bien que ce soit un mariage traditionnel, avec famille et amis, je n'en attendais pas grand-chose et m'en souviens à peine aujourd'hui. Je ne me suis certes pas mariée en me disant que c'était un bout d'essai, et que je ferais mieux la prochaine fois. Mais au fur et à mesure que les choses se

mettaient en place et que la cérémonie approchait, j'attendais simplement que ce jour passe, et qu'on ne m'en parle plus.

Je me souviens en revanche des dépenses folles qu'il a provoquées dans la famille, pas forcément pour nous les jeunes mariés, mais plutôt pour les invités. Par exemple, je n'avais même plus de sous-vêtements à ma taille depuis que j'étais enceinte, il m'en fallait absolument de nouveaux. J'ai dû en parler à ma mère, car je n'étais pas indépendante financièrement, en espérant qu'elle allait m'aider. Elle a complètement éludé la question, comme si ça n'avait aucune importance, en me criant : « Tu n'épouses pas un Roosevelt ! »

C'était étrange qu'elle dise ça, j'avais toujours pensé qu'un jour j'épouserais quelqu'un de ce genre, un garçon de bonne famille, avec toute une lignée d'ancêtres. Or je n'épousais que Steve Letourneau. Et si elle m'a jeté cette phrase au visage, c'était aussi pour me rappeler qu'il manquait bien d'autres choses à ce mariage. La mère de Steve ne s'était pas montrée, et nous savions qu'il avait une sœur handicapée. Je n'offrais donc pas à ma mère le mariage « convenable » et idéal qu'elle avait probablement souhaité pour moi.

J'ai malgré tout insisté :
– Maman je n'ai besoin que de deux culottes ! Je ne rentre plus dans les miennes.

Mais elle était bien plus préoccupée par les détails de la réception, la cérémonie du mariage, les invités et les amis qui allaient venir. Elle avait prévu un déjeuner monumental à la maison, pour tous ceux qui venaient de loin, et dépensé des centaines de dollars pour ça. Et j'étais là, à réclamer deux malheureuses culottes ?

Ensuite elle a ajouté :
– Je t'ai offert des couverts en argent pour cinq personnes ! Ça m'a coûté une fortune !

Elle avait dépensé jusqu'à son dernier sou pour m'offrir ces fameux couverts. J'aurais bien voulu en rendre un, et m'acheter des sous-vêtements à la place. Je me demandais aussi pourquoi *cinq* couverts à cent cinquante dollars pièce ? Cinq était un calcul bizarre.

Depuis mon retour à Washington, je n'avais pas pu avoir une seule conversation avec mes parents, une vraie discussion à cœur ouvert sur ce qui m'était arrivé. Ce n'est pas le genre de la famille. Même le jour du mariage, en allant à l'église, assise dans la voiture à côté de mon père, nous n'avons pas réellement parlé tous les deux. Quelques plaisanteries sans plus, mais pas un mot sérieux entre nous. Nous sommes pourtant très proches. J'ai un bon père, ainsi qu'il est convenu de dire, il ne se mêle pas de ce genre de choses, je pense qu'il croit ainsi respecter mon intimité. Il n'ignorait rien de ce qui s'était passé, mais il estimait que ce n'était pas le moment d'avoir une conversation intime à ce sujet.

J'ai adoré la montée vers l'autel au bras de mon père. C'est vraiment mon meilleur souvenir, le seul instant qui m'ait profondément émue. J'étais si fière, que j'ai précieusement gardé une photo de la scène. Le voile recouvre mon visage, je lève légèrement la tête vers lui. Il est en smoking. Superbe. C'est la seule fois où je l'ai eu pour moi toute seule.

J'avais souvent rêvé cette scène. J'imaginais l'arrivée à l'église au bras de l'homme que j'aimais et admirais depuis mon enfance, et là il me donnait à un autre homme que j'aimais et admirais tout autant. Puis mon père m'embrassait devant l'autel, il levait mon voile à la fin de la cérémonie et me regardait m'éloigner de lui, heureuse.

La réalité était bien différente ce jour-là, j'étais enceinte et je ne me sentais pas tout à fait moi-même. Normalement, quand je suis enceinte, j'éprouve une plénitude totale, moralement et physiquement, c'est très particulier et j'adore cette sensation de bien-être absolu, d'aisance et de fierté. Ce jour-là, je n'étais ni bien ni fière. J'avais toujours pensé que, le jour de mon mariage, je serais de toute façon la plus jolie, si belles soient les autres filles. Je n'ai pas vraiment ressenti cela. C'était en fait une cérémonie de convenance où je ne me sentais pas à ma place.

En marchant vers l'autel j'étais bien sûr heureuse que Steve soit présent, mais les pulsations de mon cœur n'étaient pas celles de l'amour. Je le voyais de loin, qui m'attendait, je le trouvais beau. Il avait l'air heureux, et c'était tout ce qui comptait pour moi à ce moment-là. Son bonheur donnait un sens à mon sacrifice.

La musique était remarquable. Les trois trompettes tradi-
tionnelles ont sonné, et le chant du Messie a retenti magnifiquement dans la petite chapelle. Ma mère avait fait venir
par avion une choriste de New York, ce qui était tout de
même surprenant si l'on considère qu'elle n'avait même pas
voulu m'offrir de sous-vêtements de rechange. Je me disais
que tout cela n'avait aucun sens. Tout comme son buffet
incroyable, et ses cinq couverts en argent, mes cadeaux de
mariage.

Je me suis placée dans l'allée, debout, pour dire l'Ave
Maria, ensuite j'ai prié la Sainte Mère de Dieu. Nous étions
seules elle et moi, face à face, et j'ai prié pour qu'elle m'aide
à aimer cet homme. Je l'aimais en tant qu'être humain, je le
respectais d'avoir voulu m'épouser, je devais lui être
reconnaissante, car il m'aimait de son mieux et je le croyais
sincère. La sincérité n'est souvent pas la qualité première
des hommes. Or je voulais vivre auprès d'un être sincère, et
Steve en était un, sans aucun doute. Je priais pour trouver la
force, et seule la Sainte Mère pouvait m'accorder cette
force, par son humilité et sa pureté. Je désirais seulement
essayer de lui ressembler : l'humilité, voilà ce que je demandais en prière.

J'ai redescendu les marches de l'autel au bras de Steve, ce
n'était pas la même chose qu'avec mon père. Toute ma
famille était là, ils ne le connaissaient pas, ils allaient peut-
être l'aimer eux aussi. Hélas mon cœur ne battait toujours
pas, en ce jour qui aurait dû être si extraordinaire.

Il me manquait quelque chose. Mon frère Joe était en
Californie, Jerry était en Alaska. Seul John, l'aîné, avait pu
venir, et l'absence des deux autres laissait un grand vide
dans mon cœur. Ma meilleure amie Michelle était absente,
ainsi que Caroline. L'absence de ces personnes chères était
symbolique de la magie qui faisait défaut à la cérémonie.
J'avais assisté à des mariages où l'amour du couple que l'on
unissait rejaillissait sur les personnes présentes.

Cette magie de l'amour qui manquait à mon mariage,
cette profondeur de sentiment que je ne ressentais pas,
auraient peut-être existé si mes chers absents avaient été là.
Ils auraient peut-être trouvé les mots et manifesté la tendresse dont j'avais besoin en ce jour unique dans ma vie de
femme.

Il y eut une réception au luxueux Country Club de Kenwood, qui fut marquée par une série de petits désastres. De toute façon, cela avait mal commencé : le chauffeur ne trouvait pas la route, et j'avais dû descendre de voiture pour me renseigner à une station-service. La soirée fut du même acabit. Plus tard, après une courte lune de miel, nous avons pris l'avion pour Seattle, afin de rendre visite à la mère de Steve. Une petite réception d'accueil était prévue quelque part dans la banlieue sud de la ville. C'était assez étrange de passer du Country Club de Washington à la banlieue de Seattle. Steve était le seul membre de sa famille que chacun estimait. Le seul à être allé au collège, le seul à porter les espoirs de la famille.

Ils étaient tous très fiers que Steve m'ait épousée, c'est pourquoi ils avaient tenu à organiser cette réception. Ils avaient fait ce qu'ils pouvaient, mais Steve ne m'avait pas prévenue, et bien que sa famille ait l'air aisé, j'ignorais ce qui m'attendait. Je portais une robe de soie fuchsia très chic et des chaussures assorties. C'était une robe de cocktail parfaite pour ce genre d'occasion. Mais la réception avait lieu dans le mobile home de la grand-mère. Lorsque nous sommes arrivés, je me suis sentie un peu gênée, car j'étais de toute évidence beaucoup trop habillée. Il y avait une différence de niveau social entre nos deux familles, c'était visible, et comme Steve ne m'avait jamais parlé de sa famille, cela me sautait brutalement aux yeux.

Je reconnais qu'individuellement ils étaient assez gentils, mais, pris en groupe, ils se comportaient conformément à leur statut social.

Certes, le fossé n'était pas si grand entre nous, mais je me sentais tout de même très seule. Je n'avais pas épousé un Roosevelt, avait dit ma mère. Non... seulement Steve Letourneau.

9

Tu seras une institutrice formidable

Mary

Lorsque nous sommes arrivés à Anchorage, en Alaska, les douces plages ensoleillées du Sud californien semblaient bien lointaines, comme la vie culturelle de Washington DC et même la vie tout court de Seattle. Ma famille et beaucoup de mes amis prétendaient que je ne tiendrais pas le coup et qu'à la première chute de neige je retournerais dans le Sud. La vérité est que j'ai adoré. J'éprouvais une telle sensation de liberté et d'immensité... Sans compter que je pouvais sauter quand je voulais dans un charter pour la Californie.

Les premiers mois, nous avons vécu avec Richard et Stacy, le père, et la sœur de Steve dans leur maison. J'avais fait la connaissance du père de Steve quand il nous avait rendu visite en Arizona. Steve et moi étions ensemble depuis environ un mois, et le comportement de cet homme m'avait un peu choquée. Il était venu en ville pour son travail et s'était arrêté en chemin à l'université pour voir Steve. Comme il était directeur de la General Foods, je m'attendais à le voir habillé en homme d'affaires. En fait, j'ai découvert un homme dans le genre de Steve, en blouson, jeans ou pantalon de velours décontractés. Il était plus vieux et plus gros que son fils, c'était la seule différence.

Steve l'avait invité à une soirée d'étudiants. Non seulement c'était déplacé pour une première rencontre, mais j'estimais que les parents ou la famille n'avaient rien à faire là. J'aurais compris que nous l'invitions à dîner à l'extérieur, mais pas là. Puis j'ai pensé qu'après tout c'était peut-être l'habitude en Alaska. J'ai à peine vu Richard, dix minutes, le temps de se dire bonjour. Ce qui s'est passé ensuite fut horrible pour moi : Steve avait trop bu, il a été malade, et son père a dû le ramasser à bras-le-corps pour l'emmener dans les toilettes et le nettoyer. J'avais encore ce souvenir en tête lorsque, jeunes mariés, nous sommes arrivés en Alaska.

Dès le premier jour, il a été clair pour moi que Stacey, âgée de dix-neuf ans, privée de mère, n'avait eu que deux modèles dans sa vie : son père et son frère. D'une certaine manière elle était le troisième homme de la famille. Elle s'habillait comme un homme et se comportait quasiment comme tel. Durant notre cohabitation, je me suis efforcée de ne pas lui imposer trop de problèmes féminins et de l'aider de mon mieux.

En octobre, nous avons emménagé dans nos meubles, dans une maison en location, prêts pour la naissance de notre enfant prévue en décembre. Ces quelques semaines m'avaient donné l'occasion de faire connaissance avec la famille de mon mari, mais j'étais heureuse de me retrouver chez moi.

Steven est né à l'hôpital Providence d'Anchorage. J'avais beau m'être préparée depuis longtemps à devenir mère, j'étais nerveuse – ce qui est normal pour un premier accouchement. J'étais encore très jeune, mais il me semblait qu'en moins d'une année j'avais vécu toute une existence.

La distance intellectuelle qui nous séparait, Steve et moi, a paru s'atténuer avec la naissance de notre premier fils. Elle nous avait rapprochés, et nous avons passé de bons moments dans cette maison. Il y avait à l'arrière un ruisseau et un ravin, dès que nous mettions le nez dehors la neige nous montait jusqu'à la taille... Ce n'était pas exactement la vie idéale, mais nous étions heureux.

Au mois de janvier 1985, juste après la naissance de Steven, je me suis inscrite à un cours d'allemand. Non seulement j'estimais indispensable de continuer mes études, mais en plus, avoir une occupation intellectuelle me faisait du bien.

Steve travaillait à plein temps comme responsable bagagiste à Air Alaska. En mars le personnel s'est mis en grève, c'était évidemment gênant pour les voyageurs mais pas tellement pour moi, car Steve avait choisi de ne pas la suivre – nous étions jeunes mariés avec un enfant, et nous avions besoin d'argent. Beaucoup de ses collègues de travail l'ont harcelé et ridiculisé à ce moment-là. Chaque fois qu'il passait devant les piquets de grève, il subissait de violentes menaces. Puis la compagnie s'est installée à Seattle, et lorsque Steve en a eu l'opportunité nous y avons emménagé.

À Seattle nous avons dû vivre chez la mère de Steve pendant quelques semaines avant de trouver quelque chose à louer. Personne n'aime réellement vivre dans sa belle-famille. Nous avons déniché un appartement proche de l'aéroport, et sept mois plus tard nous achetions notre propre maison, à Kent, dans la banlieue sud de Seattle. J'avais décidé de me remettre à plein temps aux études, afin de devenir enseignante. Je me suis inscrite pour un semestre au Highline College. J'ai obtenu le dernier certificat qui m'a ensuite permis de passer le concours d'enseignement de l'université de Seattle, où j'ai commencé à la fin de l'année 1986.

Environ trois ans plus tard j'obtenais ma licence, et j'avais acquis une solide expérience d'enseignante dans diverses écoles des environs de Seattle. J'avais également donné naissance à notre deuxième enfant, Mary Claire, en 1987, et pris six mois de congés maternité, avant de retourner à mes chères études. Les heures de travail de Steve lui permettaient d'être à la maison pendant la journée ; à moi de me débrouiller pour rentrer de mes cours, le soir, avant qu'il reparte travailler. Un mois avant mon diplôme, j'avais déjà sollicité un poste dans trois écoles différentes dans le quartier de Highline, proche de chez nous.

Durant toutes mes études, j'avais fait des stages dans plusieurs écoles de quartier, en tout six établissements différents. L'un d'eux, l'école élémentaire de Gregory Heights, à Highline, était un établissement réputé, tout comme les autres écoles du quartier. En mai 1989, je me suis adressée directement à la directrice du personnel, Shirley Hodgson, pour un poste d'institutrice. J'avais beaucoup aimé mon expérience là-bas, car on y appréciait certains des principes éducatifs que je commençais à développer.

Dans une note que j'avais rédigée pour moi-même à l'époque, j'avais exposé en quatre points mes idées sur l'enseignement et la place que je voulais y occuper :

Premièrement : le type d'enseignement que je désire mettre en œuvre est proche de mon expérience à Gregory Heights. L'équipe y est solidaire, dévouée à la réussite de l'élève, elle prône l'égalité des chances et encourage les plus démunis à profiter de l'aide sociale. Le proviseur principal est soucieux de faciliter au mieux ces objectifs. C'est un engagement que je soutiens, et je cherche à enseigner dans ce sens.

Deuxièmement : durant mes premières années d'enseignement dans le quartier de Highline, j'ai principalement travaillé sur la communication avec les parents d'élèves.

Troisièmement : pour moi, un élève est un enfant soutenu à l'école comme à la maison. Cet équilibre est très important pour qu'il progresse au mieux et développe l'estime de soi. L'expérience m'a appris que l'enseignement le plus efficace est celui dans lequel toutes les parties impliquées dans le processus — notamment les parents et les enfants — sont clairement et constamment soutenues.

Quatrièmement : mes plans à court terme pour une éducation réussie comprennent des cours préparatoires en langue, une formation particulière pour les élèves doués, et tous les cours — lecture, ateliers de lecture — susceptibles de renforcer mon enseignement. L'enseignement général de la langue doit faire l'objet d'une mise à jour permanente pour l'élève, car selon mon expérience, c'est la méthode d'enseignement la plus efficace. Je m'intéresse beaucoup aux élèves qui possèdent des dons particuliers. Nombre de mauvais élèves sont doués dans des domaines non conventionnels, talents qu'en ma qualité d'enseignante je peux repérer et encourager.

En relisant cette note, plus tard, je me suis revue à mes débuts, idéaliste, pleine d'ambition et prête à y consacrer ma vie.

J'aurais aimé que l'université de Seattle soit également une expérience enrichissante pour Steve, et je l'encourageais à suivre des cours. Je pensais que l'école dentaire lui conviendrait, et il semblait réellement en aimer l'idée. L'un de ses proches parents travaillait dans ce domaine, et nous pensions que ce serait une excellente manière d'évoluer pour lui. Mais il n'a suivi les cours qu'un semestre ou deux, avant d'abandonner au premier examen loupé. Ce jour-là, il m'a reproché amèrement son échec, se plaignant d'avoir été poussé malgré lui sur la voie des études universitaires. Je croyais qu'il était simplement frustré de ne pas avoir pu suivre correctement le programme. En réalité il était d'un niveau passable et incapable de déployer la même énergie positive que moi. Ce soir-là, tandis qu'il me rendait responsable de ses propres échecs, je me souviens d'avoir songé que les épouses étaient là pour ça, finalement, pour supporter ce genre de choses.

Mais c'était plus qu'une simple déception. Steve vivait mal le fait que j'aie trouvé ma véritable vocation dans l'enseignement et que j'en sois extrêmement heureuse. Il serait inélégant de dire que ma joie et mon succès exacerbaient son sentiment d'infériorité, mais son manque d'ambition et de détermination me faisait de plus en plus douter qu'il puisse être mon partenaire pour la vie. J'avais passé un temps fou à réfléchir à la manière dont il pourrait se spécialiser dans un secteur particulier, à envisager son avenir, parce que je voulais qu'il prenne conscience de ses propres capacités. Je lui cherchais des motivations dans l'existence, je voulais l'aider à progresser. Résultat : il était frustré de ne pas avoir d'objectif personnel et, jaloux de me voir réaliser mes désirs, il m'en voulait. L'avenir s'ouvrait devant moi, et même si le travail était dur, je savais où j'allais. Steve, lui, semblait perdu et souffrait de plus en plus du manque de projet.

Sa frustration se révélait souvent dans la manière dont il transformait la moindre action en compétition. Il m'ennuyait souvent avec ça, et je lui ai dit une fois que nous n'étions pas en concurrence tous les deux, que nous étions simplement mariés. Mais il éprouvait un tel sentiment d'insécurité qu'il s'en prenait à moi avec des commentaires tels que : « Oui, tout va bien pour toi... Toi, tu fais carrière ! Et moi ? Moi, j'ai seulement un boulot. Tu ne sais pas ce que c'est que de travailler uniquement pour gagner de l'argent ! » Il avait raison, bien sûr. L'argent ne me préoccupait pas, ma passion était si grande que j'aurais pu enseigner pour rien. Steve gagnait bien sa vie, après la grève aérienne, il a eu une promotion. Sans être dans la catégorie supérieure, il avait un emploi stable et une bonne rémunération, environ quarante mille dollars par an. Mais il devait travailler de nuit, et souvent de jour, de plus en plus, ainsi nous ne passions guère de temps ensemble. Quelques amis nous rendaient visite de temps à autre, ils auraient aimé aller au restaurant, mais une sortie de ce genre coûtait entre cinquante et cent dollars et nous ne les avions pas pour ça. Nous ne sortions donc que rarement – une fois tous les six mois.

Je me sentais bien dans mon travail et dans ma vie, presque en mère célibataire, mais ça allait. Nous n'avions pas le choix, et la compagnie de Steve ne me manquait pas. Nous avons travaillé ainsi pendant de nombreuses années et bien que notre vie de couple soit quasiment inexistante, je n'éprouvais pas non plus le besoin de divorcer. Nous menions simplement deux existences parallèles. La maison était une sorte de hall de gare où nous nous croisions. Seuls les enfants nous réunissaient.

À la fin de mes études, en juin 1989, je devais attendre jusqu'au mois de septembre pour espérer décrocher un emploi. J'avais posé ma candidature dans les trois écoles de quartier, sachant déjà que j'intéressais l'académie de Highline et que j'y obtiendrais probablement un poste. J'espérais passer cette première année comme professeur stagiaire intégré à une équipe de titulaires. Ce serait parfait pour moi, je ne travaillerais que deux ou trois jours par semaine, ce qui me laisserait du temps pour mes enfants. Et s'il m'arrivait ponctuellement de ne pas vouloir travailler, je pourrais toujours trouver une excuse.

À la rentrée, j'ai obtenu un rendez-vous à l'école de Shorewood, dans le quartier de Highline. C'était la première semaine de l'année scolaire, et l'une des institutrices de CE1 venait de partir brusquement. On lui avait offert un poste plus près de chez elle, et elle avait laissé sa classe en plan après une semaine de cours.

Je me reverrai toujours entrer dans le hall avec le principal de Shorewood, Darrel Finley, espérant qu'on ne m'offrirait pas un poste à temps complet, que mon séjour ici ne serait que temporaire, jusqu'à ce qu'ils aient trouvé une remplaçante. Je songeais à la manière dont j'allais poliment me désengager, car je n'avais aucune expérience des petites classes de primaire. J'ai essayé d'être courtoise, de me cacher derrière une allusion de débutante :

– Vous savez, le dernier CE1 que j'ai vu, c'était le mien !

Il m'a tapoté le dos pour me rassurer.

– Mary, vous serez une institutrice formidable !

Sur ce, il m'a gentiment poussée à l'intérieur de la salle de classe.

Je m'attendais à ce que la tâche soit difficile, car l'enseignante qui m'avait précédée était très admirée. La porte à peine franchie je me suis trouvée face à une rangée d'adultes aux regards méfiants, bras croisés au fond de la classe. C'était comme une scène de guerre, l'ambiance était lourde, les parents d'élèves furieux, les élèves de toute évidence perturbés par le départ de Mlle Krisen – laquelle avait d'ailleurs, avant de partir, enlevé des murs toutes les décorations censées rendre l'endroit accueillant.

Avant même que j'aie ouvert la bouche, l'un des parents m'a franchement donné son opinion : en tant que remplaçante de Mlle Krisen, je n'avais qu'une chose à faire, « mettre mes pieds dans ses sabots ». Pari qui ne m'a guère impressionnée ; au contraire, j'avais plutôt envie de le gagner. J'ai dit immédiatement aux élèves que j'étais heureuse d'être là « pour eux ». Que je respecterais ce qu'ils avaient tant apprécié chez leur professeur précédent. Je leur ai demandé de me dire tout ce qu'ils aimaient faire, je leur ai expliqué que je n'avais aucune intention de mettre toutes les chances de mon seul côté en les laissant se débrouiller avec un programme imposé.

Il me fallait également négocier avec les parents, surtout après la manière dont l'école avait géré le départ de cette Mlle Krisen. Habituellement, les parents ne discutent des besoins de leurs enfants que la première semaine, mais en raison des conditions exceptionnelles j'étais d'accord pour nous donner une semaine supplémentaire de prise de contact. Ils pourraient me rencontrer individuellement – et tous le voulaient – pour me parler de leur enfant. Dans chaque cas, je serais à leur disposition, car leurs problèmes étaient les miens. J'écouterais avec plaisir leurs commentaires, je solliciterais leur opinion, et souhaitais apporter chaleur et accueil dans ma classe. La bonne volonté ne me manquait pas.

Le bâtiment était vétuste, mal entretenu. Dans ma classe,

la numéro 20, le plafond était dans un état lamentable. L'ensemble me donnait le cafard. J'ai passé beaucoup de temps à améliorer l'aspect et les couleurs de la classe avec des affiches, des tableaux, pour que les élèves s'y sentent à l'aise.

Située à l'extrême sud de Seattle, proche du front de mer et du secteur de l'aéroport, Shorewood ressemblait à toutes les écoles des environs. C'était un endroit de transit, de nombreux élèves y arrivant en cours d'année scolaire, en fonction du travail de leurs parents. Alors que le quartier de Highline abritait quantité d'élèves « en difficulté », officiellement l'école elle-même n'en accueillait pas tant que cela. En réalité, chaque classe avait ses élèves « en difficulté », c'est-à-dire que les élèves les plus forts n'étaient pas suffisamment stimulés par le programme et que les plus faibles ne pouvaient pas le suivre, à cause de toutes sortes de handicaps : langue maternelle non anglaise, divorce des parents, décès dans la famille...

Shorewood était considérée comme l'une des meilleures écoles du secteur. Bien que le quartier soit majoritairement habité par la classe moyenne, il s'étendait aux limites de White Center et de Roxbury, où prédominaient les classes populaires, qui bénéficiaient ainsi de cette proximité.

Je dois admettre qu'au début Shorewood ne m'a pas enchantée ; c'est elle qui m'avait choisie, pas le contraire. Mes collègues disaient que j'étais folle d'avoir accepté un poste à plein temps à peine sortie de l'université. J'aurais préféré trouver un emploi plus près de chez moi, l'un des problèmes immédiats auxquels j'ai dû faire face étant le déplacement. Nous avions bien deux voitures, mais l'une d'elles était la vieille Buick jaune de Steve et elle avait besoin de sérieuses réparations.

Les élèves étaient pour la plupart américains de souche, bien que le nombre de ceux dont la langue maternelle n'était pas l'anglais tende à augmenter. La majorité venait de familles stables, toutes économiquement faibles. Cela se voyait à leurs vêtements. C'était un souci pour moi, par exemple lorsqu'une petite fille n'en avait pas changé depuis un moment, les autres ne la traitaient plus de la même manière. Je m'en suis aperçue très vite, et j'ai tenté d'y remédier. Souvent je me demandais quel genre de soutien scolaire ces enfants trouvaient chez eux. Si on les aidait ou non à faire leurs devoirs. Je savais que, si on leur montrait de l'estime à l'école, ils gagneraient confiance en eux et se révéleraient capables de surmonter les autres problèmes. Mais, évidemment, si les parents ne respectaient pas les principes d'hygiène les plus élémentaires, ils étaient bien incapables d'aider leurs enfants à faire leurs devoirs. J'ai toujours voulu savoir ce que chacun de mes élèves faisait en dehors des heures de classe et comment il vivait en famille. Pour moi, chacun d'eux était un individu à part entière, un cas particulier, et devait être traité comme tel. Si je décelais des problèmes j'essayais immédiatement de les aider, de leur donner confiance, surtout en leurs capacités intellectuelles.

Je surveillais plus souvent les enfants pauvres et leurs devoirs. Je demandais discrètement s'ils n'avaient pas pu faire leur travail parce qu'ils avaient dû attendre que maman ou papa rentre avec la paie pour pouvoir réclamer un cahier, une paire de ciseaux ou un stylo. Si c'était le cas, je les encourageais à venir me les demander, il me suffisait de faire appel à l'administration pour en obtenir aussitôt. Sinon, j'allais éventuellement les acheter moi-même, ce que je n'ai jamais considéré comme une dépense inutile.

Au cours des années j'ai beaucoup appris des autres enseignants, et ils m'ont inspiré des idées. Je distribuais chaque semaine des tâches aux élèves. L'un serait le chef de drapeau durant une semaine, l'autre la semaine suivante. L'un serait le porte-parole, l'autre le chef de rang. Cela leur donnait le sens des responsabilités et la fierté du devoir accompli. Chaque jour avant la classe nous assistions à la montée des couleurs, et le chef de drapeau y prenait toujours plaisir, car la journée commençait avec lui. Il se tenait derrière le poteau, les couleurs à la main, attendant que toute la classe fasse silence. Ensuite il disait :

– Tenez-vous droit, la main droite sur le cœur.

Et ils récitaient tous ensemble le serment d'allégeance. Plus tard, lorsque j'ai enseigné aux sixièmes, les premiers jours de chaque rentrée scolaire j'appelais les élèves au tableau, un à un, afin qu'ils expliquent leurs projets aux autres. Sous un titre que j'avais inscrit moi-même, « Le rêve américain », j'ajoutais les trois thèmes essentiels : Vie, Liberté, Recherche du bonheur.

Je voulais également leur faire comprendre comment nous allions suivre deux cadres de travail principaux. Le premier concernait les disciplines d'enseignement : épeler les mots, apprendre le vocabulaire, bien se tenir en classe, lire, faire les problèmes de maths, le calcul, les exercices, et développer l'expression orale. Le second se déroulait en général l'après-midi. Il s'agissait de terminer la journée par les sujets spéciaux : éducation sociale, sciences et expérimentations, étude du gouvernement et des Indiens du Nord-Ouest, conception du livre de l'année, beaux-arts et autres techniques.

Je leur montrais les romans qu'ils devaient lire, le travail de deux ou trois de mes anciens élèves, écrits ou dessins. La première année, je les entraînais à passer des tests de prononciation de vocabulaire sur des journaux, des articles de société, tout ce qui pouvait les aider à considérer l'éducation comme une fête.

J'essayais de leur inculquer quelques phrases essentielles, espérant qu'à la fin de l'année ils en comprendraient la signification. Je leur répétais toujours le même petit discours au départ :

— Plus vous saurez, plus grande sera la fête. Le savoir de chacun est différent, la fête sera donc unique pour chacun. Ce que j'ai à vous offrir, ce sont des outils élémentaires et l'espace pour apprendre à vous en servir. Nous n'aurons pas de problème de discipline dans cette classe, je n'en veux pas. C'est très irrespectueux et blessant. Je vous offre le respect, rendez-le-moi, et rendez-le à vous-même. Je ne tolère pas l'irrespect, car j'ai trop le respect de moi-même, et lorsque je vous vois vous faire du mal ou faire du mal aux autres, cela me fait mal aussi. Votre mal est le mien, car nous sommes inséparables.

J'expliquais aussi le concept que j'avais appelé « La table de paix ». C'était littéralement une table, dans le hall d'entrée, autour de laquelle les problèmes pouvaient être débattus et résolus.

— Les conflits sont naturels, et la table de paix est là pour s'en charger. C'est un outil qui vous confère des pouvoirs, et la fête finale, c'est la paix. Notre but ici c'est la paix. Chacun d'entre vous est un arbitre de paix. Notre propre souhait pour le monde futur, c'est le rêve américain. Nos contributions à ce rêve sont individuelles, mais notre but est le même. Certains d'entre vous ont entendu dire que j'étais stricte et quelques-uns d'entre vous m'ont déjà eue comme professeur. Vous devriez savoir que stricte n'est pas le mot exact pour me décrire. Le mot est équitable, mais équité ne signifie pas forcément égalité. Cela veut dire que vos lacunes seront comblées. Chaque besoin est différent en chacun de vous, et je ne laisserai pas une mauvaise habitude empêcher qu'il soit comblé. Ce que je vous offre, c'est donc de vous aider à maîtriser en vous deux habitudes, la bonne comme la mauvaise.

« Ce que je désire le plus, c'est que vous acceptiez mon offre, acceptiez et respectiez les outils que je donnerai à chacun d'entre vous. Je souhaite de tout mon cœur qu'ils vous aident à acquérir la connaissance, vous inspirent et vous fassent découvrir, au travers de vos projets et de vos expériences, que vous êtes le créateur d'une vie sans fin, qui existe en vous et autour de vous. Certains d'entre vous trouveront que la vie peut s'exprimer à travers l'écriture, d'autres verront s'épanouir leurs dons pour l'art ou la science, ou pour d'autres disciplines originales et intéressantes. Je découvrirai bientôt chacun de vos talents, et certains d'entre vous s'en serviront longtemps.

« Mais tous vous avez du talent pour découvrir le monde. Cette découverte est formidable. Servez-vous des outils que l'on vous offre.

« Enfin, une dernière chose que vous devez savoir, c'est que je ne discute pas beaucoup, mais quand je le fais, comprenez que c'est un cadeau de grande valeur, et qu'il réclame de vous un cadeau en retour.

Vili est arrivé au cours de ma troisième année de CE1, alors que je connaissais déjà d'autres membres de sa famille, son frère Perry, son frère Faavae et sa sœur Leni. J'ai compris immédiatement qu'il avait un talent d'artiste et que, dans les autres disciplines, il était malheureusement absent. En primaire, je m'efforçais toujours de suivre les activités extrascolaires de mes élèves, de façon à leur faire comprendre que je m'intéressais à ce qu'ils faisaient. Vili m'a alors invitée à une réunion sportive, où j'ai pu rencontrer toute la famille Fualaau. Je pense que l'invitation est d'abord venue de sa mère Soona, par l'intermédiaire de Vili. Je me souviendrai toujours de la timidité avec laquelle il l'a formulée. J'ai répondu que je serais ravie de venir. Pour beaucoup d'élèves, les activités extrascolaires se résument au sport – football, basket-ball... Lorsqu'une moitié de la classe est enrôlée dans une équipe, de basket par exemple, c'est excellent pour moi car je peux les voir tous en une seule rencontre. Il s'agissait cette fois d'une épreuve de course.

J'ai ainsi admiré pour la première fois Soona, la mère de Vili, trônant telle la reine des abeilles sur son territoire. À l'école, lors des rendez-vous de parents d'élèves, elle n'était pas elle-même. À cette réunion sportive, elle l'était vraiment, assise dans le stand, en costume samoan traditionnel. Lorsque je l'ai ensuite vue dans des vêtements européens, je me suis dit : « Quel dommage ! » Elle était tellement plus belle, tellement mieux dans sa peau en costume traditionnel. Elle régnait sur son monde. C'était très impressionnant. Soona a dit à son fils de jouer les hôtes auprès de moi. Il a dû s'asseoir à mes côtés sans en bouger. Au moment de partir, elle a insisté pour que Vili me raccompagne poliment jusqu'à ma voiture, et j'ai pensé : « Oh ! mon Dieu, non ! »... Ma petite voiture personnelle était en réparation, et j'avais pris l'énorme Buick jaune décapotable de Steve. Je n'aimais pas du tout conduire cette voiture, surtout devant mes élèves ; elle représentait mon mari dans toute sa splendide naïveté, et j'en étais gênée.

Je me souviens, nous marchions côte à côte, j'espérais qu'il n'irait pas jusqu'à la voiture. La portière avait un problème, et je n'avais aucune envie qu'il me voie l'enjamber de façon inélégante pour m'asseoir au volant. J'étais son institutrice. Je ne devais pas me comporter de la sorte. Mais je n'ai pas eu le choix.

Des années plus tard, Vili m'a raconté comment, après m'avoir raccompagnée jusqu'à la voiture, il aurait tant voulu m'embrasser pour me dire au revoir. Déjà.

Soona

Mon Vili est un adolescent de treize ans comme les autres. Il a des copains, il aime les filles et tout ça. Mais il y a un autre aspect de sa personnalité que les gens ne voient pas forcément. Il existe, quelque part en lui, un être profond qui veut s'exprimer et trouver sa voie. J'ai eu deux conversations avec mon fils, durant lesquelles il m'a dit certaines choses, et jamais je n'aurais pensé qu'il les avait comprises. À propos de ses frères aînés et de sa sœur, par exemple, il réagissait déjà en adulte. C'est drôle, parce que pendant qu'on discutait cette fois-là, je l'avais mis un peu au défi, pour voir s'il était lucide sur leurs différences.

C'était surprenant la manière dont il mettait le doigt dessus à chaque fois. Concernant sa sœur Leni, il disait : « Elle veut des choses, elle a de grands rêves, mais elle ne les aura jamais, elle est trop paresseuse pour les obtenir. Alors ses rêves resteront des rêves, parce qu'elle ne sautera jamais le pas pour les rendre réels. » Au sujet de son frère aîné Perry, il a bien vu à quel point il a construit sa personnalité sur l'agressivité. Il m'a dit que Perry ne savait pas exprimer ses sentiments intimes, qu'il ne connaissait qu'une manière de le faire, en se servant de sa colère. Non pas que Perry soit nécessairement agressif avec quelqu'un en particulier, mais par moments la rage le prend, et il en fait profiter le monde entier. Puis il m'a parlé de Faavae, en disant que, comme sa sœur Leni, c'était un rêveur, avec cette différence qu'il est un rêveur obstiné, et donc qu'il a des chances de réaliser ses rêves. Puis il m'a dit qu'il était lui aussi un rêveur, tout comme moi, parce que je ne voyais jamais que le bon côté des choses et des gens, que j'étais incapable de haïr, et que je trouvais toujours un moyen de pardonner.

Cette petite discussion entre nous m'a montré quelle sensibilité ardente se cachait en mon fils. Un jour, Mary m'a écrit dans une lettre que l'âme de Vili était à la recherche d'une autre âme semblable à la sienne, pour l'aider à comprendre énormément de choses en lui, y compris ses propres rêves. Je tenais Mary en haute estime, car elle était le seul professeur qui pouvait établir le contact avec mon fils. Ce qui la distinguait des autres enseignants, c'était la vraie passion qu'elle avait pour son métier. Elle se sentait sincèrement concernée par le sort de chaque élève.

Extérieurement, Vili est un adolescent ordinaire, mais en réalité il est beaucoup plus que ça, et je pense que c'est cette personnalité profonde qui a attiré Mary.

10

L'échec du bonheur

Mary

Un jour, avec les enfants, j'étais en avance à l'église, d'au moins une heure. J'ai donc décidé de faire un tour en voiture dans les environs, pour regarder les maisons. Je cherchais quelque chose de plus grand car la nôtre devenait trop petite avec trois enfants. Nicolas venait de naître, en 1991. Notre maison était plantée entre deux secteurs, Auburn et Federal Way, dans une sorte de no man's land sans lien avec les communes environnantes. Ce n'était pas un endroit pour élever des enfants, et espérer y développer des racines.

Je roulais dans une petite région tranquille, près de Des Moines, je suis arrivée dans une commune presque privée, que l'on appelle Normandy Park. Elle semblait coupée du reste du monde, perchée au-dessus d'un ravin dévalant vers la mer. Dans une petite rue tranquille, j'ai découvert une ravissante maison au milieu d'un grand jardin. Il y avait un panneau « À vendre ». Lorsque j'ai vu cet endroit et cette maison, j'ai su que ce serait idéal pour nous.

Mon premier problème était de convaincre Steve de déménager. Il n'attachait guère d'importance à ce genre de choses, une maison, un vrai foyer, un environnement agréable...Je pense qu'il n'avait aucune idée de la qualité de l'existence en général. Sa seule préoccupation était de savoir si nous pouvions la payer. Sa première réaction a été de dire non, on ne peut pas, mais j'étais bien décidée à ne pas laisser passer cette maison.

J'ai fait nos comptes, calculé combien il gagnait par mois, en moyenne trois mille dollars, et souvent avec les heures supplémentaires il approchait les quatre ou cinq mille. Un bon salaire pour un cadre moyen, auquel s'ajoutait mon propre salaire d'enseignante. Mais il restait un problème : Steve continuait de rembourser le crédit de ses études, environ trente mille dollars, quant à moi, je devais encore dix mille dollars pour la même raison. Nous avions donc quinze cent dollars de remboursement par mois, il en restait autant pour vivre avec trois enfants... c'était un peu juste, mais pas impossible. Le fait d'emménager dans cette nouvelle maison rendait mon travail encore plus nécessaire ; avec un nouveau crédit, il fallait obligatoirement que je travaille.

Je voulais m'occuper de vendre la maison sans l'aide d'une agence. Tout le monde me disait que c'était infaisable, mais je voulais économiser le moindre centime. J'ai dessiné soigneusement les plans, le plus professionnellement possible, j'en ai fait tirer cinq cents copies, que j'ai distribuées dans les agences immobilières des environs. J'étais fière de moi, car elle s'est vendue en un mois. J'ai réussi à négocier notre petite maison en faisant un profit de vingt-cinq mille dollars, et pour l'achat de la nouvelle j'ai mené moi-même les tractations : un délai de paiement accordé par le propriétaire pour la première année, le contrat de crédit pour la suite, et l'achat final.

Un an plus tard, notre quatrième enfant, Jacqueline, est venue au monde. C'était une naissance imprévue. Nous avions des difficultés financières depuis longtemps, nous étions toujours très justes, et même parfois dans le rouge. J'attendais souvent quelques jours avant de régler une facture. Je ne crois pas être dépensière, ni frivole. Si nous avions besoin de quelque chose de réellement important, comme des chaussures pour l'école, ou d'offrir un cadeau à dix dollars lorsque ma fille était invitée à un anniversaire, je faisais le chèque, en espérant qu'il ne serait pas impayé.

Je commençais à rechercher un financement spécial, car Steve ne s'intéressait pas au problème ; ça ne le préoccupait même pas, et pourtant nous étions dans une situation très difficile. J'ai trouvé un financement. Le taux en était très élevé, mais ce qui comptait, c'était d'avoir notre maison à nous.

Malgré tout, la situation devait être stressante pour Steve, et il la supportait mal. Il s'est mis à boire davantage. Il ren trait d'une humeur massacrante et cognait dans les murs. J'avais de la chance qu'il soit habile de ses dix doigts et bon bricoleur, car il avait fait pas mal de trous dans les portes à force de cogner dessus. Le problème financier avait fini par le rattraper, et nous nous disputions souvent. Une fois par an, pour le week-end du 4 Juillet, je partais pour Washington DC rendre visite à ma famille avec les enfants. Grâce aux réductions que Steve obtenait sur les billets, cela ne coûtait pas plus de quatre ou cinq cents dollars. Mais il trouvait toujours des excuses de dernière minute, et parfois j'étais obligée de demander de l'argent à mes parents, ce que je n'aimais pas. Il était têtu comme une mule, il ne comprenait pas l'importance, pour les enfants, de ces visites qui leur apprenaient le sens de la famille et de leurs racines.

Après la naissance de Mary Claire, j'ai vraiment essayé pendant quelques années avec Steve, de toutes mes forces. Il était toujours tel qu'à l'université, sans consistance, et j'étais plus convaincue que jamais que nous allions rater quelque chose d'important. J'étais fermement décidée à lui donner sa chance, j'essayais de le prendre comme il était, pour ce qu'il était et pour ce qu'il n'était pas. Je m'efforçais de faire le bilan de ses aspects positifs et de ne pas m'appesantir sur des sujets sur lesquels, manifestement, sa vision n'était pas claire.

Puis, quelques mois après notre installation dans cette nouvelle maison, où je pensais être heureuse, Steve a accepté d'être mis en faillite. Sans m'en parler avant. Il existait de bonnes alternatives à cette solution brutale, nous en avions discuté, nous aurions pu nous en occuper ensemble. Au lieu de cela, il a choisi la faillite, et il me l'a annoncé sans autre forme de procès. Au début je n'arrivais pas y croire. Lorsque je lui ai demandé pourquoi, il m'a seulement répondu :

– Ouais ! Ben mon père a fait ça une fois, c'est pas si mal.

J'étais stupéfaite. Ce qui me bouleversait le plus, c'était de m'être donné tant de mal pour le financement de cette nouvelle maison. Les anciens propriétaires avaient accepté de prendre sur elle une hypothèque, que nous avions promis de rembourser nous-mêmes au bout d'un an. Cela supposait, bien entendu, que pendant ce temps nous rétablissions nos finances. Mais Steve ayant décidé de se mettre en faillite ce financement était désormais impossible, et j'ai compris que notre séjour dans cette maison idyllique serait de courte durée.

Les sociétés de crédit appelaient sans cesse à la maison. Ce n'était pas très agréable et je n'étais bonne qu'à chercher des solutions pour nous sortir du pétrin. J'aurais voulu au moins essayer, établir un plan de remboursement pour nous en sortir progressivement. Malheureusement la solution de Steve se bornait à la formule : « On ne peut pas tirer le sang d'un navet, alors au diable tous ceux qui nous réclament de l'argent ! »

Je me posais de plus en plus de questions sur mon avenir avec lui. Il ne se rendait pas compte que sa décision d'un jour aurait forcément de graves répercussions plus tard. Il ne semblait pas comprendre toutes les conséquences de son acte sur notre vie, notre famille, notre foyer. Comme s'il était incapable de voir plus loin que le bout de son nez, de saisir ce qui était important et ce qui ne l'était pas.

Dans l'État de Washington une faillite sous l'article 13 est enregistrée et publiée. La procédure m'a considérablement humiliée et blessée. Durant toute cette période, je n'ai plus eu de rapports sexuels avec Steve, sauf peut-être une fois par mois. Ce qu'il appelait mon devoir conjugal, ou la « chose obligatoire ». Nous n'avions plus de vie sociale du tout, personne ne nous rendait visite et les enfants n'étaient plus invités. À l'occasion, nous sortions encore en famille, pour assister à un mariage, mais c'était très rare.

Je m'interrogeais plus que jamais sur le manque d'assurance fondamental de cet homme. Sur son permanent sentiment d'insécurité. Il l'éprouvait, je pense, depuis le divorce de ses parents, lorsqu'il était enfant. C'était ce sentiment d'insécurité qui le poussait à se laisser enfermer dans un emploi sans avenir à Air Alaska et à dépendre des heures supplémentaires. Il n'avait aucune certitude religieuse, aucune conviction ; c'était un catholique superficiel, impuissant à concevoir l'existence d'un être surnaturel. Il se sentait constamment écrasé par mon assurance intellectuelle, totalement perdu devant mes responsabilités professionnelles et mon investissement personnel dans le travail. Il le traduisait par de la jalousie et un esprit de compétition ridicule.

Il se sentait également en état d'infériorité à cause de sa sœur Stacey, légèrement retardée, souffrant d'obésité, et qui représentait pour lui une gêne profonde. Les différences sociales, culturelles, spirituelles entre nos deux familles pesaient sur nous. Mes trois frères étaient doués intellectuellement, et reconnus dans leurs carrières, mes deux jeunes sœurs s'étaient mariées dans des milieux similaires au nôtre, leurs familles prospéraient physiquement, financièrement et spirituellement, au sein d'une tribu unie.

Moi, j'avais épousé Steve, Dieu l'avait voulu ainsi.

11

Le premier souvenir

Vili

Le premier vrai souvenir que j'ai de Mary, c'était avec mon copain Luke, on était dans sa classe en CE1, on devait avoir sept ans et on s'était planqués dans une cachette sous l'estrade, pour la reluquer. De là on la voyait par en dessous, c'était super, on a même vu sa culotte. Je crois bien qu'elle était blanche. On s'est fait prendre parce qu'on a trop rigolé en la voyant. Elle était même pas en colère, rien du tout, elle a jamais su pourquoi on rigolait.

Quand je suis entré dans sa classe de CE1, je détestais déjà l'école. Je détestais y aller, je détestais les leçons, et je détestais les profs. Tout, quoi. Je faisais aucun effort pour essayer de comprendre ce qu'ils voulaient m'apprendre. Ils sortaient tout ça de leurs bouquins comme s'ils étaient pas capables de penser tout seuls. À ce moment-là je l'appelais Mme Letourneau. Elle faisait la même chose que les autres : « Vili, fais ça, Vili, lis ça, Vili, peux-tu nous dire ci, Vili, peux-tu nous expliquer ça ? » Rien que des trucs emmerdants. Elle me demandait jamais de faire des trucs intéressants, sauf parfois de dessiner. J'étais bon là-dedans. Alors elle m'a donné un bureau spécial au fond de la classe, d'où je pouvais voir l'extérieur, et elle m'a dit de dessiner tout ce que je rêvais, tout ce qui me passait par la tête. Je trouvais ça idiot, parce que les trucs que j'avais dans la tête, je pouvais sûrement pas les dessiner pour elle. Je rêvais de me barrer de l'école, d'aller glander avec les copains, comment je pouvais dessiner ça ? Ça se met pas en image ! Des fois elle se mettait en colère après moi parce que j'étais un sale gosse turbulent. Elle me fichait à la porte et je devais rester dans le couloir, à attendre, jusqu'à ce que je sois prêt à me conduire convenablement. Tu parles! J'avais vite compris qu'en étant turbulent j'évitais de prendre part au cours et qu'on me collerait au piquet dans le couloir. Je m'ennuyais, mais au moins on me fichait la paix. Il m'arrivait d'y rester toute la journée, jusqu'à la fin des classes, et de rentrer chez moi sans avoir rien fait. Parfois elle s'échinait à m'expliquer que j'avais un talent de dessinateur et que, si je travaillais, je deviendrais un grand artiste connu. Mais le genre de trucs qu'elle voulait me faire dessiner m'emmerdait, c'était pareil qu'avec les autres profs. Au bout de quelque temps elle a compris que je me faisais foutre à la porte délibérément, alors elle m'a obligé à rester en classe, en essayant de me faire passer le plus de temps possible à la table à dessin et en me laissant faire à mon idée. Mais je voulais pas rester assis toute la journée, et j'étais toujours aussi infernal. Je passais mon temps à détourner l'attention des autres gosses, à leur demander par exemple de taguer les murs avec moi. En général ils disaient non, parce qu'ils avaient trop peur de se faire disputer. De temps en temps quelques copains étaient d'accord, parce qu'ils s'ennuyaient trop, alors on se courait après dans la classe en gribouillant sur les murs, elle devenait folle après nous.

Ce qu'il y avait de bien, dans la classe de Mary, c'est qu'elle me donnait jamais de bulletin rose pour m'expédier dans le bureau du directeur. Elle devait s'imaginer qu'elle pouvait se débrouiller sans m'envoyer là-bas. Elle essayait toutes sortes de trucs pour capter mon attention et m'intéresser à l'école. Je me revois dans le couloir, ma main dans la sienne, marchant jusqu'au réfectoire. Elle faisait ça aussi avec les autres gosses, elle en prenait un par la main chaque jour, et moi ça me rendait dingue. J'avais l'impression de tenir ma mère par la main et qu'elle me conduisait quelque part comme un gosse que j'étais.

J'avais sept ans seulement quand j'ai commencé à m'intéresser aux filles. Avant ça je ne pensais pas vraiment à Mary, je la trouvais jolie quand même, mais j'en pinçais pour une fille qui s'appelait Jennifer. Elle, je la trouvais vraiment belle. Un jour elle m'a passé un mot en classe : « Tu pues. »

C'était parce que je lui avais balancé des vaches de clins d'œil juste avant. Alors j'ai écrit derrière son mot : « Je veux te donner un gros baiser mouillé. » Elle est devenue toute rouge et l'a porté à la maîtresse. Mme Letourneau lui a répondu que ce n'était pas méchant, que cela voulait simplement dire que Vili l'aimait.

Vers la fin de l'année, j'ai invité Mary à une rencontre de course où j'étais supposé courir. Elle avait dit en classe qu'elle aimerait bien assister à un événement pour chacun d'entre nous, alors je l'ai invitée à ce truc. Je devais courir, mais finalement j'ai laissé tomber. Elle est venue de toute façon. J'étais assis à côté de ma mère, elle s'est installée près de nous et elle a commencé à nous raconter que ça l'intéressait beaucoup, qu'elle avait couru elle aussi à l'école. Quand elle a voulu partir, ma mère m'a dit que je devais raccompagner ma maîtresse, parce que c'était poli. Alors j'ai dû l'accompagner jusqu'à sa voiture. C'était une grosse épave jaune et j'étais drôlement embêté d'être avec elle, à cause de cette bagnole. Elle a commencé à s'excuser, parce que c'était la voiture de son mari et qu'elle devait la faire réparer, tout ça. J'écoutais pas vraiment, parce que c'était la première fois où j'ai eu envie de l'embrasser.

J'en pinçais pas pour elle ou un truc comme ça, mais je la trouvais si jolie, et si gentille.

J'étais pas bon en lecture, mais quand j'ai quitté sa classe pour entrer en CE2, j'avais fait des progrès. Elle m'a fait revenir dans sa nouvelle classe pour me faire lire un livre devant les élèves et leur montrer comment je m'y prenais bien. En CM2, j'avais dix-onze ans, j'ai commencé à m'intéresser sérieusement aux filles, et un jour, en passant devant sa classe, j'ai regardé à l'intérieur. Et là je l'ai trouvée vraiment belle. Elle avait de beaux cheveux, une frange qui la faisait paraître plus jeune, je me suis dit qu'elle avait un joli visage, qu'elle était drôlement bien. Je crois que c'est la première fois que j'en ai réellement pincé pour elle. Je passais tout le temps devant sa classe pour la regarder. Elle me plaisait vraiment. Je crois pas qu'elle m'avait remarqué à ce moment-là, mais de temps en temps, dans le couloir, elle me demandait comment ça allait en dessin. Moi je répondais : « Bien », et elle s'en allait.

On était toute une bande de copains à mater les filles, et on se disait : « Tu la veux celle-là ? Et celle-là ? » J'ai parlé de Mary. Un jour je leur ai demandé s'ils voulaient se la faire. Et eux ils ont répondu : « Ben non ! » Alors j'ai fait le mariole, j'ai répondu : « Okay, on laisse tomber », juste pour dire comme eux.

En sixième, l'année avant le collège [1], on m'a remis dans sa classe, et j'ai recommencé à faire le turbulent. Je pense que c'est là que tout a commencé. Merde, je détestais tellement l'école.

Un jour, mon cousin et moi on discutait d'un prof, une femme avec une énorme poitrine, on se chauffait l'un et l'autre en se disant qu'on voudrait bien la sauter et tout ça. Après on a parlé des autres profs et j'ai demandé à mon cousin :

– Si t'avais une chance de t'en faire une, laquelle tu prendrais ?

– Celle avec les gros nibars. Et toi ?

– Moi aussi, mais je me ferais bien Letourneau.

On a commencé à délirer là-dessus, moi surtout :

– Ouais, je me la ferais bien, Mme Letourneau, elle est mieux foutue que l'autre, t'as pas vu son corps ?

– Ouais, d'accord mais l'autre, t'as vu ses nibars ?

C'était vrai, mais elle était grosse, et j'aime pas ça. On continuait à discuter comme ça, et mon cousin me fait :

– Je parie que t'arriveras pas à la baiser !

J'ai réfléchi un moment, je voulais lui balancer un truc qui le cloue sur place.

– Moi, je peux baiser qui je veux, quand je veux... J'ai qu'à essayer !

Alors on a parié.

– Vingt dollars, mec, vingt dollars que tu baiseras pas Letourneau !

– D'accord. On parie ce que tu veux, parce que moi je la baiserai !

On s'est tapé la main. J'avais douze ans, et j'avais jamais baisé personne. Mais j'avais connu trois filles qui se débrouillaient autrement. C'était pas mal, mais je voulais

---

1. Aux États-Unis, la classe de sixième s'effectue dans la même école que les classes de primaire *(N.d.T.)*.

vraiment baiser, pour voir ce que c'était. J'étais vraiment curieux de ça. Les filles que je connaissais refusaient d'aller plus loin, je leur avais demandé, mais elles disaient qu'elles voulaient se garder pour plus tard. La première fois je devais avoir dix ans, peut-être onze, la fille en avait quatorze. On s'était embrassés et tout, et après c'est elle qui m'a fait une pipe. Putain, c'était le pied ! Il y avait des filles dans l'école qui étaient vachement connues pour ça, alors j'allais avec elles.

Quand je suis arrivé en sixième, dans la classe de Mary, j'avais deux semaines de retard, j'avais pas pu venir à cause d'une saloperie de balafre que j'avais pris au-dessus de l'œil. J'avais les cheveux longs en queue de cheval, je portais un T-shirt noir et un jean. Je suis entré dans la salle de classe, vachement décontracté, en lui jetant des coups d'œil provocants, genre, c'est moi j'arrive et alors ?

Elle allait vers la fenêtre, elle s'est arrêtée pour revenir vers moi, et elle a dit :

– Alors ? Comment vas-tu ?

– Ouais... Ça va... Et vous ?

J'ai pensé : « En voilà une conversation bizarre avec un prof ! T'arrives en retard de deux semaines. Elle va t'engueuler ! » Au lieu de ça, elle m'a demandé si j'avais fait des progrès en dessin. Comme si elle se souvenait de moi depuis le CE1.

Mary essayait tout le temps de m'intéresser aux trucs qu'elle voulait enseigner, mais j'y arrivais pas. Un jour, je cherchais encore à distraire quelqu'un, et elle s'est mise à pleurer. Elle s'est levée et elle est sortie de la classe. Je suppose qu'elle était en train de raconter un de ses trucs favoris, vachement important pour elle, et moi je foutais le bordel. J'arrêtais pas, de toute façon. Quand quelqu'un lisait un truc je faisais du bruit exprès. Par exemple, si c'était quelque chose de sérieux, je faisais de drôles de bruits, genre dessins animés, ça les faisait craquer, les autres.

Le jour où elle est sortie en pleurant, elle m'a poussé hors de la salle et m'a laissé dans le couloir toute la journée derrière un bureau vide. J'avais plus qu'à rester là, avec rien à faire. Ça m'allait bien. Je la regardais de temps en temps à travers la vitre, et elle me regardait aussi en train de la regarder, c'était bizarre.

112

Après, j'étais mal de l'avoir fait pleurer. Je voulais pas, d'habitude elle riait aux bêtises que je faisais, comme les autres, mais ce jour-là, je crois qu'elle était dans un mauvais jour.

Des fois elle me rendait dingue moi aussi, au point que j'avais envie de lui taper dessus. Parce que si j'ai un problème personnel, je le garde pour moi, comme ça je peux le résoudre moi-même. Mais elle me tournait autour, elle voulait me faire parler, elle se prenait pour mon psychologue. Parfois j'allais me réfugier dans les toilettes, je m'asseyais là pour réfléchir. Elle arrivait derrière moi, elle ouvrait la porte, me disait de sortir et de venir lui expliquer mon problème. Elle ne me traitait pas différemment des autres, elle voulait aussi aider les autres, elle parlait avec eux, ils discutaient de leurs problèmes avec elle. Ils avaient l'air d'aimer ça, que leur prof s'intéresse à eux, mais merde, pas moi.

Moi, il fallait me foutre la paix, à moi de me démerder tout seul avec mes problèmes.

J'ai commencé à mieux la connaître peu à peu, parce qu'elle me faisait dessiner beaucoup et qu'elle s'efforçait toujours, malgré mon attitude, de m'intéresser à l'école. Des fois j'avais envie, des fois non. La seule raison qui me faisait faire des choses en classe, c'était elle. Uniquement pour elle. Ça me permettait de rester près d'elle et de la regarder, encore et encore. Elle me disait parfois qu'on se ressemblait tous les deux, elle était gauchère et moi aussi, elle avait quatre enfants et on était quatre à la maison.

Je me suis mis à la détailler sans arrêt. Assis derrière mon bureau, je regardais ses yeux, ses jambes, son corps. Ça voulait bien dire : « J'ai envie de toi. » Elle le comprenait forcément, elle le voyait dans mes yeux, parce que dès que mon regard accrochait le sien, elle me regardait aussi, puis le détournait en vitesse. Parfois elle rougissait un peu.

Je voulais la regarder dans les yeux, pour qu'elle lise dans les miens l'envie que j'avais d'elle. En même temps mes sentiments grandissaient, je ne pensais qu'à elle, je ne voulais qu'elle, et je m'étais juré de l'avoir, j'en avais rien à foutre du reste, même si c'était mon prof.

Parfois, alors que j'étais censé lire quelque chose, je ne

regardais même pas la page, je la fixais droit dans les yeux. Au bout d'un moment de silence elle était bien obligée de me regarder aussi, alors on restait comme ça un instant, les yeux dans les yeux. C'était dingue. Je la provoquais du regard, je me concentrais aussi fort que je pouvais, comme si je voulais faire passer dans sa tête ce que j'avais dans la mienne. Je l'hypnotisais carrément : « Je te veux... je te veux... » Elle me renvoyait juste un sourire, mais je savais qu'elle savait à quoi je pensais.

Plus tard, bien plus tard, après notre premier baiser et le reste, elle m'a demandé ce que je voulais dire avec mes yeux, et quand je lui ai dit, elle m'a répondu : « Oui. Je le savais. »

À cette époque, je voulais la rendre jalouse, je draguais les filles dans la classe, je les embrassais devant elle. Un jour je lui ai raconté une histoire que j'avais inventée, une vraie salade... J'étais allé à Hawaii avec une fille qui s'appelait Elani, j'avais fait l'amour avec elle, et elle était tombée enceinte. La fille ne voulait pas du bébé, elle avait avorté. Je lui ai fait croire qu'Elani était mon premier amour, mais c'était juste une blague. Plus tard je lui ai avoué la vérité. Elle a fait : « Mais oui, oui... » Elle ne voulait plus croire la vérité ! Elle préférait l'autre histoire !

En sixième, on avait des cours d'éducation sexuelle, et elle nous demandait de ne pas hésiter si nous avions des questions. Si j'avais une question pour elle ? Tu parles !

On pouvait déposer nos questions écrites dans une enveloppe. Elle les choisissait une par une, au hasard, et y répondait. C'était supposé être anonyme, mais elle connaissait mon écriture, elle savait d'où venait la question : *Qu'est-ce qui se passe si un garçon fait pipi dans le sexe d'une fille ?* Elle a essayé de garder son sérieux, en répondant :

– J'ignore qui a posé cette question, elle est complètement stupide, ça me rend malade de savoir que l'un de vous pose des questions pareilles. C'est enfantin et très bête.

Moi dans mon coin, je ruminais : « Ouais... d'accord, tu sais d'où ça vient, et va te faire foutre si tu crois que je suis bête. »

Une autre fois, je l'ai vraiment embarrassée. On était

114

dans le couloir et je lui ai demandé de m'expliquer ce que voulait dire cycle menstruel. Je pense que je l'ai choquée de poser une question pareille devant tout le monde. Mais elle en a pas fait toute une histoire ; comme j'avais l'air d'insister, elle a essayé de m'écouter calmement.

– C'est quand une fille met des tampons, parce qu'elle saigne ?

– Tu veux dire qu'elle a ses règles ? C'est ça ?

Alors elle a expliqué comment ça marchait, les ovaires et le reste, jusqu'au moment où j'ai posé l'autre question :

– Est-ce que tu saignes ?

Là, elle a souri carrément.

– Non, les fées ne saignent pas.

Pan dans la gueule... Elle parlait comme moi, maintenant. Elle avait compris que je voulais seulement la charrier, c'est tout. J'ai pas posé d'autre question là-dessus.

Je parlais toujours normalement devant elle, si j'avais envie de jurer dans la classe, je m'en privais pas. Elle disait seulement :

– Pourquoi as-tu la bouche si sale, Vili ? J'ai bien envie d'y mettre un savon, de la laver, et de bien la rincer !

Et moi je répondais, furieux :

– Qu'est-ce que vous avez tous à vouloir me foutre un putain de savon dans la gueule ? T'as compris ce qu'elle disait, ma gueule ? Alors ? C'est pas ça le plus important ? C'est grave que je parle mal ?

Et elle, tranquillement, avec sa voix douce :

– Non, peut-être pas. Si c'est ta façon d'être, ta manière de t'exprimer, alors d'accord.

Je crois qu'après ça, quand on a été ensemble, elle s'est mise elle aussi à jurer. J'avais dû la convertir.

Au bout d'un certain temps, je suis tombé complètement amoureux d'elle. Et je me disais : « Te voilà bien, t'es dingue amoureux, t'en crèves. » Je voulais aller chez elle, la voir chez elle, alors je lui ai demandé son numéro de téléphone. Elle m'a demandé pourquoi, et j'ai répondu :

– C'est pour rester en contact, au cas où j'aurais un problème avec mes devoirs...

Alors elle m'a refilé son téléphone. Je l'ai recopié, puis je l'ai enregistré dans la mémoire d'une montre que j'avais, comme un petit ordinateur pour les numéros de téléphone. Un jour, j'étais tellement furieux après elle, je sais plus pourquoi, que j'ai flanqué la montre en l'air, et pendant quelque temps, j'avais plus son numéro.

C'est vrai qu'elle me tapait sur les nerfs, par moments, avec sa façon d'enseigner. Comme si tous les autres comprenaient et pas moi ! Tous les autres l'adoraient, ils la trouvaient amusante, et moi je m'emmerdais à longueur de temps. Tout le monde disait que c'était un excellent professeur, mais, pour moi, en classe elle était comme les autres.

Ils sont tous pareils les profs, en classe.

Elle m'intéressait autrement. Moi, je voulais me la faire. Et d'autres filles aussi. Avec mon copain Chris, des fois on descendait en ville, on allait reluquer toutes ces nanas en mini-shorts, avec leurs jambes à l'air. On les sifflait, on leur tournait autour. C'était des filles assez vieilles, la plus vieille, qu'on voulait toujours baiser, devait avoir dans les vingt ans. En tout cas, elle en avait l'air, les cheveux et la peau, elle avait plus de vingt ans, c'est sûr. Une fois qu'on avait bien sifflé, bien tourné autour, on rentrait chez nous dans le « Hood », et je recommençais à rêver à ma prof.

J'étais amoureux.

12

Où mène le chemin?

Mary

Vili avait manqué les deux premières semaines d'école. L'un de ses amis m'avait dit qu'il était à Hawaii, mais j'ai appris plus tard qu'il s'était battu avec l'un de ses frères, et qu'on avait dû lui suturer l'arcade sourcilière. Lorsqu'il s'est enfin montré, j'étais ennuyée pour lui, car les premières semaines sont une période d'adaptation très importante.

Dès qu'il est entré, je me suis rendu compte qu'il avait l'air beaucoup plus âgé que ses camarades de sixième. Il ressemblait davantage à un élève du lycée, par son allure, ses vêtements, sa façon de marcher, et surtout son attitude de garçon déjà mûr. Il avait même une moustache. Vili montrait déjà une personnalité imposante, et je me souviens d'avoir pensé : « Ils ont beaucoup changé, les jeunes, cet été, voilà qui promet une drôle d'année! » Je ne voyais pas la chose du côté positif, mais plutôt : « Oh, mon Dieu, les ennuis arrivent! »

En raison de la disposition de la classe, le bureau de Vili était à côté du mien. J'avais besoin de surveiller attentivement ce qu'il faisait, car il était lent en tout, sauf en dessin. Il lui arrivait parfois d'être inspiré dans ses rédactions, mais la plupart du temps, il ne se donnait aucun mal. En plus j'avais dans ma classe un autre garçon d'origine samoane, Tony, un cousin de Vili. Tony était encore plus grand que Vili, une sorte de géant, mais totalement immature. Ils avaient eu quelques frictions par le passé, je devais donc constamment veiller sur eux.

Mon programme quotidien comportait de la lecture en classe, après le déjeuner. Et là, les ennuis ont effectivement commencé. Je dois admettre que je ne pouvais pas enseigner convenablement lorsqu'il était là, il me créait beaucoup trop de soucis. Je choisissais habituellement des classiques, de genres différents, des histoires belles et simples que je pouvais interrompre n'importe où et reprendre le lendemain. Le but était d'encourager les élèves à lire ensuite ce genre de livres de leur propre initiative. Pendant que je lisais, je savais qu'il me regardait. Il détaillait mes jambes, en faisant des commentaires précis à leur sujet à son voisin. Il ne regardait jamais ma poitrine, uniquement mes jambes. Je sais que j'ai de jolies jambes, je prenais toujours la précaution de ne pas les dévoiler outre mesure. À d'autres moments, il me regardait fixement dans les yeux, au point de me gêner. Plus tard, lorsque nous nous sommes mieux connus, en parlant de cette période, il me disait : « Souviens-toi, je voulais te violer avec mes yeux. »

Parfois, ces regards étaient extrêmement énervants ; ils me distrayaient, évidemment, mais surtout ils m'inquiétaient. Je n'avais jamais les jambes nues. J'ai toujours porté des collants noirs et l'uniforme traditionnel des enseignantes : jupe plissée, absence de talons, pull-overs ou chemisiers de coton. C'est à cause de lui, de sa manière éhontée de me fixer, que j'ai commencé à porter deux hauts superposés. Je pensais que c'était la seule chose à faire. Un jour je portais un joli haut noir à manches longues et un collier. Je m'étais dit que tout cela n'existait peut-être que dans ma tête, finalement, et que je pouvais m'habiller normalement. Nous étions en route vers la salle de musique lorsque je l'ai entendu dire à un de ses amis :

– Tiens... aujourd'hui elle a pas mis deux chemises l'une sur l'autre.

Comme si c'était une sorte d'événement ! Il l'avait dit devant moi, intentionnellement, je ne l'ai pas entendu accidentellement. J'ai filé jusqu'à ma voiture, pour enfiler un T-shirt. En revenant dans la salle de musique, je lui ai déclaré, en le regardant bien en face :

– Pour ton information, je porte deux T-shirts l'un sur l'autre. J'ajoute que ce que j'ai entendu tout à l'heure est extrêmement grossier.

118

Vili se montrait très envahissant. Il voulait constamment attirer mon attention, chaque fois que je faisais le tour des élèves pour examiner leur travail ou surveiller leurs progrès, il se débrouillait pour que je revienne vers lui. Il se levait pour discuter avec un autre élève, ou refusait simplement de travailler. Je venais le ramener à sa table, j'essayais de le faire se concentrer sur le sujet, et il coopérait honnêtement tant que j'étais près de lui. Dès que j'avais le dos tourné il recommençait ses bêtises ! Je me suis souvent mise en colère contre lui à cause de cela, car je savais qu'il cherchait uniquement à capter mon attention. Il me fallait essayer de l'ignorer. Je l'ai souvent mis à la porte, dans le couloir, pour l'obliger à faire son travail, en lui disant :

– C'est une faveur que je te fais. Tu vas pouvoir t'asseoir ici tranquillement pour travailler, ça t'aidera à te concentrer.

Un autre problème s'est présenté durant la période des cours d'éducation sexuelle. Les leçons portaient sur la vie familiale et l'hygiène sexuelle. J'avais consacré à mes élèves une heure durant laquelle ils pouvaient poser toutes les questions qu'ils voulaient. Ils les écrivaient sur une feuille qu'ils glissaient dans une enveloppe, ce qui leur permettait de rester anonymes. Avant de commencer, suivant les instructions du manuel d'éducation sexuelle fourni par l'administration, je les avais franchement prévenus :

– Je ne tiendrai pas compte de ce que vous avez entendu dire sur ces cours, de votre impatience à vouloir comprendre certaines choses ou de celles qui vous font peur. Ce cours porte sur l'hygiène, il n'est pas question de discuter de sexe.

Je devais les encourager à en parler ouvertement avec leurs parents ; c'est eux qu'ils pourraient interroger sans se sentir embarrassés. C'était une aide aussi pour les familles, car les parents sont souvent gênés d'aborder les premiers ce genre de sujet avec leurs enfants. L'objectif était, en gros, d'expliquer très clairement aux élèves que nous n'aborderions jamais la sexualité en elle-même.

– La définition la plus proche des rapports sexuels que je peux vous fournir est la suivante : les relations sexuelles intimes se passent entre vous et un être qui signifie quelque chose dans votre vie.

Ils ont posé toutes les questions qu'ils voulaient, certaines évidemment directement sur le sexe. Dans ces cas-là je me contentais de dire gentiment :

– La question est déplacée.

Vili n'était pas le seul à poser des questions déplacées, mais j'ai reconnu son écriture. Chaque année la même question revenait immanquablement : *Qu'est-ce qu'un orgasme ?* Je l'ai lue à voix haute, avant de répondre :

– Je comprends que vous ayez besoin de savoir ce que ça veut dire. Si vous le voulez vraiment, vous pouvez chercher dans la bibliothèque, l'un de ces gros dictionnaires épais rangés sur une étagère vous en donnera la définition.

Tous les enseignants savaient que cette question revenait chaque année sur le tapis et nous nous étions tous mis d'accord sur cette manière de la traiter.

En octobre ma mère m'a annoncé au téléphone que mon père était atteint d'un cancer en phase terminale. Nous en avons discuté. Au-delà des termes médicaux et du diagnostic, existaient aussi les miracles quotidiens de la médecine. Je n'arrivais pas à comprendre comment l'on pouvait prévoir ainsi un terme à la vie de mon père. Mettre ainsi une étiquette définitive sur sa maladie. Je disais à ma mère :

– Et en Europe ? Et à Mexico ? Et les remèdes chinois ? Et les médecines parallèles ?

J'étais furieuse contre les médecins qui avaient cru devoir avertir mon père de sa mort prochaine. Qu'en savaient-ils, tous ces experts ?

J'ai passé la nuit à réfléchir. Fallait-il lutter ? Fallait-il se contenter d'accepter cette mort annoncée comme faisant partie du tourbillon de la vie ?

Steve dormait. Je suis sortie de la chambre au matin, ayant compris que je devais assumer seule la réalité. Traverser cette crise, évoluer, grandir émotionnellement. Deux pensées me traversaient l'esprit tandis que je me dirigeais vers le fond de la maison, côté sud, où la grande baie vitrée de la salle à manger ouvrait sur le magnifique paysage des environs. Trois mois auparavant, ma voisine, Bev Roland, était morte subitement à l'âge de cinquante-cinq ans, laissant un mari du même âge. Franck était parti de chez lui pour un long voyage afin de se résigner à ce deuil. Cette nuit-là, j'avais envie de le voir, de lui parler. C'est un homme sensible, charismatique, plein d'esprit et de bon sens. Il aurait pu m'aider, me donner un avis. Mais Franck n'était pas là. J'admirais son beau jardin de loin et, derrière sa maison, la petite baie de Puget Sound. Les lumières lointaines de Port Defiance se troublaient joliment au travers des larmes qui emplissaient mes yeux. Au-delà de ces lumières la baie s'agrandissait jusqu'à l'océan.

J'ai ressenti un désir violent de courir comme le vent vers le sud, vers le gigantesque océan Pacifique. Lui seul aurait pu me rendre la paix. Mais je ne bougeais pas, pensant à la minuscule plage dans le temps et l'espace que nous réserve la vie, aux inévitables marées qui nous guettent. J'étais ailleurs, si loin de ma petite existence, j'entendais battre dans ma poitrine le cœur de la mer éternelle grondant sur le sable, je sentais mes pieds nus effleurés par la grande marée montante. J'aurais voulu baigner mes yeux dans le sel de l'océan.

En cette nuit de vide douloureux dans mon cœur, je me demandais comment survivrait ma mère, comment Franck faisait face à l'existence. Comment peut-on supporter la perte de quelqu'un de si proche ?

J'allais perdre un père, mais cela n'avait rien à voir avec la douleur qu'une épouse éprouve en perdant l'être sur lequel repose tout son amour, dont l'esprit est un compagnon permanent, qui voyage à vos côtés durant toute votre vie, dont vous entendez le souffle accompagner le vôtre nuit après nuit, dont les mains caressantes vous ont juré fidélité et passion. Mon esprit était tourmenté de questions sans réponse.

Comment ressent-on la perte de l'amour de sa vie ?

J'ai su dans ces tristes moments, en cette nuit révélatrice du destin de mon père, que je n'aurais pas cette longue vie d'amour en commun. Et mon mari non plus. J'avais de beaux enfants, mon identité propre, un avenir personnel. Mais l'homme qui dormait dans la chambre de notre maison n'était ni une âme sœur ni une force spirituelle. Ses mains me touchaient sans promettre d'union sacrée, son souffle n'épousait pas le rythme du mien.

Pourquoi étions-nous encore ensemble ? Sur quel espoir avaient tenu toutes ces années ?

L'espoir d'avoir la force de survivre, pour laquelle je priais ; la même prière que j'adressais à la Sainte Vierge Marie dans la chapelle de ma jeunesse, avant mon mariage avec Steve. J'avais même prié pour la tolérance et la durée de ce mariage. J'avais la tolérance, suffisamment, mais notre union ne durerait pas. Le couple que nous formions n'avait en commun que les enfants. De plus en plus je me demandais pourquoi Steve ne semblait pas se rendre compte que nos deux chemins s'étaient séparés. Que nous suivions désormais des routes différentes. Que ces deux routes ne pouvaient que se heurter si nous restions ensemble.

Je me sentais paisible dans ma solitude. Ma vie continuait à s'enrichir et à grandir alors que Steve semblait stagner dans la rage et l'exaspération. Je voyais l'existence quotidienne comme un cadre d'évolution, une magnifique spirale en marche. Il voyait la vie comme une boîte fermée, une cellule. J'avais essayé pendant des années de l'attirer hors de cette boîte, de lui montrer ses dons, son potentiel, un potentiel que nous possédons tous, mais mes efforts étaient demeurés vains.

Cette nuit-là, après les nouvelles de la maladie de mon père, je devais avoir le courage de faire face à ma propre terreur. Ce n'était pas la perte prochaine de mon père, c'était l'échec qui m'avait toujours effrayée. Je voyais un grand changement sur ma route, et j'aurais eu besoin des paroles de mon père pour me guider. Je devais rendre sa liberté à Steve.

Angoissée sur le sort de mon père, je me suis tournée vers mon mari, ce matin-là, pour un semblant de réconfort. Il était toujours au lit.

— Tu es réveillé ?

Lorsqu'il a dit oui, je lui ai annoncé la triste nouvelle. Sa réaction m'a crevé le cœur.

— Bon... Qu'est-ce que tu veux que j'y fasse ?

C'était si cruel et si dénué de compassion !

Une semaine plus tard j'ai quitté l'école pour le séjour annuel au camp de Waskowitz. Ce séjour de quatre nuits et cinq jours loin de la maison, consacré à l'enseignement en extérieur, faisait partie du programme scolaire. Vili avait dit qu'il ne viendrait pas. J'ignore pourquoi ; peut-être se considérait-il comme au-dessus de ce genre d'activité. Je me suis montrée ferme, et j'ai insisté.

– Vili, tu dois venir. Si je suis obligée d'aller te chercher chez toi et de te pousser dans le car, crois-moi, je le ferai !

Il a accepté l'ordre et s'est montré au camp. Pendant cette sortie, j'ai emmené la classe faire de nombreuses randonnées de plusieurs kilomètres. Nous sortions en groupe, je restais sur le côté, pour surveiller les rangs. Parfois, durant ces promenades, Vili se faufilait à mes côtés. Je ne disais rien, cela nous donnait l'occasion de parler.

Durant l'une de ces randonnées, nous nous sommes arrêtés le long d'une voie ferrée désaffectée. Vili m'a demandé très sérieusement, en contemplant la voie :

– Alors, où va la route ?

J'ai voulu lui raconter l'histoire de la voie ferrée. Il m'a interrompue :

– Je parle pas de cette putain de voie ferrée. Je veux dire la voie, le chemin.

Il n'avait pas besoin d'en dire plus, j'avais compris. Mais je l'ai interrogé tout de même :

– Tu veux parler du chemin de la Vie ?

Il a continué à marcher sans me répondre ; j'avais bien compris.

Plus tard, en rentrant du camp, je me suis installée pour coucher mes pensées sur le papier, en espérant que c'était le meilleur moyen de les mettre au clair. J'ai commencé par : *Où mène le chemin ?*

Qu'il ait posé cette question métaphysique au moment même où je pensais à mon père m'avait bouleversée. Je n'en avais parlé à personne, je ne pouvais pas, c'était trop dur, et mes élèves n'étaient pas des interlocuteurs appropriés pour cela. Alors lorsque Vili m'avait demandé : « Où mène le chemin ? », je m'étais sentie dévoilée, mise à nu au plus profond de mon âme. Comment pouvait-il savoir à ce moment précis que je me posais la même question ? Où mène le chemin ?

Une autre chose très significative s'est produite au camp,

presque à la fin du séjour. Nous dessinions au fusain, ce qu'il aimait particulièrement. Je vérifiais le travail de chaque élève, et lorsque je suis arrivée à Vili, je lui ai demandé ce qu'il faisait. Il m'a répondu simplement :

– Je peux pas.

J'étais décontenancée.

– Qu'est-ce que tu veux dire par « Je peux pas » ?

Il m'a donné une réponse apparemment logique :

– J'ai trop froid aux mains.

C'était désarmant. Je lui ai conseillé de les frotter l'une contre l'autre pour les réchauffer.

– Pourquoi tu n'essaies pas ?

Il avait l'air triste et découragé :

– Je peux pas, ça fait mal.

– Allez, donne-moi tes mains.

J'en ai pris une, elle était réellement glacée. J'ai commencé par la presser fortement, puis je l'ai massée doucement pour faire revenir la circulation. Il me regardait. Son regard me gênait. J'ai marmonné :

– Ça marche, maintenant ?

Il n'a pas dit un mot, sans me quitter des yeux, comme à son habitude. Je ne le supportais pas. Ce regard me perçait le cœur. J'ai lâché sa main très vite, comme si je m'étais brûlée.

J'avais besoin de me reprendre, de m'éloigner.

– Tout ira bien maintenant.

Le contact de sa main avait soudain créé comme un lien puissant entre nous.

Au retour du camp nous nous sommes attelés au grand projet de l'année : un concours national d'illustrations sponsorisé par l'Association nationale des parents d'élèves. Chaque année, le thème d'ouverture était : « Reflets », mais il y avait quantité de thèmes annexes. Un des thèmes de notre année, 1995-1996, était : « Ouvrez les yeux et observez les fleurs de printemps. »

Vili avait souvent raté son entrée dans la compétition, mais je savais intimement que, s'il était encouragé, s'il se concentrait assez longtemps, il pouvait produire un travail de grande qualité. Je lui ai dit que cette année, où il était

124

dans ma classe, devait être celle où il serait capable de mener jusqu'au bout quelque chose qui prouverait son grand talent. J'avais discuté de lui avec de nombreux professeurs, y compris son professeur de maths ; nous étions tous d'accord sur le fait qu'il manquait uniquement de concentration. Il était magnifiquement doué, mais il n'allait nulle part. Il n'avait pas suffisamment de soutien chez lui, et il avait besoin d'être guidé. J'ai toujours pensé que Vili serait un jour un grand artiste, peut-être même le futur Picasso. Ce qui m'agaçait et me mettait parfois en colère, c'est que son parcours scolaire ne l'aidait pas.

Durant cinq ou six semaines, jusqu'au mois de décembre, nous avons travaillé ensemble après l'école, pour qu'il progresse. Il m'a semblé qu'il participait, cette fois, et son travail commençait à montrer des qualités réelles.

Nous étions proches depuis le début de l'année, mais, d'une certaine façon, j'étais proche de tous mes élèves. J'avais un langage particulier pour chacun. Je n'avais qu'à jeter un coup d'œil à l'un d'entre eux et il me comprenait. Chacun savait ce que je voulais lui dire, à une nuance près. C'est une question d'intuition.

Avec Vili une relation s'était développée très tôt, mais elle était restée à un certain niveau, un niveau très respectueux. Parfois, il oubliait ce respect et tombait dans ce que j'appelais son « cerveau sexuel ». Je le trouvais alors agressif envers moi. J'avais toujours pensé que c'était délibéré de sa part et qu'il avait un but, se faire valoir auprès de ses copains de classe, par exemple, il aimait ça.

Pendant le projet « Reflets » nous sommes devenus vraiment très proches. Et à Noël toute l'équipe avait compris qu'il y parviendrait. Nous travaillions dur sur ce projet artistique, je me sentais bien avec lui, à l'unisson, nous échangions des idées, cherchions des motifs d'illustrations, comme deux artistes partageant leurs talents. Nous commencions après l'école et finissions tard, deux heures de travail environ chaque soir. Je serais incapable de décrire l'énergie créatrice qui circulait entre nous, mais c'était très excitant. Nous ne faisions qu'un.

Soudain je n'ai plus eu peur. Ma terreur de l'avenir, l'angoisse de savoir où menait le chemin de ma vie s'étaient envolées.

La veille des vacances de Noël, Vili a fait une profonde dépression. C'était visible car il portait une cagoule noire, ce qui n'était pas son genre. Il lui arrivait par moments de laisser son esprit vagabonder dans son petit monde intérieur – et nous savions qu'il fallait alors le laisser tranquille jusqu'à ce qu'il refasse surface –, mais cette fois il y avait autre chose.

Il s'est assis derrière son bureau, la tête basse, fixant le sol. Il n'était pas malade, il ne demandait rien, ne faisait rien, il était là, c'est tout. Il est allé se promener au fond de la classe, où se trouvait ma bibliothèque, il a feuilleté un livre ou deux d'un air désœuvré. Les autres élèves préparaient Noël en riant, pas lui. Tout le monde était d'humeur gaie, sauf Vili. Même ses amis chuchotaient :

– Hou ! ... faut pas l'approcher, aujourd'hui...

L'une des professeurs m'a donné son diagnostic :

– Voilà un garçon amoureux, je vous le dis, Mary ! Il est amoureux de vous !

Je le savais, mais je n'avais pas envie de l'entendre. J'ai répondu vaguement :

– Oh ! un béguin, sans plus.

Mais elle est revenue sur le sujet :

– Mary, il y a quelque chose derrière ce béguin. Il sait qu'il ne va plus vous voir pendant deux semaines et il a tellement de chagrin qu'il ne peut plus bouger.

Plus tard dans la journée une autre collègue a livré elle aussi son diagnostic à l'apparente dépression de Vili.

– Oh là ! je vois où est son cœur ! Ce garçon a le béguin pour son professeur.

La maladie de l'élève Vili étant repérée, les deux collègues, chacune à leur tour, ont alors posé la même question au professeur :

– Alors ? Qu'est-ce que tu vas faire ?

13

Saint-Valentin

Mary

Il est assez courant qu'un élève tombe amoureux de son professeur. En général cela ne dure pas, et nous savons tous comment maîtriser ce genre de situation. Cependant, Vili était un être à part, et mes deux collègues s'en étaient aperçues.

Comment m'en sortir ? En m'accrochant de toutes mes forces à mon rôle de professeur.

Avant la fin de la journée, j'ai rappelé à Vili qu'il avait un certain nombre de devoirs à finir en rentrant chez lui. Mais son chagrin était si profond que j'ai bien vu qu'il n'allait pas monter dans le bus en sortant. Je le sentais, il allait traîner sa peine quelque part dans les rues.

– Bon. Attends ici. Steve te ramènera chez toi.

Il s'est illuminé aussitôt, mais je l'ai réprimandé sur le travail scolaire qu'il n'avait pas fait. Il devrait s'y mettre pendant les vacances de Noël. Comme je devais venir à l'école de toute façon, nous pourrions continuer à travailler ensemble sur ses dessins, ainsi il ne prendrait pas de retard sur les autres devoirs. Je savais pertinemment qu'il ne se mettrait pas au travail tout seul chez lui, j'ai donc proposé de téléphoner à sa mère pour lui demander l'autorisation de le laisser rattraper ce retard avec moi pendant les vacances. Je désirais aussi qu'il puisse trouver de l'inspiration pour ses dessins ailleurs qu'en traînant dans le « Hood ».

J'ai expliqué à Soona que j'avais besoin d'aller en ville pour trouver un cadeau, et que j'avais l'intention d'emmener Vili passer une journée à Pioneer Square, en plein cœur du quartier des artistes. Outre la préparation du concours de dessins, Vili devait rendre un sujet de sciences, pour lequel il était déjà en retard d'un mois et demi. J'ai dit à Soona que, si je le laissais faire, il ne terminerait ni l'un ni l'autre. J'espérais que cette promenade dans le quartier des arts l'inspirerait suffisamment pour ses dessins, mais je mettais une condition à cela : qu'il termine son sujet de sciences avant. Soona était d'accord. J'ai ensuite discuté avec Vili en refusant tout compromis sur les termes de cette visite en ville. D'abord le devoir de sciences. Pour cela il avait besoin de répertorier certaines espèces de plantes indigènes du nord-ouest des États-Unis. Je refusais de le faire à sa place, en revanche je pouvais le conduire dans des lieux où il pourrait trouver des catalogues et identifier lui-même les plantes qu'il recherchait.

Nous nous sommes donc mis en route. Non loin se trouvait une petite galerie d'art, Burien Art Gallery. En passant devant en voiture j'ai remarqué pour la première fois depuis des années qu'elle était ouverte. J'étais curieuse de voir l'intérieur. Nous sommes entrés demander à voir les œuvres des artistes locaux. Chacun de notre côté, nous nous sommes baladés dans la galerie, devant les dessins et les aquarelles originales des artistes du coin. Je voulais que Vili tire profit de cette visite, pour son enrichissement personnel. Je lui ai donné un appareil photo afin qu'il puisse prendre quelques clichés en souvenir de cette journée.

Puis nous sommes descendus à Pioneer Square, au cœur de la ville. J'ai cherché un cadeau pour ma fille et des bricoles pour les enfants dans un magasin de jouets. J'ai dépensé environ cent cinquante dollars, et comme Vili était mon invité et qu'il n'avait pas d'argent, je lui ai offert un petit quelque chose. C'était gênant de dépenser cent cinquante dollars devant lui pour mes enfants sans rien lui offrir.

Nous sommes allés ensuite à la librairie d'Elliot Bay, lieu de rendez-vous favori des artistes, au rayon Livres d'enfants, puis au rayon Arts. Nous avons pris un café au bistrot de la boutique, et Vili s'est mis à dessiner une pomme sur la nappe en papier. Je la trouvais très réussie, mais il m'a répondu que n'importe qui pouvait dessiner une pomme. Je n'étais pas d'accord sur ce point, alors il est allé de table en table demander aux gens qui buvaient leur café ou mangeaient un sandwich, à n'importe qui, en somme, de dessiner une pomme. C'était réellement drôle, car finalement tout le monde s'est laissé convaincre. Je crois qu'une seule personne lui a tourné le dos.

Dans la rue il était transformé. Finie la dépression, il revenait à la vie ! Je le regardais fouiller dans ses poches à la recherche de quelques malheureuses pièces qu'il distribuait pompeusement à tous les clochards du coin.

Soudain, il s'est arrêté pile à l'entrée d'un immeuble devant une statue de femme nue. Il l'a longuement examinée avant de prendre une photo.

– Tu vois, cette statue a le même corps que le tien !

Le commentaire m'a choquée et prise de court. J'ai seulement pensé : « Et comment le sais-tu ? » Mais je ne l'ai pas formulé. J'aurais peut-être rougi.

Tout cela devenait douloureux et torturant. Pourquoi douloureux ? Parce que je ne pourrais jamais rien lui dire, je ne pourrais jamais lui montrer la moindre émotion, puisque j'étais son professeur. Il m'aimait, je le savais, mais je ne pouvais pas lui rendre son amour.

Je ne saurais comment expliquer cela à présent, mais quelques jours plus tard j'ai établi une liste, que je gardais sur moi, afin de tenter d'éclaircir la confusion totale de mes pensées. Je l'avais intitulée : *Ce qui est. Ce qui devrait être. Ce qui pourrait être.*

Ce qui est.
Tu as douze ans et demi. J'ai environ trente ans. Je suis ton professeur. Nous passons sept cents heures ensemble officiellement. Je suis gauchère. Tu es gaucher. Tu vis avec ta mère. Je suis la mère de quatre enfants. Tu es un garçon. Je suis une fille. En ce moment ta mère est responsable de toi. En ce moment j'ai un mari. L'année prochaine je ne serai plus ton professeur. L'année prochaine tu seras quelque part ailleurs, tous les jours.

Ce qui devrait être.
Je devrais aimer mon mari. Tu devrais t'intéresser aux filles

de ton âge. Je devrais passer mon temps à préparer mes cours, corriger les devoirs, chérir ma famille, faire le ménage. Tu derais passer ton temps à lire, faire tes devoirs, dessiner, faire du sport, chérir ta famille. Je devrais prier pour ça. Tu devrais aussi.

Ce qui pourrait être.
Je pourrais t'aimer. Tu pourrais m'aimer. Je pourrais envisager des choses à faire ensemble, peut-être du dessin en cours annexe. Tu pourrais dire à ta mère que tu dois absolument faire ces choses. Je pourrais aimer ma famille et toi aussi. Tu pourrais m'aimer et continuer à aimer ta famille. Je pourrais t'aider à achever tes études. Tu pourrais finir tes études, ta mère en serait fière. Je pourrais t'aider à avoir une bourse et à t'inscrire dans une école d'art. Tu pourrais commencer à vendre tes œuvres, car une voiture aiderait bien ta mère. Nous pourrions passer un week-end à Los Angeles, sur la plage, toi tu irais au studio Disney, moi rendre visite à des amis. Tu pourrais m'embrasser, je t'embrasserais aussi, et nous pourrions nous fondre dans un vide délicieux. Dans quelques années, tu pourrais vraiment m'aimer... et tu le ferais encore et encore et encore. Et je te ferais un enfant. Il serait un numéro cinq parfait. Tu pourrais continuer ta vie. Je t'aurais en lui. Il te connaîtrait. Je l'élèverais, je l'aimerais, je le baignerais, je l'habillerais. Songe comme il serait beau, et talentueux. Tu aurais sûrement une autre famille, et bien sûr j'aurais une autre famille, et ma nouvelle vie.

Peu de temps après, j'ai écrit une note brève pour moi-même :

Que se passe-t-il ?
Je suis troublée. Je suis distraite dans tout ce que je fais. Je me sens comme possédée toute la journée et, dans mes rêves, je suis folle, désorientée, je suis tombée malade d'amour, de torpeur, je frissonne tout entière de ce premier amour, je n'arrive plus à penser. Chaque minute de ma vie est en toi, comme si tu faisais la même chose. J'essaie d'organiser mes idées, de maîtriser cette confusion des sentiments. La solution pour m'y retrouver est de mettre mes idées par écrit, de relire ma liste ce qui est, ce qui devrait, ce qui pourrait être. Ma liste d'un idéal admirable.

130

Je ressentais profondément la torture de cette situation, elle était très... très douloureuse. Après avoir écrit cette liste je me suis sentie libre de penser à l'avenir, ce n'était pas un rêve fantasque, ni une chose perverse. Je savais qu'il existait des possibilités, même si le temps n'était pas encore venu. C'était donc une bonne chose pour moi d'établir ainsi ma Carte du Tendre, pour y songer plus clairement.

À la rentrée de l'école, en janvier, Vili m'a paru plus confiant que jamais. Un jour il m'a demandé carrément :
– Tu aurais une liaison avec quelqu'un ?

D'abord je me suis sentie offensée par une question aussi directe. Ma réponse a été immédiate :
– Non, je ne le voudrais pas.

Soudain une évidence m'a traversé l'esprit : en fait, ce que je voulais exprimer était : « Non, si j'étais vraiment amoureuse, je ne pourrais même pas imaginer avoir une liaison. » Mais je n'ai pas précisé que je n'étais plus amoureuse de mon mari.

Lorsqu'il est parti je me suis assise à mon bureau pour bien reconsidérer la question. J'ai même regardé dans le dictionnaire la définition exacte du mot liaison.

Je n'aimais pas sa question. Elle était à la fois ambiguë et d'ordre général. C'était une sorte de test, un pavé dans la mare de mon existence de femme mariée.

En vérité, je ne voulais pas de liaison, sauf si j'étais vraiment amoureuse. Mais à ce moment-là ce n'était pas le genre de chose que je pouvais lui dire.

Au mois de décembre ou début janvier, j'ai eu un rapport sexuel avec Steve. Et le jour de mon anniversaire, le 30 janvier, j'ai cru que j'étais enceinte. Mais je saignais aussi, et je ne comprenais pas pourquoi. J'étais complètement terrassée par cette nouvelle. Je me suis dit : « Seigneur, où allons-nous ? »

Lorsque j'étais tombée enceinte de Jacqueline, j'avais ressenti la même terreur, ce que j'ai regretté plus tard, car elle est mon enfant.

Vers la fin février, j'ai dû quitter l'école en courant. Le médecin me convoquait immédiatement à sa clinique. On venait de me faire passer des tests et je me doutais qu'il pouvait y avoir un problème. Mais pour que le médecin téléphone à l'école, les complications devaient être sérieuses. Il y avait des problèmes de circulation ce jour-là, j'ai mis près de deux heures, en faisant des détours infernaux, pour arriver à la clinique, dans un état épouvantable évidemment. Je perdais mon sang, je flageolais sur mes jambes, complètement épuisée par cette hémorragie continue. C'était horrible. Le médecin m'a appris que les tests sanguins donnaient des résultats bizarres : ils confirmaient que j'étais enceinte, alors qu'il n'y avait rien de visible dans l'utérus. Il s'agissait probablement d'une grossesse extra-utérine. Je devais subir immédiatement une opération pour stopper l'hémorragie. Ma grossesse n'était pas viable. Je n'avais pas d'autre solution et la décision était urgente. J'ai suivi l'avis du médecin, bien entendu, mais Steve l'a très mal pris. Alors que je sortais à peine d'une épreuve épuisante, il m'a accusée d'avoir voulu avorter. D'après lui je ne désirais pas cette grossesse. Au stade où en étaient nos relations, et dans l'état où j'étais, complètement épuisée, j'ai jugé inutile de lui fournir des explications médicales. Il en savait autant que moi. Mais il s'acharnait à m'accuser de ne pas avoir donné une chance à l'enfant. Peut-être ne comprenait-il rien à ces choses-là – il n'était pas présent dans la salle des urgences. L'enfant n'était pas viable, on avait dû enlever à l'extérieur de mon utérus quelque chose qui non seulement ne pouvait pas exister, mais mettait ma propre vie en danger.

Le jour de la Saint-Valentin est arrivé, l'un de mes jours favoris. J'ai offert à mes élèves deux petits oiseaux, des inséparables, que nous avons appelés Roméo et Juliette. L'une des filles a rapporté de chez elle une cage ancienne, ravissante, et nous l'avons installée dans la classe. J'avais trouvé ces oiseaux, « les amoureux », chez un coiffeur dont l'élevage était le passe-temps. Vili attendait la Saint-Valentin avec impatience ; les élèves avaient prévu d'apporter des disques de musique romantique, les chansons qu'ils aimaient, pour une petite surprise-partie. Depuis le début de l'année, nous ne nous étions pas beaucoup vus, et je savais qu'il avait une petite amie dans une autre classe. Lorsqu'il est arrivé, ce matin-là, il avait presque quarante de fièvre et j'ai dû le renvoyer chez lui. Je me souviens, il était devant mon bureau, la tête basse, grelottant de fièvre, blanc comme un linge, et il marmonnait : « Pourquoi aujourd'hui... pourquoi ? » Il avait l'air tellement triste.

Les deux inséparables dans leur jolie cage ne sont pas demeurés très longtemps avec nous. Une nuit, le chauffage était resté allumé dans la classe, la température est montée à près de 45 degrés, et ils sont morts de chaleur. Au matin je les ai trouvés chacun dans un coin de la cage, tristement séparés par la mort. Les larmes me sont montées aux yeux.

Nous les avons veillés longuement avant de les enterrer, par une matinée brumeuse, et la Saint-Valentin était déjà loin.

14

La disgrâce

Mary

Quel est mon péché aux yeux du monde, pour qu'il me condamne ? Parce que j'ai failli à mon devoir d'enseignante ? Parce que j'ai piétiné ce devoir et brisé l'un des tabous les plus sévères de la société ? Cette question me ronge jour après jour.

Je ne peux pas dire que j'étais le professeur de Vili lorsque j'ai accepté son amour.

Dans mon rôle d'enseignante, j'étais responsable de chacun de mes élèves, et je respectais totalement chacun d'entre eux. Je suis fière de ce que j'ai fait, je ne crois pas avoir jamais failli à mon rôle envers eux, ni envers leurs familles, ou la communauté. J'étais une enseignante modèle et de confiance, et je crois avoir honoré cette confiance. Alors quelle est précisément l'origine de ma disgrâce professionnelle ?

Se situe-t-elle le jour où j'ai enfin cédé à son regard impérieux, en me demandant comment il était capable de pénétrer si profondément dans le mien, d'aller ainsi jusqu'au plus profond de mon âme ? À l'instant où mes yeux ont répondu : « Je t'aime aussi, mais il faut attendre » ?

Toutes les fins d'année scolaire, j'ai de la peine à me séparer de mes élèves. Je les vois partir en espérant qu'ils avanceront avec confiance dans la vie. Inévitablement, le dernier jour du semestre, avec leur départ s'interrompt brutalement ma responsabilité envers eux. Le silence et le vide fantomatiques de la classe sont une sorte de mort. Chaque année je m'oblige à me rappeler que je ne dois pas éprouver de chagrin. Les moments que nous avons partagés étaient un cadeau, et ils doivent demeurer une sorte de fête.

Vili n'est pas sorti de ma vie lorsque j'ai cessé d'être son professeur. Il ne le voulait pas. Il m'a mise au défi, tout au long de l'année, et je le repoussais. Je voulais ignorer ses gestes, résister à ses yeux, et remettre à sa place cette passion interdite. Mais, plus l'année passait et touchait à sa fin, plus je sentais sa détermination ferme et son intérêt sincère. Son cœur le guidait.

Un jour, vers la fin avril ou le début mai, nous étions ensemble dans la classe, pour une journée de travail libre. La salle était vide quand il s'est assis près de l'ordinateur. Il a déclaré d'un air confiant :

– Je suis amoureux.

Je ne pouvais pas le regarder. Je craignais la force de ses yeux. J'avais du mal à articuler un mot. J'ai fait : « Oh ! » en plongeant le nez dans mon travail. Vili faisait semblant de se servir de l'ordinateur.

– Oui, c'est un vrai amour. Elle est la seule.

– Je la connais ?

– Oh ! oui, tu la connais...

– Et elle sait que tu l'aimes ?

Il a hésité légèrement, comme s'il considérait la question sous toutes ses formes.

– Je... je... je sais pas. Peut-être. Ouais... peut-être.

– Elle est avec un autre en ce moment ?

– Ouais.

– Est-ce qu'elle aime cette personne ?

– Non.

– Tu crois qu'elle t'aime ?

De nouveau une hésitation.

– C'est possible... mais je sais pas.

Cette conversation commençait à m'effrayer ; je *savais* que Vili parlait de moi. Je ne pouvais pas continuer sur ce thème. J'ai commencé à rassembler mes papiers, et j'ai vu qu'il abandonnait l'ordinateur. Maintenant, il était face à moi. Il me fallait maîtriser la situation avec délicatesse. Les idées se bousculaient dans ma tête. Je devais montrer toute la sensibilité dont j'étais capable. Accorder en quelque sorte l'éthique du professeur à mes rêves de jeune fille pour pouvoir prononcer les mots justes. J'ai pris mon temps.

– Te sens-tu capable de ne pas oublier et de garder tes sentiments intacts très très longtemps ? Il va te falloir attendre.

Je l'ai regardé prudemment dans les yeux, espérant qu'il avait compris que je savais de quoi il parlait. Il savait.

J'ai dû sortir de la classe pour aller marcher quelque part, n'importe où, rassembler mes idées, remettre en place mon esprit bouleversé.

Plus tard, le même jour, je remplissais mon coffre de cartons de cahiers et de livres. Vili m'a proposé son aide. Cette fois, il se sentait beaucoup plus brave.

– Toute la journée j'ai gardé un cadeau pour toi dans ma poche. Je sais pas quoi en faire.

C'était une déclaration effrontée à mon endroit. Il croyait avoir dit une blague que je ne comprendrais pas. Mais je savais exactement ce qu'il entendait par là, les adolescents aiment ce genre de métaphores. Toute la journée, donc, il avait eu envie de faire l'amour avec moi. C'était une déclaration aussi charnelle que possible, ce « cadeau dans sa poche », mais exprimée avec tant de naïveté et de franchise que j'ai éclaté de rire. Puis je me suis tournée vers lui avec fermeté.

– Vili, il vaudrait mieux le mettre de côté et le garder encore longtemps.

Je ne devais pas avoir l'air d'accepter ses sous-entendus, puisque c'était impossible.

En rentrant chez moi, j'étais dans le brouillard. Dieu du ciel, que m'arrivait-il ? Je me sentais envahie de sentiments complexes, peur, émotion, interrogation, incertitude et bonheur tempéré de tristesse. Je me suis rangée sur le bas-côté de la route pour me calmer. La tête en arrière, les yeux au ciel, je contemplais les nuages. Il faisait chaud. J'étais paralysée par ce qui venait de m'arriver. Tout était calme et paisible autour de moi, pas un bruit. Il régnait une atmosphère inhabituelle. Les grands hérons bleus, qui nichaient en bas de la vallée, s'étaient rassemblés sur les arbres. C'était étrange. D'habitude, ils ne sortaient jamais en pleine journée. Quelque chose les avait-il dérangés ? Ces animaux

136

étaient de mystérieux géants du ciel pour mes enfants et moi. Ils étaient une douzaine, sautant d'une branche à une autre, manifestement perturbés. Eux aussi avaient l'air de ne plus savoir quoi faire ou penser.

Plus tard, dans la soirée, les hérons bleus ont quitté leurs nids dans la vallée, et ils ne sont plus jamais revenus. Depuis je me pose la question. Pourquoi ? Pourquoi justement ce jour-là ? Une migration naturelle, un prédateur dangereux infiltré sur leur territoire ? Un symbole du changement qui allait bouleverser mon paisible foyer ?

Ai-je failli, ce jour-là ? Ce jour où j'ai finalement admis son amour pour moi. Ce jour où j'ai finalement relevé son défi...

Dire à Vili d'attendre, n'était-ce pas répondre : « Moi aussi je t'aime » ? N'était-ce pas répondre : « Oui, ton amour est sincère, mais le temps n'est pas encore venu » ?

Était-ce si mal de laisser entendre une telle vérité ?

Avais-je la responsabilité supplémentaire d'écarter la vérité pour le protéger d'un véritable chagrin d'amour ? Ou ai-je respecté son honneur en disant : « Oui... mais plus tard » ?

Je savais que j'avais de sérieuses obligations dans la vie. Mon mariage était fichu, mais pas matériellement, puisque Steve et moi vivions encore ensemble. Notre maison était un gouffre financier, et nous allions la perdre. Le divorce semblait l'unique solution, et je ne voyais aucun moyen de l'éviter. J'allais devoir contraindre mes quatre enfants à un changement d'existence imminent. J'avais un travail, auquel j'étais attachée, mais mes vingt mille dollars de salaire annuel ne suffiraient pas pour cinq. Je devrais peut-être changer de métier. Étrangement, l'idée de divorcer de Steve était un vrai soulagement. Nous n'avions plus la force de maintenir la façade uniquement pour les enfants. En grandissant ils commençaient à comprendre que notre mariage était une imposture et que le maintenir serait plus douloureux pour eux que le choc inévitable d'un divorce. En outre, comment imaginer que l'Église catholique ne condamne pas le mensonge qu'était devenue notre union ? Un mensonge que nous faisions subir aux enfants. Notre prêtre lui-même nous avait dit : « Vous êtes tous les deux dans une impasse. Même un miracle ne pourrait vous réunir. »

Pour toutes ces raisons je pensais que le divorce était une nécessité par égard pour les enfants, et que l'Église le soutiendrait. Je devais en informer ma famille, mais je préférais attendre que ce soit complètement terminé. Je n'aurais pas supporté leurs propos catholiques superficiels. De toute façon, la détresse de ce mariage stérile était trop intime, trop gênante, pour être partagée, même avec ma famille.

Ce jour-là, dans ma voiture, j'étais face à l'incertitude totale quant à mon avenir, et je songeais à Vili Fualaau. J'aimais vivre seule, cela m'arrivait parfois, j'étais parfaitement heureuse de l'existence elle-même, de mon rôle de mère et d'enseignante. Je ne songeais pas réellement à rencontrer un partenaire. Je ne cherchais rien, jusqu'à ce que je sois brutalement accostée par Vili. À présent, je n'avais plus beaucoup de chance d'y échapper. J'étais là, dans ma voiture, hébétée. Mais aussi la tête pleine d'incrédulité et de colère. Car je savais intimement, à ce moment-là, qu'il était devenu mon compagnon pour la vie, et j'espérais être sa compagne.

Mais nous étions trop amoureux, et je sentais surtout que les règles de la société contemporaine allaient nous perdre et nous blesser.

Je savais que nous venions de franchir une barrière déterminante dans notre relation.

15

Le baiser

Mary

L'harmonie de cet amour fut totale le jour où Vili m'a demandé :

— Mary, à quel âge tu voudrais mourir ?

La question était tellement inattendue que j'ai réfléchi un moment avant de répondre. Ma grand-mère ayant atteint l'âge de cent un ans, j'ai dit que j'espérais l'égaler.

— Bon, alors ça va, moi, de toute façon, je ne mourrais pas avant quatre-vingts ans !

Devant mon air surpris il s'est expliqué gravement :

— Je refuse de vivre un jour de plus que toi.

J'ai compris qu'il était très sérieux et qu'il s'agissait d'un véritable engagement de sa part. Il voulait dire qu'il passerait désormais chaque jour de sa vie avec moi. Ce n'était pas une plaisanterie. Je connais Vili, je sais différencier les moments où il est sérieux de ceux où il joue avec les mots. Sa déclaration était plus émouvante et beaucoup plus forte qu'un simple « Je t'aime ». Il était en train de m'annoncer qu'il voulait mourir en même temps que moi, qu'il ne me survivrait pas d'un jour.

Je savais que je ne pourrais plus jamais le fuir. Il avait libéré en moi quelque chose de mystérieux.

Quelques jours avant cette conversation, Vili m'avait raconté que nous avions certainement vécu ensemble dans une vie antérieure. Là aussi il était sérieux. Le ton de sa voix était grave. Il a levé ses yeux sombres vers moi.

— Et dans cette vie antérieure, nous avons fait au moins dix enfants...

– Oh! Et ça s'est passé quand, déjà?

Je voulais plaisanter, prendre la conversation à la légère, mais j'ai rougi, embarrassée par ses mots comme par son regard intense.

Lorsqu'il disait qu'il ne me survivrait pas d'un jour, je savais qu'il s'engageait vraiment. En quittant la salle de classe, pour le rejoindre comme convenu derrière l'école, je me souviens que mes pieds ne touchaient plus le sol. Je croyais profondément ce qu'il disait, je le ressentais par tous les pores de ma peau. Ce n'était pas des paroles d'adolescent. Nous étions allés suffisamment loin dans notre amitié, cette année-là, pour que je ne puisse l'accuser de raconter n'importe quoi. Il s'était engagé, il savait de quoi il parlait. Et je l'en respectais.

Nous avions besoin de nous parler quotidiennement au téléphone. Je restais pendue au combiné tard dans la nuit, longtemps après que Steve et les enfants étaient endormis. Steve mettait toujours dans ses oreilles des bouchons qu'il rapportait de sa compagnie d'aviation; il s'isolait ainsi du bruit environnant et de ma conversation, qui ne l'intéressait pas, en général. Vili développait à l'infini un thème principal : « Tu es ma meilleure amie, tu ne me quitteras jamais. » Il pouvait l'évoquer des heures durant.

À cette époque, nous ne nous permettions aucune allusion sexuelle, nous savions seulement que nous comptions beaucoup l'un pour l'autre. Un lien extrêmement fort nous unissait déjà, nous écartant du monde extérieur.

L'année scolaire se terminant, entre le début et la mi-juin, j'avais commencé le grand nettoyage de la classe, celui de la maison, et le classement de mes dossiers. Je travaillais également à la publication traditionnelle du journal de l'école. Les sentiments que j'éprouvais pour Vili me paraissaient plus acceptables, alors qu'avant je luttais contre eux.

Je me suis procuré un téléphone cellulaire. On en vendait à tous les coins de rue, et je pensais que ce serait plus pratique pour nous deux, car Vili avait souvent des difficultés à téléphoner de chez lui. Il était tellement content de ce téléphone lorsqu'il l'a vu! Il allait pouvoir me joindre n'importe quand et n'importe où! Il l'avait baptisé *Notre Téléphone,* et il devait être réservé exclusivement à nos conversations.

Il avait voulu m'offrir une bague, fine et délicatement ciselée. J'avais l'habitude, naturellement, de recevoir des cadeaux de mes élèves, mais la bague de Vili était plus qu'un cadeau pour moi : elle était le symbole de l'évolution de nos sentiments. Bien plus tôt dans l'année il avait voulu m'offrir cette même bague, mais je la lui avais rendue en lui disant : « Un jour, tu l'offriras à une gentille fille. Quelqu'un d'exceptionnel, qui te sera cher. »

La deuxième fois, je l'ai mis en garde très sérieusement :

– Vili, souviens-toi de ce que je t'ai dit : tu devrais la garder pour l'offrir à quelqu'un d'exceptionnel.

– Ouais. Je sais. Je la donne à quelqu'un d'exceptionnel, à mon avis. Je veux que tu la prennes.

Alors j'ai accepté, en lui disant gentiment qu'elle était fort jolie et qu'elle avait une belle allure. Des banalités. Mais je savais intérieurement qu'elle représentait une promesse secrète. Je l'ai passée à mon doigt et portée avec fierté.

Le travail sur le journal de l'école allait bon train. J'étais chargée de sa finition, Vili avait été nommé directeur artistique, un titre ronflant destiné à l'encourager à finir ses poèmes et ses dessins, et à le responsabiliser. Mais Vili n'accorde aucune importance aux titres, et il travaillait quand il en avait envie. Nous approchions de la date limite pour remettre l'ouvrage, et j'attendais toujours son dernier poème. Un poème qui devait parler de lui.

Ce jour-là, lui et moi avions travaillé toute la journée dans la bibliothèque, chacun sur un ordinateur. Nous étions en retard sur les délais et j'avais vraiment besoin de son poème pour compléter le journal. J'espérais qu'il y travaillait sur son écran, mais, comme d'habitude, son esprit vagabondait. Très vite son pied est venu recouvrir le mien sous la table, et plus il flirtait ouvertement avec moi, plus j'étais irritée qu'il n'achève pas ce poème. J'ai dû le réprimander à plusieurs reprises. Il se tenait enfin tranquille depuis un quart d'heure, quand j'ai voulu regarder son travail par-dessus son épaule. L'écran de l'ordinateur affichait son nouveau défi : *Je vais violer mon professeur et embrasser son corps sexy de la pointe des pieds au bout des doigts.*

Je n'ai pas été particulièrement choquée. Les adolescents emploient facilement le mot viol et je savais que Vili ne cherchait pas à me heurter. J'ai ri, mais d'un rire embarrassé tout de même, en lui demandant si je devais considérer cela comme un travail. Et j'ai rougi aussitôt après, car il m'a dévisagée en souriant. C'était le sourire d'un jeune homme sûr de lui et de son charme. J'ai ressenti le même frisson étrange, cette même sensation de lui appartenir déjà que lorsqu'il avait parlé de notre vie antérieure commune et des « dix enfants au moins » que nous avions eus.

J'ai essayé de jouer la désinvolture, comme d'habitude, tout en sachant que sous la plaisanterie il était sérieux. Je faisais face comme je pouvais à son avidité amoureuse.

Ce soir-là, nous avons fini tard. Je savais qu'il n'avait pas mangé de la journée et nous sommes allés dans un restaurant du coin, le Huckleberry. J'étais dans un état d'esprit très clair au sujet de Vili. Évidemment, je me doutais bien qu'il allait se passer quelque chose, mais j'étais une grande fille après tout et, quoi qu'il arrive, j'étais bien déterminée à contrôler la situation.

J'adorais le Huckleberry, c'était mon restaurant favori, on y trouvait toujours de bon sandwiches, et j'étais fatiguée d'emmener Vili avaler n'importe quoi en vitesse au McDonald's.

Nous plaisantions en dégustant le contenu de nos assiettes. Ses yeux étaient pleins de vie, un mélange de désir, d'espièglerie et d'interrogation. Il voulait me presser, mais j'avais décidé de prendre mon temps pour un dessert et un café. Il n'était pas tellement tard, et je ne devais pas le reconduire chez lui avant un bon moment. Il a alors suggéré d'emporter le dessert dans la voiture, où nous pourrions discuter davantage et plus tranquillement.

– D'accord ?

– Pourquoi pas...

Ses intentions étaient visibles. Je devinais qu'il mijotait quelque chose, mais je croyais encore pouvoir contrôler la situation.

J'ai réglé la note, pendant que Vili emportait la mousse au chocolat noir surmontée d'une montagne de crème. Alors que nous nous dirigions vers la voiture, j'ai su avec certitude qu'il allait m'embrasser. C'était inévitable. Cette idée m'a tourné la tête. Pourtant, j'étais résolue à attendre

142

qu'il soit plus âgé. J'avais fermement décidé de repousser le plus possible ce moment. Notre amour ne pouvait se réaliser que dans l'avenir...

Mais, à cette seconde, je n'avais plus aucune envie de fuir le présent.

J'ai repensé alors à l'une des novices qui enseignait dans mon école. Elle avait choqué toute la classe un jour, en nous racontant que le plus beau moment de sa vie était un baiser. J'ai souri à ce souvenir, car elle n'était pas restée longtemps religieuse.

En m'installant dans la voiture, j'avais pris la décision de le laisser m'embrasser. Nous avions déjà franchi une barrière en nous engageant sentimentalement l'un envers l'autre, un baiser n'était plus une barrière...

Nous nous sommes assis à l'avant. Son plan d'attaque était manifeste : il a glissé une cassette de Mariah Carey dans le lecteur, une chanson d'amour célèbre. Ses yeux brillaient, étincelaient, dansaient tandis qu'il avançait lentement une cuillerée de chocolat vers ma bouche. Puis une autre... Parfois il esquivait mes lèvres pour me taquiner. Nous riions nerveusement, sachant tous les deux ce qui allait arriver. Il faisait noir dehors, et s'il y avait des gens autour de nous, je ne les distinguais pas. Nous étions yeux dans les yeux. La chanson s'arrêtait, puis recommençait, encore et encore. Des frissons parcouraient ma poitrine comme les ailes d'un oiseau immense. Je n'écoutais plus la musique. Tout ce que je voulais c'était qu'il m'embrasse enfin. Je brûlais d'envie qu'il se décide, j'avais l'impression de revivre mon premier rendez-vous amoureux. La soirée était douce et tiède, mais je tremblais d'impatience.

Quelques jours plus tôt, Vili m'avait raconté qu'il m'avait embrassée en rêve. Et j'avais répondu, toujours avec désinvolture :

– Oh... mon père avait l'habitude de m'embrasser chaque fois qu'il quittait la maison. C'est toujours agréable.

Ce commentaire particulièrement plat avait paru le consterner. Il avait précisé :

– Dans mon rêve, je t'embrassais vraiment, tu comprends ? Un baiser sans fin !

Alors je m'étais détournée, un peu embarrassée, ne sachant plus quoi répondre.

À présent, tremblante dans cette voiture, je le désirais, ce baiser sans fin. Le moment fatal était arrivé. Vili rassemblait son courage en remettant la cassette une fois de plus. Il appuyait sur la touche de retour en arrière, lorsque tout à coup j'ai éclaté de rire. Il m'a observée, étonné.

Les tentatives de diversion ne servaient plus à rien, il l'avait compris. Mon rire a balayé la tension. Alors il s'est simplement rapproché de moi pour m'embrasser.

Ce baiser m'a submergée d'un plaisir intense.

Je me souviens de l'avoir regardé dans les yeux, alors que ce baiser durait, durait, ce baiser sans fin, dont il avait rêvé. Et moi aussi.

Nous nous sommes séparés au bout d'un long moment, plus détendus, pour recommencer à rire et à bavarder. Nous n'espérions pas que cela arriverait si vite. J'étais tellement heureuse, nous nous entendions déjà parfaitement avant cela, et à présent... nous ne faisions qu'un.

Bien sûr, j'avais embrassé des garçons quand j'étais jeune. Mais ce baiser-là était une pure perfection. À cet instant, je ne me souciais plus de rien, je n'éprouvais pas la moindre inquiétude. Je pensais qu'un baiser entre nous était normal. Il représentait pour moi le symbole de notre engagement mutuel. Tout un monde s'ouvrait devant nous, nous étions libérés, en accord total avec nos sentiments. Je pouvais maintenant lui poser la question :

– Que voulaient dire tes regards insistants, en classe ?

– Je peux te répondre...

Il souriait, ses dents brillant dans la pénombre, un éclair de fierté dans le regard.

– Mes yeux te disaient : « Je t'aime. » Ils disaient : « Je fais l'amour avec toi. »

Son esprit s'emballait. Malgré l'euphorie, ce premier baiser ne devait pas nous mener plus loin. Je savais qu'il avait l'amour en tête, l'amour au sens charnel du terme, alors j'ai dit rapidement :

– Il y a une chose que tu dois savoir, Vili : c'est agréable de s'embrasser, mais il est impossible, comme tu l'as écrit, que tu *m'embrasses sur tout le corps, de la pointe des pieds au bout des doigts*. Tu devras attendre. Nous ne pouvons pas aller plus loin. Tu peux seulement m'embrasser dans le cou et sur les lèvres.

144

C'était suffisant pour l'instant. Les jours suivants, nous nous donnions rendez-vous où nous pouvions. Nous échangions des baisers à perdre haleine, serrés dans les bras l'un de l'autre, éperdus comme des naufragés sur une île.

Une fois, l'un des derniers jours de l'année scolaire, alors que j'avais absolument besoin de son poème, je me suis mise à sa recherche dans toute l'école. Je passais devant une salle de classe vide lorsque la porte s'est ouverte tout à coup et, comme dans un dessin animé, Vili m'a attrapée par le bras et attirée dans la pièce. Nous sommes restés là à nous embrasser interminablement. Puis il m'a donné son texte.

Son poème disait :

Vili...
Sincère, heureux et vaillant guerrier
Fils de la grande reine Soona, frère de Leni, Perry et Faavae
Veut réaliser les rêves de sa vie et de sa famille
Amoureux de générosité, de vérité, de confiance, d'art et de musique
N'a peur de rien sauf des histoires qui finissent mal
Veille sur les chemins de sa vie et les années qui passent
Entend la voix des bien-aimés disparus
Aime à porter un masque sur son âme
A voué son âme à Dieu
Qui réside dans les cieux
Fualaau

J'avais enchaîné avec un poème de mon cru imitant son style :

Madame...
Sensible, patiente, et forte
Mère de quatre anges
Veut garder intact son rêve américain
Amoureuse de toutes les aubaines
Laisse en héritage ses T-shirts et ses jupes à qui voudra
Craint la cloche matinale
Voit les plus belles images dans les yeux émerveillés de ses enfants

Écoute la sagesse de son père et son propre cœur
Vêtue de simplicité, d'originalité, classique et nette
Salle 39
Letourneau

Les poèmes ont été publiés côte à côte dans notre journal de l'école accompagnés d'un message destiné à tous mes élèves :

Je souhaite tout d'abord vous rappeler que le rêve américain existe bien. Souvenez-vous que chaque jour vous devez offrir quelque chose à chacun de ceux que vous rencontrez. Ce cadeau peut être un compliment, une fleur, une prière. Chaque jour, recevez aussi avec reconnaissance les cadeaux que vous offre la vie. Vous me manquerez, comme me manquera la vie que vous avez apportée dans cette classe 39, vos rires, votre enthousiasme dans vos projets et le trésor inestimable de l'amitié que j'ai pu partager avec vous. N'oubliez pas vos grands principes, faites-en une priorité. C'est le vœu que je forme pour chacun d'entre vous.

Ces quelques mots résumaient la plupart des idées que j'avais essayé d'insuffler à mes élèves tout au long de l'année. J'espérais qu'ils les liraient et s'en souviendraient. Pour Vili le message était tout entier contenu dans nos baisers.

Il devait passer le week-end précédant la fin du semestre chez moi, et j'étais inquiète. En restant la nuit à la maison, il allait immanquablement se rendre compte que Steve et moi ne partagions plus la même chambre, et je craignais que le vide de mon existence de femme ne lui apparaisse comme une sorte d'invitation à aller plus loin – je savais qu'il ne demandait que cela. J'ai préparé le terrain avec Soona, en lui expliquant que je voulais seulement qu'il finisse son travail pour le journal de l'école.

Steve était allé se coucher aux alentours de 9 heures et demie-10 heures, comme d'habitude, en nous laissant travailler, Vili et moi. Nous avons terminé tard. Les oiseaux de nuit hululaient au loin, et nous profitions de la tranquillité de la nuit. Nous parlions et parlions, de tout et de n'importe quoi, comme nous le faisions jour après jour au téléphone.

Tout y passait : la musique, nos chansons préférées, les poèmes, nos films favoris.

J'ai dissimulé mon embarras de ne pas rejoindre Steve en travaillant puis en discutant jusqu'à 3 heures du matin. Comme je devais accompagner Steve à son travail vers 4 heures et demie, j'ai raconté à Vili que je préférais m'allonger dans un fauteuil plutôt que de déranger mon mari dans son sommeil. C'était un prétexte visiblement fallacieux, et je ne savais pas si Vili me croyait.

Le fauteuil, large et bien rembourré, allait désormais me servir de lit chaque fois que Vili viendrait à la maison. Il prenait toujours le divan, qu'il rapprochait du fauteuil. Je me pelotonnais sur mon lit de fortune et Vili s'étalait sur le divan, nos deux têtes côte à côte, la mienne dans un sens, la sienne dans l'autre.

J'étais allongée, ma tête sur le bras du fauteuil, mon bras étalé par-dessus. Vili s'est mis à le caresser tout du long. Ses doigts légers couraient de bas en haut sur ma peau nue. C'était tendre, doux et amoureux. Sa main a finalement rejoint la mienne et l'a étreinte comme s'il voulait la garder dans son sommeil. Ce geste m'a effrayée et j'ai chuchoté :

– Tu sais que tu tiens ma main comme si tu, comme si je...

Il était à moitié endormi, et sa voix est venue du plus profond de lui :

– C'est parce que je t'aime.

Ce sont les derniers mots qu'il a prononcés avant de sombrer dans le sommeil.

Le dernier jour de classe, j'étais physiquement épuisée. Nous avions terminé le journal juste à temps. J'avais dû passer quarante-huit heures sans sommeil, mais nous y étions arrivés.

Je ne voulais plus qu'une seule chose : me détendre et dormir. Ma principale préoccupation, en cette fin d'année, concernait les talents de Vili. Je ne voulais pas qu'il les néglige. Il avait besoin d'un soutien pour progresser dans son art, et j'estimais qu'il était de ma responsabilité de l'y aider. Je ne me sentirais tranquille loin de lui que si j'étais sûre qu'il suivait un bon programme de peinture et de dessin pendant l'été, au lieu de traîner dans les rues. Par le bulletin des enseignants que je recevais régulièrement, j'avais trouvé une classe d'art dans un collège proche de chez nous. Vili y avait déjà suivi des cours deux ans auparavant et ça lui avait plu. Je suis allée en parler à nouveau à Soona, lui expliquer que Vili avait plus que jamais besoin de s'intégrer dans une classe d'art. Elle était ravie, bien entendu, que je porte un si grand intérêt aux talents de son fils.

Le droit d'inscription était de soixante-quinze dollars, et je savais que Vili ne pouvait pas le payer. J'ai donc contacté l'administration de ce collège et sollicité une bourse d'été équivalente à deux cents dollars – de quoi payer les cours et le matériel. J'ai expliqué qu'il s'agissait d'un élève à haut risque, appartenant à une famille à faibles revenus. Ma demande a été acceptée sans problème.

Nous avons décidé de suivre les cours ensemble, car il y avait également une classe d'aquarelle dirigée par un artiste local, et j'avais toujours voulu apprendre cette technique. C'était aussi très pratique pour nous, car Vili avait un moyen de locomotion tout trouvé pour se rendre au collège et en revenir.

J'ai expliqué tout cela à Soona, en lui demandant si Vili pouvait rester encore une fois à la maison, puisque ce dernier jour de classe coïncidait avec son premier cours. J'ai toujours dit la vérité à Soona sur ce que nous faisions, Vili et moi, que nous allions au cours de dessin ou au cinéma. Plus tard Vili aurait bien voulu que je lui raconte des histoires, mais j'ai refusé, en lui affirmant qu'il vaut toujours mieux dire la vérité à sa mère. Ainsi, si je disais que nous allions au cinéma, nous allions vraiment au cinéma. La seule chose que je lui cachais, c'est que j'étais assise sur les genoux de son fils, ses bras autour de mon cou.

Nous sommes rentrés chez moi tous les deux après ce premier cours de dessin. Sur le chemin nous n'avons cessé de nous embrasser dans la voiture. C'est la période où nous avons échangé le plus de baisers sans fin... Comme deux amoureux éperdus, nous profitions du moindre moment de solitude.

La fin de l'école marquait le début de l'été, pour nous comme pour la famille. Dans le courant de l'année, Vili avait plaisanté avec Steve, en disant qu'il avait décidé de passer l'été chez nous. Nous avions tous ri, pourtant il était là, pour une vraie nuit à la maison.

Lorsque nous sommes arrivés, vers 9 heures du soir, les enfants nous ont accueillis avec enthousiasme. Mon fils Steven a salué Vili, les enfants étaient heureux que l'été commence et que je sois plus disponible dans les semaines à venir.

Dès que Steve est arrivé, j'ai vu qu'il était de mauvaise humeur. Son sale caractère était vraiment la dernière chose dont j'avais besoin. La fatigue de ces dernières nuits blanches me rattrapait, et j'étais à peine lucide. Je venais de franchir la porte quand il a jeté devant moi une pile de factures en grognant. Que je me débrouille pour les payer ! Comme si j'étais la seule dans cette maison à devoir payer les factures. Puis Steve a aperçu Vili et s'est montré carrément désagréable.

– Qu'est ce qu'*il* fait ici celui-là ?

Steve avait manifestement décidé d'être agressif. Et la tension risquait de tourner très vite à la violence. Je décidai que ce n'était pas le moment de discuter des factures, ou de quoi que ce soit, et je lui ai répondu simplement :

– Je n'ai pas envie d'en parler pour l'instant.

Je faisais allusion à sa façon de s'adresser à Vili, particulièrement humiliante. Il me rappelait ma mère, qui traitait mes camarades de la même façon. Au lieu de s'adresser directement à eux, elle parlait d'eux comme s'ils n'existaient pas : « Qui est-*elle* ? » « Que fait-*il* là ? » « *Elle* reste à goûter ? » J'aurais tellement voulu qu'elle les considère comme des êtres humains, qu'elle s'adresse à eux normalement.

Sentant monter la tension, Vili a quitté la maison. J'ai tenté de faire entendre raison à Steve. Mais il s'obstinait à être grossier. J'en ai eu assez, et j'ai décidé de sortir à mon tour. Steve m'a agressée sur le pas de la porte, au moment où je m'en allais. Il m'a insultée, sa colère augmentant de seconde en seconde.

Il a d'abord élevé la voix :

– Je ne te laisserai pas filer comme ça !

J'ai tenté de rester calme.

– Écoute, Steve, calme-toi, je t'en prie, arrête de crier !

Au moment où je lui tournais le dos, il m'a attrapée par le bras et poussée violemment sur les marches. J'ai atterri contre la voiture et me suis cogné la tête.

– Steve, il vaut mieux que je m'en aille...

C'était la première fois qu'il m'agressait physiquement. Il valait mieux m'en aller, en effet, et lui laisser le temps de se calmer. Je me suis dégagée de son emprise pour monter dans la voiture. Il est resté sur le pas de la porte, les bras ballants.

Tout en conduisant à la recherche de Vili, je songeais à la sécurité des enfants. Cependant, j'étais convaincue qu'ils ne risquaient rien avec leur père. La bagarre s'était déroulée à l'extérieur de la maison, je ne pensais pas qu'ils s'en étaient rendu compte.

Il me fallait absolument retrouver Vili.

16

Police

Mary et Vili

MARY

J'étais épuisée. Tout ce que je voulais, c'était dormir. Les événements de cette journée disparaissaient dans un brouillard et je n'arrivais pas à décider de l'endroit où j'avais une chance de retrouver Vili. Il errait quelque part, mais où ? Lorsque je l'ai enfin récupéré, il n'était pas question de rentrer, j'avais peur de Steve et de sa violence. Il nous fallait garer la voiture quelque part et dormir. Pourquoi pas la marina, au centre de Des Moines, avec son grand parking ? C'était à côté.

J'ai trouvé une place qui m'a paru parfaite. Quantité de voitures nous entouraient, celles des marins installés sur leurs bateaux ancrés dans le port et celles des touristes qui remplissaient les restaurants du bord de mer. Je me suis garée bien au milieu, pensant qu'il valait mieux nous fondre dans la masse, là où personne ne nous prêterait attention.

Vili a abaissé les sièges de la voiture, et nous nous sommes écroulés de fatigue. Je portais une jupe de cuir, très courte, et deux T-shirts superposés. L'un d'eux, orné d'un message, « Rêver un impossible rêve », m'avait été offert par une élève. Les deux T-shirts recouvraient presque ma jupe, dont on ne voyait dépasser que deux centimètres. J'avais enlevé mes chaussures, et nous avions étalé sur nous un grand pardessus noir, en guise de couverture.

Je m'étais endormie, pensant que Vili était allongé près de moi. Un cahot m'a réveillée en sursaut, et je me suis redressée, alarmée. La voiture roulait, Vili était au volant. Il m'a expliqué que des gens faisaient la bombe à côté et qu'il avait voulu changer la voiture de place, pour nous éloigner du bruit. Il avait dû rouler dans un trou. J'étais tellement fatiguée que je me suis contentée de lui dire : « Trouve une bonne place et dors. » Je suis aussitôt retombée dans mon sommeil. Brutalement il m'a secoué l'épaule :

– Lève-toi ! Lève-toi ! Voilà les flics !

J'ai sauté sur le siège avant, tandis que Vili restait à l'arrière. Quand l'officier de police est arrivé à la portière, j'étais assise. Je regardais autour de moi, ensommeillée, pour savoir où nous étions exactement. Apparemment Vili avait traversé tout le parking de la marina et nous étions près d'un restaurant. Tout à coup je me suis rappelé le cahot dans la nuit, et je me suis demandé si la voiture n'avait rien de cassé. Quoi qu'il arrive, je devais rester vague à ce sujet. Le policier m'a d'abord demandé qui nous étions, et ce que nous faisions là. J'ai dit mon nom, expliqué que nous étions si fatigués que nous avions jugé préférable de dormir sur place à l'arrière de la voiture. J'essayais de reprendre mes esprits à toute vitesse. Il m'a questionnée au sujet de Vili, qui faisait semblant de dormir. J'ai précisé à l'officier de police que Vili était un de mes élèves, et qu'il était resté avec moi, à la suite d'une querelle avec mon mari. Vili a donné son nom, sa date de sa naissance. Pour une raison que j'ai mal comprise, le policier a noté qu'il avait quatorze ans. La police voulait l'emmener au poste. J'ai protesté :

– Non, il est sous ma responsabilité !

Je ne voulais pas le laisser partir. Mais l'officier de police avait l'air soupçonneux.

– Écoutez, monsieur l'officier, ce soir c'est moi qui remplace sa famille, j'en suis responsable, je dois le ramener. Je dois m'assurer qu'il rentrera bien chez lui, vous comprenez ?

Ils n'ont rien voulu entendre. Ils ont ordonné à Vili de monter dans leur véhicule, et à moi de les suivre avec ma voiture jusqu'au poste de police de Des Moines.

Nous avons attendu longtemps, pendant qu'ils cherchaient à joindre Soona. Elle a deux emplois, et le soir elle travaille dans une boulangerie ouverte toute la nuit.

Lorsqu'ils l'ont enfin trouvée, je lui ai expliqué la vérité au téléphone. Je lui ai dit que Vili allait bien, et que si elle était d'accord, nous pouvions maintenant rentrer chez moi, où il dormirait tranquillement. Elle a accepté.

La police a envoyé un officier vérifier mon histoire de bagarre avec Steve et la violence dont il avait fait preuve. Mais il n'y avait personne à la maison. J'étais déçue, j'aurais bien aimé que Steve soit interrogé sur ses accès de violence, de plus en plus fréquents.

Vili

À un moment, juste avant la fin de l'année scolaire, quand j'étais dans la voiture de Mary, on s'est fait coincer par les flics. C'était l'après-midi, on était partis de l'école, pour foncer chez elle parce qu'elle avait oublié de sortir les poubelles et c'était le jour du ramassage.

Mary était pressée, elle a zigzagué en tournant sur la place et les flics lui sont tombés dessus. On savait que si un flic découvrait que j'étais un de ses élèves on pouvait se faire arrêter tous les deux, à cause de la loi qui interdit aux élèves de monter dans la voiture d'un prof. Ce jour-là j'ai dit au flic que j'avais dix-huit ans, et il m'a cru sans problème. J'avais les cheveux longs et il a pas posé d'autre question.

Et puis il y a eu la nuit où on est allés à la marina. Là, on s'est fait vraiment coincer par les flics. Elle s'était bagarrée avec Steve à propos d'un tas de trucs, soi-disant que je dormais là, qu'elle passait plein de temps avec moi, et aussi à propos de fric et de trucs comme ça. Il faisait la gueule. Alors on s'était tirés. Moi, je crois qu'il était peut-être un peu jaloux de me voir. Comme ils se sont pas mal engueulés, je suis parti à pied de la maison. Quand Mary m'a retrouvé, je suis remonté dans la voiture et on a filé direct vers la marina.

On s'est garés, et Mary a dit qu'elle avait besoin d'aller aux toilettes. Moi, j'espérais faire l'amour tranquille dans la voiture, mais des types sont venus s'installer tout près. Ils faisaient un boucan d'enfer avec leur musique, ça gueulait. J'avais un peu peur qu'ils nous voient, alors j'ai reculé la voiture près du front de mer.

153

Je voyais pas grand-chose derrière moi, je crois que j'ai roulé dans un trou, et j'ai dit : « Merde ! » J'ai garé la voiture quelque part, on s'est installés à l'arrière tranquillement. C'est là qu'un paquet de bagnoles est arrivé. On a pas réalisé tout de suite que c'était des flics.

J'ai fait le mec qui dort dans son coin. Mary a rampé à l'avant, jusqu'au siège du conducteur. On leur a monté toute une histoire de problèmes avec Steve. C'était la vérité... mais pas toute la vérité. Je leur ai pas dit que je voulais faire l'amour. D'abord je leur ai baratiné que j'avais dix-huit ans, après ça j'ai donné ma vraie date de naissance, et ils ont pensé que j'en avais quatorze ! Une vraie bande de nuls ! Même pas capables de compter correctement. À ce moment-là, j'avais encore que douze ans.

On s'est retrouvés au poste de police. J'ai parlé à ma mère au téléphone, elle a demandé si ça allait, et j'ai dit oui, pas de problème. Alors ils nous ont laissés filer. On leur avait monté un mélo à chialer sur son mari, la violence et le reste. N'empêche, à cause d'eux, on a pas eu le temps de faire l'amour.

17

Ce n'est qu'un rêve

Mary et Vili

MARY

Je m'étais promis que cela n'arriverait pas avant mon divorce, mais c'est arrivé, à quelques jours de l'anniversaire de Vili. Au cours de l'une de ces soirées qu'il avait pris l'habitude de passer à la maison. Il devait être 2 ou 3 heures du matin. Steve était déjà sorti de sa chambre à deux reprises. La première fois parce qu'il nous avait entendus rire, la seconde pour manger quelque chose. À moitié endormi, il était allé droit à la cuisine empiler sur un plateau des tranches de fromage, un bol de céréales et une crème glacée. J'ai toujours pensé que cette manie de se relever la nuit pour manger était nouvelle, car je ne l'ai décelée que du jour où j'ai décidé de faire chambre à part et de dormir sur le divan. Je l'ai vu à plusieurs reprises émerger en plein milieu de la nuit pour aller manger. Je disputais souvent les enfants au sujet des crèmes glacées que je les soupçonnais de chaparder, alors que le vrai coupable était leur père. Plus tard dans la nuit, nous entendant rire, il a surgi, l'air ahuri de sommeil.

– Encore ? Mais qu'est-ce que vous fabriquez ?

Nous nous sommes excusés en lui promettant de ne pas recommencer. De toute façon nous avions assez travaillé, cette nuit-là. Nous avons quitté la salle à manger où nous étions installés pour peindre et dessiner et nous nous sommes endormis au salon, main dans la main, moi sur le fauteuil, Vili sur le canapé.

Steve est parti travailler à bicyclette à l'aéroport aux environs de 4 heures et demie du matin. Le bruit qu'il a fait en s'en allant m'a réveillée, et je me suis levée pour verrouiller la porte derrière lui. En revenant au salon, je ne me suis pas recouchée dans le fauteuil. Je me suis assise au pied du divan sur lequel Vili dormait. Je m'étirais en bâillant, bras étendus, tête renversée. Cette vie nocturne était à la fois passionnante et épuisante. Vili m'a prise au dépourvu :

– Qu'est-ce que tu fais comme ça ?

Il a tendu les bras et m'a attirée brusquement vers lui. J'ai su au même instant que j'allais perdre une seconde fois ma virginité. Ma vie a basculé en quelques secondes. Sans vouloir faire de romantisme, après ce tourbillon qui nous a emportés, j'étais malheureuse. J'en ai pleuré. Je voulais tellement me garder pour lui, pour plus tard, mais l'échéance était trop lointaine pour lui. Je ne voulais pas qu'il se passe si vite entre nous quelque chose de sexuel. Je l'ai d'abord repoussé. Mais il était fort. Plus tard, bouleversée, je l'ai encore repoussé.

– Tu te rends compte de ce que tu as fait !

C'est là que j'ai pleuré. En comprenant qu'il était allé trop loin. Mes larmes étaient un mélange de chagrin et de lassitude. Il me regardait en silence, et je ne pouvais pas expliquer ce qui se passait dans ma tête. J'étais mortifiée, déconcertée, et pourtant je l'aimais. Il était le seul au monde, le seul avec qui je pouvais envisager cette situation. Seulement ce n'était pas le bon moment, et bien qu'il me respecte, il ne le comprenait pas.

Il disait que c'était bien ainsi, mais je refusais d'être uniquement l'objet de son désir sexuel. C'est ce que j'avais ressenti. Je savais qu'il était terriblement attiré par le sexe, mais s'il ne voulait que du sexe, il pouvait le trouver ailleurs. J'étais malheureuse à l'idée qu'il ne voulait que ça de moi. J'avais tant essayé de lui expliquer pourquoi il devait attendre.

La violence de son désir me préoccupait. J'en avais rêvé une fois. Dans ce rêve nous nous étions endormis devant le film *Braveheart*. À un moment je me réveillais, Vili était allongé sur moi, sa main plaquée sur ma bouche, et j'essayais de lui échapper. Au réveil, quand je lui avais raconté mon rêve, il s'était mis à me caresser en chuchotant : « Ce n'est qu'un rêve. »

Après m'avoir fait l'amour, me voyant bouleversée et en larmes, il s'est penché sur moi, m'a essuyé tendrement les yeux et a murmuré : « Ce n'est qu'un rêve. » Puis il a ajouté : « On ne peut pas vivre nos rêves. »

Cette réflexion m'a consolée. J'ai commencé à admettre ce qui s'était passé, puis j'ai décidé que le rêve était devenu réel. Et aussitôt j'ai pensé : « Pourquoi lutter ? Accepte-le ! C'est parfait comme ça. » Ma résistance s'est effondrée, désormais j'étais soumise. Je ne voyais aucune raison de me dire : « Plus jamais ! » Plus tard, on m'a demandé comment la chose avait pu se produire, pourquoi je n'avais pas lutté davantage contre l'instinct qui nous a emportés tous les deux, cette force de la nature. Tout ce que je peux répéter, c'est que je ne le voulais pas, je voulais garder ce moment pour plus tard. Mais entre présent et avenir lointain, le désir de Vili l'avait emporté. Si j'avais su alors que c'était un tel crime devant la loi, je n'aurais probablement pas laissé les choses continuer. Mais même si j'avais su que c'était illégal... ce n'était pas ce qui importait le plus alors, mes responsabilités me préoccupaient davantage, car j'étais mariée, et je pensais que l'idéal, pour Vili, était que nous puissions attendre, réserver cet acte d'amour pour un temps où il signifierait vraiment quelque chose.

J'ignorais tout de la loi, sauf qu'en ma qualité d'enseignante je ne devais pas avoir de relations avec un élève, même un ancien élève. Les règles étaient énumérées dans notre manuel, au chapitre « Éthique de l'enseignant ». J'avoue sincèrement que je n'avais pas lu ce passage, n'en voyant pas la nécessité. Je savais seulement qu'il existait pour l'avoir survolé. La manière dont je l'avais compris était simple : si un enseignant enfreint la règle, il perd son poste. Une fois le pas franchi, avec Vili, j'ai pensé que la pire chose qui pouvait m'arriver était de perdre mon travail.

Alors que nous étions encore étendus côte à côte sur le divan, j'ai murmuré :

– Mon travail est fichu.

Pourtant, je ne l'envisageais pas comme une véritable catastrophe. J'allais bientôt divorcer, mon salaire d'institutrice était insuffisant, je devais de toute façon trouver un autre travail, me faire une situation afin d'élever correctement mes enfants. L'idée de perdre mon poste dans l'enseignement ne me perturbait pas outre mesure : mes capacités allaient bien au-delà des quatre murs d'une salle de classe. Je pourrais dénicher une meilleure situation. J'ai toujours su qu'avec mes dons naturels, mes ressources intellectuelles et mon éducation je pourrais gagner beaucoup d'argent. L'argent n'avait rien à voir avec ma passion d'enseigner. Je savais que si j'en avais besoin un jour, je pourrais gagner bien mieux ma vie. Faire beaucoup mieux qu'enseigner.

Je n'ai jamais estimé non plus que mes enfants seraient perturbés par cette situation. Le divorce allait de toute manière les perturber. Ce qui s'était passé avec Vili était bien plus qu'une aventure. Lorsque je dis que je le vénérais, je le pense réellement. Notre histoire était sacrée, ce n'était pas une vulgaire histoire de sexe. Lorsque les gens la qualifient d'aventure sexuelle, ils se trompent. Une liaison de ce genre est bien trop factice, c'est une mascarade, un caprice de carnaval. Nous ne vivions pas une aventure mais une véritable union des corps et des âmes. Notre histoire nous faisait honneur, elle avait acquis un caractère sacré.

Le matin, en nous réveillant, nous sommes restés un long moment silencieux, serrés l'un contre l'autre. Nous avons bien essayé de nous remettre à nos travaux de dessin et de peinture, mais je n'arrivais plus me concentrer, Vili non plus, nous avions l'esprit ailleurs.

Ce qui s'était passé entre nous allait continuer, nous en étions sûrs. L'intimité entre nous était totale, notre union unique. Je n'éprouvais aucun sentiment de regret ou de culpabilité. La tristesse que j'avais ressentie sur le moment avait disparu. Vili m'avait complètement rassurée en me parlant comme il l'avait fait. Il m'apprenait tant, avec son cœur, avec chaque parcelle de son esprit et de son âme. Il disait qu'il m'aimait, que rien ne pouvait empêcher cet amour. C'était simple, c'était la vérité.

VILI

C'est arrivé un soir, chez elle, sur le divan, dans le salon où on regarde la télévision. Comme on se tenait la main, elle a dit que cette façon de se tenir la main voulait dire qu'on éprouvait de l'affection l'un pour l'autre. Affection, c'était son mot. Une fois je m'étais brûlé la main et Mary l'avait massée doucement avec une pommade. Ça m'avait bien plu, la manière dont elle le faisait, c'était agréable.

La première fois, en classe, quand elle s'est penchée pour regarder un de mes dessins, ça m'a fait des frissons dans le dos. Elle est belle, Mary, elle a la peau tendre et les cheveux doux. C'est une vraie femme, avec de la classe, qui sait des tas de trucs sur la vie. Quand je la regarde, j'ai envie qu'elle me parle comme à un vrai mec. C'est pas comme les gonzesses que je croise dans le « Hood », elle me rend dingue rien qu'à la regarder. C'est la première fois que quelqu'un s'intéresse à moi et aussi à ce que je fais. Quand elle dit : « C'est bien, Vili », je me sens un artiste, un poète, un mec super. Et ça me prend au ventre de faire l'amour avec elle. J'en crève le jour et la nuit.

Cette nuit-là, j'ai menti en disant que j'avais encore mal à la main, je voulais qu'elle me masse encore. Elle l'a fait. Après on s'est encore tenus par la main un bon moment, et puis... ça a commencé comme ça.

Elle était dans son fauteuil, j'étais sur le divan, je lui ai demandé de me rejoindre. Steve et les enfants étaient couchés depuis longtemps. Il devait être 1 heure ou 2 du matin. Elle est venue s'asseoir près de moi, et on est restés comme ça sans rien dire, longtemps. Moi, je sentais venir les choses, j'avais une envie d'elle! Incroyable! Ça se voyait, j'essayais de le cacher mais j'avais du mal. Elle devait le sentir, car elle était tout contre moi. En tout cas, elle ne disait rien. Et moi j'en pouvais plus. Alors je lui ai demandé :

– Quand est-ce qu'on fera l'amour?

– Dans cinq ans, quand tu seras prêt.

J'étais vachement déçu. On en avait déjà parlé avant, et elle répondait toujours la même chose : il fallait attendre, encore attendre, dans cinq ans j'aurais dix-huit ans... Alors on ne faisait que s'embrasser, et s'embrasser encore. Je la regardais, elle s'étirait de sommeil, elle était belle, et moi je voulais aller plus loin, c'était plus fort que moi, c'est normal de baiser quand on aime aussi fort...

J'ai glissé ma main sur ses jambes, je remontais en douceur sur sa peau, l'air de rien j'ai tiré sur un élastique, et je me suis tellement bien débrouillé que j'ai presque réussi à la déshabiller en dessous sans qu'elle s'en s'aperçoive. Elle s'en était pas rendu compte, ça j'en suis sûr. Mais j'avais dû la réveiller un peu, et tout à coup elle a remis le tout en place et rajusté sa jupe. Je disais rien, elle non plus.

Comme elle restait quand même allongée près de moi, je me suis décidé. J'y suis allé carrément. Je me suis déshabillé dans son dos, elle disait toujours rien, mais quand j'ai voulu l'enlacer de force, elle s'est dégagée d'un mouvement du corps et elle a sauté sur ses pieds. Et là, elle a dit en me regardant :

– Oh ! tu es troublé ?

La façon dont elle l'a dit, dignement, ça m'a arrêté net. J'ai pensé : « Vili, tu peux pas faire ça. » Alors j'ai laissé tomber, et je me suis rhabillé en vitesse. Mais j'étais pas calmé.

Au bout d'un moment elle a dit :

– On ne peut pas, Vili... Mais je peux t'aimer autrement.

J'allais lui demander comment on pouvait faire pour s'aimer autrement. Je la regardais dans les yeux, j'attendais qu'elle propose quelque chose. J'avais tellement envie, et ça se voyait tellement qu'elle a compris.

Elle l'a fait. Elle l'a vraiment fait. C'était la première fois qu'on faisait quelque chose de plus que se tenir par la main et s'embrasser. Je n'arrivais à y croire. C'était géant. Je me disais : « Merde, c'est à nous que ça arrive ? C'est elle ? C'est moi ? »

On se parlait enfin avec nos deux corps. J'aimais ses caresses et elle aimait les miennes, le désir et le plaisir étaient importants pour nous deux. C'est comme ça qu'elle « m'aimait autrement ». Et moi aussi.

Plus tard, environ une semaine plus tard, on a enfin fait l'amour. Le vrai. Jamais j'avais connu un truc aussi dingue. C'était vrai ce qu'elle disait Mary, on ne faisait plus qu'un !

On a dû faire au moins deux cents fois l'amour. On les comptait comme les fleurs d'un bouquet. Et on en avait plein, de bouquets. Une fois, je m'en souviens, je lui ai demandé combien de fois elle avait fait l'amour avec Steve en onze ans de mariage, et elle a répondu quelque chose comme trente-deux ou trente-cinq. Alors je l'ai bien regardée :

— Tu sais combien de fois je t'aurais fait l'amour en onze ans ? Tu pourrais même plus compter !

Elle a rien dit, juste un grand sourire à me donner envie de recommencer tout de suite.

18

Voyage en Alaska

Mary

Dans le courant du mois de mai, Steve avait promis à Vili qu'il nous accompagnerait en Alaska. Nous y allions une fois par an, voir sa famille. Steve promettait facilement, mais tenait rarement ses promesses. J'aime que les gens tiennent leurs promesses et, cette fois, je tenais précisément à ce que ce soit le cas. J'avais une raison particulière pour cela, l'idée m'en était venue après une conversation avec le professeur de dessin de Vili. L'un des problèmes de Vili, c'est qu'il avait besoin de travailler davantage sa technique. Il dessinait uniquement en se servant de son imagination. Il avait besoin d'élargir son horizon et de s'exercer davantage sur des modèles réalistes. En écoutant parler ce professeur, j'avais aussitôt pensé que l'Alaska, avec ses paysages superbes, serait l'endroit rêvé pour Vili.

La date du départ approchait, mais j'hésitais encore, après ce qui s'était passé entre nous. J'ai réfléchi longtemps à ce que m'avait dit le professeur : « S'il veut vraiment que son talent éclate, il lui faut de nouveaux horizons. » Un soir, je me suis décidée à en reparler à Steve.

– Tu te souviens que tu as proposé d'emmener Vili en Alaska ? Eh bien, son professeur de dessin estime que ce serait une chance pour lui de travailler sur des sujets nouveaux, d'élargir sa vision du monde. Ça l'aiderait énormément à améliorer sa technique.

Steve n'était pas du tout impressionné par le talent de Vili. Il a maugréé :

– On ne l'emmène pas.

J'étais furieuse.

– Pourquoi ? Pourquoi changes-tu d'idée maintenant ? Tu avais promis ! Alors chaque fois c'est la même chose ? Tu veux, et puis tu ne veux plus ?

Il n'en démordait pas.

– Il ne viendra pas.

Sa décision avait l'air irrévocable. Il ne laissait aucune porte ouverte à la discussion ou à la persuasion. Cela se passait environ six jours avant la date du départ, et, à vrai dire, ce voyage ne m'emballait guère. Chaque année nous faisions un voyage en février, pour les courses de chiens de traîneaux, et, en été, Steve y allait habituellement seul.

Le séjour de l'été précédent s'était mal passé. Nous étions brouillés avec sa famille. À l'occasion du mariage de Stacey, je m'étais disputée avec Sharon, leur mère. L'attitude de cette famille est souvent aux limites du supportable. J'étais demoiselle d'honneur de Stacey, je l'aidais donc énormément dans la préparation de son grand jour. C'était la première fois, après quinze ans de séparation, que le père et la mère de Steve étaient réunis pour une cérémonie. Ils n'avaient même pas assisté à notre mariage. Il régnait une certaine tension familiale autour de ces préparatifs, et je me sentais le devoir de soutenir ma belle-sœur. Nous avions bavardé tranquillement, elle et moi, à cœur ouvert, elle m'avait expliqué clairement ce qu'elle désirait pour la cérémonie. Puis des parents de sa mère ont commencé à émettre certaines idées qui, je le savais, allaient à l'encontre des souhaits de Stacey. J'ai donc décidé de m'en mêler. J'ai alors redécouvert, car je le connaissais déjà, le mauvais côté de cette famille. Un langage vulgaire, gratuitement offensant. Il m'arrive de jurer, mais jamais contre quelqu'un. J'estime qu'il existe une limite au-delà de laquelle le respect est bafoué. Nous avons eu des mots, l'ambiance était mauvaise. Dans son ensemble cette famille n'a guère de vraies valeurs. C'est une question d'éducation. Lors de notre premier voyage je n'avais eu aucun souci car le père de Steve, Richard, et sa deuxième femme, Phyllis, sont tout à fait différents.

Ce voyage ne m'emballait donc pas. Seule la présence de Vili pouvait le rendre plus agréable, sans compter que c'était réellement une chance pour lui. J'ai demandé calmement à Steve de revenir sur sa décision, en lui rappelant qu'il avait eu lui-même l'idée de l'inviter. La réponse était toujours négative, avec une pointe de reproche à peine voilée :

– Je ne vois pas pourquoi je devrais toujours faire ce que tu veux. Pourquoi moi ?

L'argument général était infantile : « Tu ne me fais pas plaisir depuis des mois, je ne te ferai pas plaisir non plus... »

À cette époque, il était clair pour nous deux que nous étions virtuellement séparés. Nous n'avions plus d'intimité depuis huit mois. Ce n'était pas tellement à cause de Vili qu'il refusait. Non qu'il soupçonne quelque chose entre Vili et moi – il avait peut-être une idée en tête, mais il n'en a jamais parlé. D'ailleurs, il avait une aventure avec une femme, et il ne s'occupait pas de moi. En fait, Vili n'était pas le problème.

– Pourquoi est-ce que je tiendrais parole ? Tu me repousses depuis assez longtemps, non ?

– Pourquoi es-tu si méchant ? Alors que tu peux avoir des billets pour presque rien ! Et tant que tu veux !

Je faisais allusion aux billets à quinze dollars qu'il pouvait obtenir d'Air Alaska. Je refusais de me laisser entraîner sur un autre terrain.

– Vili ne retrouvera jamais une pareille occasion d'aller en Alaska. C'est simplement pour l'aider à améliorer sa technique, à progresser... Ça ne te coûte rien !

Steve s'est immobilisé et m'a lancé un regard étrange. Tellement sournois que je ne me souviens plus de ses mots. J'étais paralysée par cette lueur dans ses yeux. Soudain, son attitude a complètement changé, son langage aussi. Il a chuchoté d'un air lubrique :

– Bon... eh bien, si tu veux vraiment qu'il vienne...

Il n'avait pas besoin d'en dire davantage. J'avais compris : pour que Vili nous accompagne, il exigeait de faire l'amour avec moi.

Il me dégoûtait.

– Si c'est ce que tu veux... tu sais ce qu'il te reste à faire...

C'était un chantage ignoble.

La tournure vulgaire que prenait notre discussion me

164

rendait malade. J'ai pensé : « Oublie ça, mon salaud ! », comme aurait dit Vili.

Le temps de reprendre pied, je l'ai obligé à clarifier la nature exacte de son marchandage.

– Qu'est-ce que ça veut dire ? Que tu puisses *le* faire quand tu veux ? Que j'en ai envie ou non ? C'est ça ton marché ?

Il a répondu très prosaïquement, sans se démonter :

– C'est ça le marché.

Il était fou ! Il me demandait de vendre mon âme et mon corps. Il agissait avec moi comme avec une prostituée. Il se transformait à mes yeux en une sorte de bête en rut.

J'ai tenté une nouvelle fois de lui faire comprendre à quel point il était important que Vili nous accompagne. J'essayais désespérément de rester en terrain neutre et logique. Il souriait toujours d'un air lubrique. Alors brusquement j'ai accepté.

Il a pris un petit air supérieur :

– C'est toi qui décides.

J'espérais le prendre à son propre piège. Peut-être n'irait-il pas jusqu'au bout ? Et s'il persistait ? Toute la journée j'ai tenté de rationaliser ce chantage immonde. Je me disais : « Après tout, ce n'est pas la même chose que de partager son lit, ni de passer toute une soirée avec lui. Je supporterai... il se lassera lui-même devant mon attitude de rejet... »

Lorsque l'heure est venue de se coucher, vers 9 heures et demie, nous sommes montés dans la chambre, devenue depuis notre séparation « sa » chambre. Le seul fait d'y mettre à nouveau les pieds me révulsait. Mais j'étais prise au piège. Une partie de moi-même essayait encore vainement de croire que c'était sa manière à lui de me prouver qu'il m'aimait. Je n'y arrivais pas. Qu'il puisse me torturer à ce point, me contraindre à des rapports sexuels sachant que je ne les voulais pas...

Je l'ai obligé à mettre un préservatif. Je ne pouvais pas supporter l'idée que sa peau puisse toucher intimement la mienne. Cette seule pensée me répugnait. J'ai ajouté :

– Au moins, dépêche-toi !

Des larmes roulaient sur mes joues. Steve ne les a pas remarquées.

Durant certaines périodes de notre mariage je savais qu'il était important pour Steve de faire l'amour. Dans ces cas-là, je n'avais jamais refusé, bien que notre union ne soit pas réellement amoureuse. Au cours de toutes ces années, faire l'amour était ni plaisant, ni déplaisant. Cette fois, c'était pire que terrible. Pervers.

Il ne me violentait pas physiquement, mais psychologiquement il s'agissait bien d'un viol. Il exigeait certaines choses. Je lui ai dit :

– Je n'ai pas choisi de le faire.

Puis je me suis cantonnée au silence.

À un moment, en l'entendant haleter, j'ai eu la nausée. Avant, lorsque j'acceptais son désir, j'étais en terrain connu. Cette nuit-là, je n'avais plus affaire au même homme, son comportement, son souffle étaient différents. Tout cela m'a rendue réellement malade. Je me suis levée pour aller dans la salle de bains. J'ai vomi. Et je suis restée longtemps sous la douche.

La nuit suivante devait être pareille, à la différence que je ne pouvais plus respecter cet horrible marché. J'étais en larmes lorsqu'il a voulu recommencer. Il était évident, même pour lui, que ce n'était plus possible. Il n'avait pas vu mes larmes la veille, mais ce soir-là je sanglotais. J'ai fini par lui dire en face :

– Si tu me fais ça, c'est du viol. Je t'ai dit non !

L'enjeu valait-il une telle souffrance ? Que Vili vienne ou non n'était finalement pas si important. Le jeu était trop cruel. J'ai ajouté :

– Je ne peux pas payer ce prix-là.

Steve s'est arrêté immédiatement. J'ai demandé peureusement :

– Ça veut dire ?

Pas de réponse. Selon ce marché immonde il avait le droit de faire ce qu'il voulait, quand il voulait. J'étais sa victime ou sa proie, il pouvait me rouer de coups pour m'y obliger. Il n'a pas insisté. L'horreur était finie.

Je n'étais pas sûre de sa réaction ensuite. Alors j'ai décidé de faire comme si j'avais rempli ma part du contrat.

Nous devions partir séparément ; lui le jeudi soir avec Steven, Jacqueline et Nicolas, moi avec Mary Claire le samedi matin. Ma fille était invitée le vendredi soir à une surprise-partie enfantine, et elle devait dormir chez une amie. Toute la semaine, j'ai joué l'indifférente, j'avais peur de lui demander les billets et j'ai simplement dit :

– N'oublie pas de nous laisser les bons numéros de billets pour samedi.

Rien d'autre. Lorsqu'il a déposé les billets d'avion sur la table, il y en avait un pour Vili.

Le vendredi soir ma fille est allée chez son amie, on devait me l'amener directement à l'aéroport le lendemain. Vili pouvait me rejoindre. Ce serait notre première vraie nuit ensemble. Une nuit entière pour nous seuls. J'allais revivre.

Nous avons dansé longtemps. Vili adorait particulièrement *Let's get it on* de Marvin Gay. Il l'a remis plusieurs fois. Puis il s'est écroulé sur le divan et s'est endormi.

La journée avait été particulièrement chaude. Il était encore trop tôt pour aller dormir, et j'avais envie d'une douche bien fraîche. J'ai quitté la pièce sur la pointe des pieds, pour me faufiler dans la salle de bains. J'avais la tête couverte de shampooing lorsque j'ai entendu le boum boum de la musique qui recommençait. Vili avait remis le morceau. Je voulais me dépêcher de sortir de l'eau et me préparer pour la nuit, pourvu qu'il m'en laisse le temps. C'était une soirée tellement romantique pour nous.

J'ai jeté un œil par-dessus le double rideau de douche, et je me suis heurtée à deux yeux noirs. Un regard avide d'impatience et d'espoir, comme s'il avait attendu ce moment toute sa vie !

Je me doutais qu'il avait mijoté quelque chose depuis son arrivée. Il avait la même expression résolue que le jour où il avait décidé de m'embrasser. Et il m'avait tant parlé de cette histoire de douche que nous pourrions prendre ensemble... C'était donc ça !

Et il était là, pendant que la voix de Marvin Gay résonnait dans la maison, à m'épier avec gourmandise. J'ai éclaté de rire, en essayant d'attraper le rideau pour m'en couvrir avec une feinte modestie. Au lieu de cela, j'ai tout arraché en m'accrochant au tissu de plastique. La barre s'est décrochée, Vili est tombé en même temps que moi, et nous nous sommes retrouvés par terre, emmêlés dans un fatras de rideau. Il y avait de l'eau partout, la douche éclaboussait les murs et le sol, nous étions complètement trempés. Je riais aux larmes. Il était bien obligé de renoncer à cette fameuse douche en commun dont il rêvait.

Vili était un jeune homme déterminé et sûr de lui. Il m'a soulevée dans ses bras, avec une mâle assurance, il m'a portée jusqu'au divan, couverte de mousse et de savon, il a mis le disque en automatique, pour ne plus avoir à s'en occuper, et nous avons écouté encore et encore *Let's get it on.*

19

Un été long et chaud

Vili

J'avais l'impression de passer chaque jour et chaque nuit avec Mary, c'était comme si j'avais une double vie. Je vivais ma vie de mec, genre à glander avec les potes dans le « Hood », et puis j'étais chez Mary et tout d'un coup c'était complètement différent. Et même quand j'étais chez Mary, j'avais deux rôles à jouer. Je me baladais avec son fils Steven, on s'amusait avec sa console Sega ou on jouait au basket, mais c'était pas le genre des copains avec qui je traînais d'habitude. Je veux dire que c'était le genre banlieue un peu bourge et moi j'étais plutôt genre ghetto avec les gangs, les gros bras et le reste. C'est pas le ghetto le coin où j'habite, mais à Roxbury et White Center, pas loin, c'était le ghetto et les bandes, et je glandais par là assez souvent.

Quand personne était là, avec Mary je pouvais être moi-même, Vili. Avec Steven je pouvais pas me comporter comme d'habitude. Je pouvais pas jurer et montrer mes sentiments pour sa mère. Je me disais que je pouvais avoir une mauvaise influence sur ce gosse, en lui apprenant des injures, par exemple. Pendant l'été j'allais chez Mary presque tout le temps. Steven était là, ça collait bien. Avant mon arrivée sa mère lui achetait des fringues version bourge-banlieue, mais il a commencé à changer un peu et à me copier. Pareil avec la musique. Il aimait bien le rock, au début, et il a fini par aimer le rap que j'écoutais tout le temps. Quand j'ai commencé à traîner avec Steven, il avait pas l'habitude de jurer, mais il s'est mis à copier tout ce que je disais, il trouvait que ça faisait cool. C'est marrant parce qu'il disait des conneries comme moi, Mary aimait pas du tout, et quand il y avait personne autour de nous, elle se mettait à parler comme moi. Elle le faisait rarement avant que je la connaisse, mais moi ça me posait pas de problème de jurer à l'école, devant elle ou n'importe quel prof, parce que dans ce genre de truc rien ne m'arrête. Personne pouvait m'empêcher de parler comme je voulais.

Une fois j'avais vraiment trop déconné avec Steven, et le môme avait les oreilles grandes ouvertes, il en perdait pas une miette. Le lendemain, sa mère lui propose une pizza, il en voulait pas. Alors Mary commence :

– Mange-la, c'est bon pour toi.

Steven commence à en avoir marre et il balance :

– J'en veux pas de ta putain de pizza !

Moi je me dis : « Eh merde, ça va me retomber dessus ! » De temps en temps, Mary, elle me répétait :

– Tu parles tellement mal que je devrais te laver la bouche au savon !

Et moi :

– Faites chier, les mecs, avec ce putain de savon ! C'est quoi, cette merde ! J'en ferai quoi, de ton putain de bordel de savon ? Tu crois que ça m'arrêtera ?

À partir de là, je m'arrêtais plus de jurer, ça défilait comme sur du rap, en musique, et Mary s'y mettait aussi. Moi, je crois qu'un tas de gens parlent comme ça, sauf qu'ils s'entendent pas eux-mêmes, ou alors ils se retiennent vachement.

Au début les gosses se demandaient qui j'étais, et je me sentais bizarre au milieu d'eux, avec les idées que j'avais en tête sur leur mère. Des fois ils étaient même jaloux parce qu'elle s'occupait trop souvent de moi, mais ça s'est jamais mal passé. La première fois que j'ai pris un repas chez eux, Steve et Mary étaient en train de discuter dehors, et c'est moi qui ai dit la prière d'action de grâces avant de manger. Ils faisaient jamais de prière avant le repas, ils m'ont dit que leur père faisait pas ce genre de trucs. Je leur ai dit que, si leur père n'aimait pas ça, ils pouvaient prier dans leur tête, sans rien dire à personne.

Steve était toujours dans le coin, même le soir. Il travaillait plutôt dans la journée et, quand il rentrait chez lui, il regardait la télé, se tapait quelques bières et allait se coucher. Ça n'avait pas l'air de l'embêter que je sois là. Et puis il y a eu cette histoire de voyage en Alaska. Mary m'en avait parlé, et moi j'étais d'accord, mais j'avais pas du tout envie de prendre l'avion avec Steve, je voulais être seul avec Mary. Il a pris l'avion avant nous, avec les gosses, et on est restés pour prendre un avion plus tard. C'était super, parce qu'on avait une nuit entière pour nous deux, la maison était vide. À cette époque, c'est la seule fois où ça nous est arrivé d'être tranquilles tous les deux, sans soucis, à l'aise. On a fait l'amour toute la nuit.

On a pris l'avion pour l'Alaska ensemble. Steve est venu nous chercher à l'aéroport. Il nous a emmenés chez son père et sa belle-mère. Elle est différente du reste de la famille, elle a l'air plus autoritaire, c'est elle qui porte la culotte dans la maison. Le père ne ressemble pas à Steve, mais je trouve qu'il a le même genre de gueule impassible, butée, qui change jamais d'expression.

Steve et les gosses sont rentrés un jour avant nous, et dès qu'on s'est retrouvés seuls on a fait l'amour, là comme ailleurs. On se débrouillait toujours pour être ensemble dans un coin tranquille.

Avant que toute cette saloperie d'histoire de justice nous tombe dessus, Mary pensait qu'on ne se quitterait jamais, que je ferais toujours partie de la famille. C'était à l'époque où on était juste des amis. Elle me parlait tout le temps de sa fille, elle s'était mis dans la tête que je l'épouserais plus tard, quand elle serait grande. Moi j'y comprenais rien à son histoire, parce qu'elle parlait de Jacqueline, qui avait deux ans. Mary disait qu'elle ne voudrait pas que j'épouse l'aînée, Mary Claire, parce qu'elle ressemblait à Steve, alors que Jacqueline lui ressemblait à elle, exactement comme quand elle était petite. Moi, je me disais : « C'est quoi, cette idée de dingue ? Elle parle déjà de me marier avec cette gamine ? Et elle parle de ça *maintenant* ? Attends ! C'est pas ta fille que je veux. C'est toi que je veux. » C'était bizarre.

Je me rappelle même pas de quoi on discutait comme ça. La plupart du temps, c'était de moi, on s'entendait bien au lit, des trucs de ce genre. Des fois elle me lisait des poèmes au téléphone, ou des lettres d'amour qu'elle m'avait écrites. Il m'arrivait de penser sérieusement à tout ça et de me demander comment c'était possible qu'une personne de son âge aime quelqu'un de si jeune. Cette histoire de différence d'âge entre nous me tracassait parfois, et des fois pas du tout.

Quand j'ai commencé avec Mary, j'ai dû lui poser des problèmes à cause de ses petites rides autour des yeux. Elle était belle, et tout ça, mais je me disais que ça devait lui prendre un bon moment pour se préparer le matin. Mais ça n'avait pas d'importance, parce que je l'aimais.

C'est inexplicable, l'amour. On le ressent, c'est tout, et on sait que c'est ça. Si on ne ressent rien, c'est pas ça. Finalement, c'est simple.

Pour moi l'amour, c'est comme pour Dieu. Dieu n'est pas une personne, mais on sent qu'on adore Dieu, alors c'est bon. Quelque chose qu'on ressent, auquel on croit, qu'on rêve, c'est toujours là, présent. Je ressentais ça pour Mary, et moi aussi je l'appelais tout le temps, et si elle répondait pas, moi aussi je devenais dingue.

Le seul truc, c'est que j'ai jamais eu confiance en elle. C'était vraiment bizarre chez moi, mais j'avais pas confiance. C'est vachement étrange. Par exemple, une nuit je me rongeais : « Elle raconte des salades à Steve et Steve lui raconte des salades, et ils savent tous les deux qu'ils se racontent des salades, ils arrêtent pas, alors je suppose qu'elle peut me raconter des salades à moi aussi. »

Une fois Mary m'a dit qu'elle avait énormément besoin de faire l'amour. C'était pas le genre à entrer dans les détails et des fois j'essayais d'en avoir pour bien comprendre de quoi elle parlait. Alors on discutait de Steve, par exemple, et moi je lui demandais comment il faisait l'amour. Elle disait qu'il faisait toujours le même truc. Elle m'a même montré comment il bougeait son corps. Elle disait qu'il ne savait pas lui donner de plaisir, mais qu'elle se débrouillait. Elle avait pas besoin de me faire un dessin.

Moi, je sais pas vraiment dire si une fille a un orgasme. Parfois Mary criait très fort. Et après elle me disait : « Si tu fais l'amour comme ça à quelqu'un d'autre, je te tue ! »

On était sérieux, tous les deux. On s'aimait. Une fois, au

172

cours de l'été, elle est allée acheter deux anneaux, un pour elle et un pour moi. On avait parlé de se marier un jour, on avait vu ensemble *Roméo et Juliette*, avec Leonardo DiCaprio et Claire Danes. C'était marrant, parce qu'elle le regardait chez elle à la télé et moi chez moi, et on est restés au téléphone tout le long du film. On avait loué deux cassettes exprès. Ce jour-là j'avais préféré ne pas aller chez elle parce que ma mère commençait à se poser des questions. Elle disait que j'étais trop souvent chez Mary.

Je m'en souviens bien, Mary a fait démarrer la cassette, et j'ai démarré la mienne en même temps. On discutait, j'entendais le film chez elle, elle pouvait l'entendre chez moi. Comme ça on était quand même ensemble. On a parlé tout le temps, sauf quand le garçon se met à chanter *Everybody's free*. Là, on s'est tus tous les deux pour écouter. Après j'ai dit à Mary :

— Et si on se mariait ? Là, maintenant, comme ça.

Elle m'a répondu qu'elle devait divorcer d'abord. Alors j'ai dit :

— Bon, c'était juste au cas où on se ferait attraper.

Trois semaines plus tard environ elle m'a montré les deux anneaux. J'ai demandé pour quoi c'était, elle a dit :

— Nos alliances de mariage.

On les a mises, mais la mienne ne m'allait pas bien, le chaton était un peu trop gros. Je l'ai gardée quand même, mais plus tard j'ai essayé de taper dans le mur avec pour la rendre plus facile à porter. Le chaton s'est cassé. On était dans la cuisine, j'ai ramassé les morceaux, j'ai glissé l'anneau à son doigt, je me suis mis à genoux, et j'ai dit :

— Veux-tu m'épouser ?

Elle a éclaté de rire en disant « Oui », et on a joué à ça. Je ne sais pas si on était officiellement engagés, mais pour moi les anneaux étaient la preuve de notre amour. C'était du sérieux.

Je ne pensais pas qu'on aurait besoin de se marier, parce que j'étais sûr qu'on avait déjà vécu ensemble dans une autre vie. J'avais fait ce rêve une fois. On était dans une autre époque, comme dans un vieux film, on marchait tous les deux dans la rue, et on était mariés. Je pouvais voir son visage et le mien dans ce rêve. Comme dans un vieux cadre de l'ancien temps.

Pendant tout l'été on est beaucoup allés au cinéma en plein air. C'était la bonne excuse pour emmener ses gosses, et on pouvait être ensemble. Steve était jamais avec nous, il devait sûrement courir après sa copine. Une fois on a emmené seulement Jacqueline et Nicolas, les deux plus jeunes, et mon frère Faavae. Il avait fait le baby-sitter pour Mary, et le ménage aussi, pendant quelques semaines. On est allés voir *A Time to Kill*.

Mary et moi on a pas vu grand-chose.

Faavae et les gosses étaient grimpés sur le toit du van, Mary et moi à l'intérieur. Mon frère avait bu sa bière, il était complètement soûl, mais il jetait un coup d'œil quand même. Il était tellement bourré qu'il est même venu dans la voiture à un moment où Mary et moi on s'embrassait à l'arrière. Il nous cherchait. Mary avait peur qu'il ait vu quelque chose, mais je lui ai dit qu'il était tellement bourré qu'il s'en souviendrait même pas.

Avant Mary j'avais rencontré d'autres filles, trois, et j'avais fait des trucs avec elles, mais avec Mary c'était une merveille. Les filles étaient bien plus âgées que moi, j'avais que dix ou onze ans, et elles savaient s'y prendre. Mais Mary, c'était autre chose, c'est la première femme à qui j'ai vraiment fait l'amour. La première femme que j'ai pénétrée. C'était une merveille, Mary. J'avais tout le temps envie de le dire aux autres, qu'on s'aimait. Je crevais d'envie de hurler au monde entier : « Je baise avec ma prof et elle est magnifique ! »

Je pouvais pas le dire au monde entier, ç'aurait pas été malin. Même pas à un seul de mes potes. J'étais pas assez con pour le crier sur les toits. On me l'aurait prise, on l'aurait mise en prison, et moi je serais resté tout seul, sans elle, sans rien. Alors je me disais : « Vili, con ou malin, tu la fermes, tu laisses tomber les vingt billets que t'as pariés avec ton cousin. Tu peux même pas lui dire que t'as gagné. »

« Tu peux le dire à personne, que tu l'aimes. »

20

Va jouer ailleurs

Mary

Nous n'étions plus qu'à quelques jours de la reprise des classes, ce bel été s'achevait, et je savais ce que je devais faire. Même si je devais en pleurer.

Nous avions passé la nuit précédente sur le toit de la maison à contempler les étoiles.

C'était l'un de mes endroits favoris, le toit était assez plat, et il y avait un coin derrière la cheminée où nous pouvions nous cacher, invisibles au reste du monde.

Tout au long de l'été, nous y avions rêvé souvent, de là on pouvait admirer toute la ville au loin. Les arbres en fleurs en cachaient habituellement une grande partie, mais du toit la vue était exceptionnelle, sur le mont Olympic et sa crête enneigée.

L'une de nos dernières nuits sur le toit, allongés sur le dos, nous regardions les étoiles à travers les feuilles, et au large les lumières qui scintillaient dans le noir. C'est une nuit qui nous a marqués tous les deux. Au début nous avons cru qu'il s'agissait d'une étoile. Mais la lueur a grandi, grandi, elle s'est étalée juste au-dessus de nous, on pouvait presque l'atteindre, la toucher du doigt. Bouche bée, nous étions comme hypnotisés par ce spectacle étrange. Puis la lumière a disparu, comme un ange dans le ciel...

L'été était fini, Vili allait entrer dans un nouveau collège, et je devais au moins *essayer* de me détacher de lui. Je savais bien que si nous voulions espérer avoir un avenir ensemble, c'était une période obligatoire à traverser. Je me souvenais de ma propre jeunesse au collège, je voulais qu'il y travaille libre et sans chaînes, qu'il sache qu'il n'était pas engagé envers moi, je ne voulais pas devenir un fardeau pour lui. S'il devait me revenir, ce serait de sa propre volonté, sans ressentir aucune pression de ma part, même inconsciente. C'était dur de le laisser partir, mais en aucun cas je ne devais, ni ne voulais, le retenir. Quoi qu'il m'en coûte.

D'un autre côté, je suis bien certaine que je *voulais* le retenir, certaine aussi que je ne voulais surtout pas qu'il regarde une autre fille. Je souhaitais être là, à ses côtés, continuer à prendre part à son éducation. Je savais qu'il le souhaitait aussi, et qu'il aurait du chagrin de ne plus me voir tous les jours à l'école comme avant. Mais ce n'était plus possible. Il devait faire sa vie.

Je comprenais aussi sa frustration de ne pas pouvoir se montrer avec moi devant ses amis, ni marcher dans la rue en me tenant la main. Je connaissais bien son caractère : il était important, pour lui, de paraître devant ses camarades. Un adolescent a besoin d'être populaire, d'attirer la sympathie et de susciter l'admiration. Et nous devions nous cacher.

C'était pénible pour nous deux de ne pas pouvoir nous montrer.

Je ne savais pas comment le lui dire. J'étais incapable de soutenir son regard, si je lui parlais les yeux dans les yeux, *ses* yeux, je fondais en larmes.

C'était la veille de la rentrée... Notre dernière nuit dans la voiture, près de la maison. J'ai seulement pu lui tendre, sans un mot, la moitié d'une page arrachée à un cahier. J'y avais écrit ce que j'étais incapable de prononcer. C'était mon message de fin de classe, celui que l'on donne aux enfants quand sonne l'heure de la sortie : « Disparaissez ! Allez jouer ailleurs. »

Je l'avais dit tant de fois, pour lui et pour les autres. Cette fois c'était pour le libérer de moi.

J'avais gribouillé : « Ne discute pas, tu dois le faire, tu ne comprends peut-être pas en ce moment, mais disparais ! " Va jouer ailleurs ! " »

C'était court, lapidaire, et cela me faisait mal de voir son chagrin. Il a froissé le papier, un éclair de colère ou d'incompréhension est passé dans son regard. Il m'a prise par l'épaule pour m'obliger à le regarder, il voulait lire le même message dans mes yeux, et j'ai fondu en larmes.

Il ne voulait pas me quitter, c'était pour toujours, il comprenait ce que je voulais lui dire, et pourquoi. Mais c'était non. Il n'irait pas « jouer ailleurs », il ne voulait pas disparaître de mon esprit ni de mon cœur.

J'entendais ses mots, et je m'efforçais de le contredire avec les miens. C'était une lutte inégale et douloureuse : « Attends d'être au collège, tu seras heureux là-bas. » Ça ne voulait rien dire.

L'école a commencé, je n'ai pas entendu parler de lui pendant deux jours, une éternité... Je m'étais imposé un pari difficile. Et le fait qu'il ait changé d'école n'impliquait pas qu'il me laisse sans nouvelles ! Je ne pouvais pas non plus téléphoner la première, à moins d'en avoir convenu à l'avance. Je n'étais plus « la prof ».

Et puis, sortant de nulle part, il s'est montré à l'école, le troisième jour. Il a surgi dans ma classe à la fin des cours, comme si de rien n'était :

– Salut !

J'en étais malade. Il aurait au moins pu téléphoner auparavant. Je crois avoir dit :

– Tiens, voilà mon meilleur ami... alors on n'appelle pas, mais on vient me parler de sa nouvelle école ? Ou peut-être voir à quoi ressemble ma nouvelle classe ?

Il était là devant moi, souriant, alors que j'étais pleine d'incertitude depuis deux jours. Pourquoi n'avait-il pas téléphoné ? Le téléphone la nuit, c'était tout ce qu'il nous restait à présent.

Il n'a même pas essayé de s'expliquer sur le moment, d'ailleurs je ne voulais rien savoir. Il arrivait sans prévenir, tranquillement, comme s'il n'avait rien fait de mal ? J'étais folle de rage ! Il était venu avec son copain Bora et, dès qu'ils sont entrés dans la salle de classe, Bora a senti qu'il se passait quelque chose. Il a bredouillé qu'il reverrait Vili plus tard, et il est parti. Nous sommes allés discuter dans ma voiture, comme d'habitude. Ce n'était pas un bavardage amical. Je pleurais, et il ne comprenait pas pourquoi j'étais si furieuse contre lui.

– Mary, qu'est-ce qui se passe ? C'est quoi le problème ? Mais pourquoi tu te rends malade ? Dis-moi !

Lui *dire* ? Comment lui faire comprendre ma colère, après ce que je lui avais déclaré trois jours plus tôt ? ! C'était impossible !

Vili est redevenu sérieux. Il n'avait aucune excuse de ne pas avoir téléphoné, il en était d'accord. Nous ne nous étions pas dit bonsoir depuis deux nuits déjà, alors que nous en avions envie tous les deux, j'étais d'accord aussi, mais...

Au fond de mon cœur, j'ai pensé que j'allais vraiment avoir besoin de toutes mes forces, de toute ma volonté pour surmonter ce moment. Puisque je lui avais dit de partir, je devais au moins être honnête avec moi-même. J'ai donc répété mon petit message à Vili : « Va jouer, Vili... ne t'occupe pas de moi », en lui assurant que c'était ce que je voulais. Mais je n'ai pu m'empêcher d'ajouter :

– « Va jouer » ne veut pas dire « oublie-moi »...

Et pour justifier ce débordement émotionnel, cette contradiction qu'il ne saisissait pas, j'ai fait allusion aux problèmes que toutes les femmes connaissent à certains moments du mois.

J'aurais bien voulu m'en convaincre moi-même.

Autour de nous dans le parking, des gens, des enseignants pour la plupart, allaient et venaient. L'un d'eux s'est même arrêté pour nous regarder. Mais je me fichais complètement qu'ils m'aient aperçue en larmes en train de discuter seule dans ma voiture avec un de mes anciens élèves.

Ça ne regardait personne après tout. De toute façon, vu de l'extérieur, c'était une discussion entre deux personnes semblables. Non entre un professeur et son élève.

Vili a promis de m'appeler, et nous avons repris nos conversations nocturnes.

J'avais aussi écrit une longue lettre que je ne lui ai jamais donnée. Peut-être en disait-elle trop long sur mes angoisses. Elle m'est aujourd'hui cruellement précieuse.

Est-ce trop beau pour cette vie ? Le risque est-il trop grand à assumer ? Pourrons-nous préserver cet amour dans les années à venir ? J'ai du mal à te regarder grandir dans l'épreuve alors que je connais si bien ta personnalité profonde, et tes grandes possibilités. Cette union si parfaite entre nous a peut-être un autre destin. Peut-être sommes nous égarés par la passion qui nous a réunis ? Par une complicité trop évidente. La grandeur de notre union semble représenter tout, aspirations futures, vision du monde, inspiration, force, désirs, et tout l'amour qui en découle naturellement lorsque nous sommes ensemble. Pour moi, cet amour est si naturel que j'ai l'impression d'être née avec lui, et pour nous aucune question ne se pose. Mais j'ai si mal d'attendre cet amour qui m'est destiné. Faut-il ignorer tes pulsions physiques pour d'autres filles, ta curiosité innocente, ton besoin de plaire ? Faut-il attendre que tu aies suffisamment goûté à ces choses, et « rêver d'amour » en attendant que tu reviennes me dire : « Tu avais raison, tu es la seule, tu es tout, tu es celle qu'il me faut. » ?

Si je ne te laissais pas faire ce bout de chemin, tu n'en serais peut-être jamais sûr. Autant que je le suis ! Tu t'en rendrais compte probablement, mais après tant de graves erreurs sur ta route.

C'est pourquoi nous ne pouvons pas être ensemble, même si nous le désirons. Et j'ai peur. Faut-il te laisser faire des expériences au risque de te voir échouer ? Ou suis-je vraiment pour toi une envoyée de la providence ?

Puis-je t'obliger à devenir plus fort, à comprendre que tu as un grand avenir ? Je ne veux pas avoir l'air d'abandonner. Une partie de moi est convaincue que tu as besoin de réaliser tout cela toi-même, en dehors de ma volonté. L'autre partie pense que je devrais t'obliger à maîtriser davantage ce désir vain de rire et de paresser, et ton envie curieuse de voler d'aventure en aventure amoureuse. Je vois, je sais que tu réclames de moi l'amour physique que tu ne trouves pas chez tes petites camarades. Pour combler une lacune ? Mais je ne suis pas venue dans ta vie pour cela. Notre amour est beau, parce que nous ne faisons qu'un. Ne me demande plus jamais d'être une remplaçante. J'ai beaucoup trop d'honneur et de respect pour notre amour, plus que pour toute autre chose au monde.

T'aimer me manque. Parfois je sens tes baisers, et tu n'es pas là. Le bruit de nos baisers me manque. J'ai besoin de tes bras autour de moi pour toujours, de tes baisers, de ton corps contre le mien. Vivre cette passion, dont les autres ne font que rêver.

J'évoquais dans ma lettre l'avenir de Vili et ses grandes possibilités. Je ne voulais pas que Vili se disperse, mais au contraire qu'il travaille assidûment et fasse des progrès dans ses études artistiques. C'était mon vœu le plus cher, et mon plus sérieux souci. Je désirais le lancer comme un petit Picasso moderne. Il avait un tel potentiel, de tels dons. J'avais entendu parler au musée d'Art moderne de Seattle de cours durant lesquels, chaque samedi, des artistes locaux confirmés travaillaient avec de jeunes artistes de talent. J'étais très excitée par cette idée, et je voulais y inscrire Vili. Un autre projet au musée m'intéressait aussi personnellement, j'ai donc décidé d'y passer une journée avec Vili, pour mettre mes deux idées en route.

J'en ai parlé à Vili, je suis allée voir Soona, sa mère, pour lui demander si elle n'y voyait pas d'inconvénient. C'était notre premier rendez-vous organisé depuis la rentrée. Soona était contente, car elle avait elle-même une course à faire en ville, dont j'allais pouvoir la soulager. Il s'agissait de récupérer des paquets de ballons qu'elle avait commandés pour une fête de sa paroisse.

La journée fut merveilleuse. Nous étions libres de nous promener, libres de déambuler dans les boutiques du musée, et de salle en salle à travers les expositions. À Washington DC, dans le temps, je me rendais chaque été au musée, et je n'avais jamais visité celui de Seattle, dont on m'avait dit beaucoup de bien. Dans l'une des salles, nous sommes tous les deux tombés en extase sur un tableau du XVIe siècle européen. D'une finesse remarquable.

Du musée, nous sommes allés nous promener à Pioneer Square, le quartier des artistes et des musiciens, que nous n'avions pas revu depuis si longtemps. Une éternité, me semblait-il, en fait depuis le mois de décembre dernier, un peu avant Noël. Nous avons retrouvé une statue de femme nue, devant laquelle Vili s'était arrêté. En la revoyant nous avons plaisanté sur la ressemblance entre son corps et le mien. À l'époque je n'aurais jamais évoqué pareil sujet avec Vili, mais maintenant... maintenant nous pouvions parler de toutes ces choses librement.

Nous étions deux amants en promenade, l'automne

décoiffait les arbres, nous avions de l'art plein les yeux, de la musique et tant d'amour dans le cœur...

Puis il a fallu récupérer les ballons de Soona. On nous a dit qu'il fallait attendre quelques heures. Vili avait une idée pour passer le temps. Nous avons repris la voiture, descendu la Première Avenue, passé le Kingdom Stadium, suivi la direction d'une zone industrielle. C'est là que se situe la Daniel Smith Gallery, un immense magasin de matériel de peinture et de dessin, où nous avions l'habitude d'aller chercher nos fournitures.

Tout autour, le décor est gigantesque, des usines, des entrepôts, des voies ferrées, des ponts métalliques, des jonctions d'autoroutes. Nous avons déniché un endroit calme pour nous garer, dans un parking désert.

Ce jour-là, nous avons conçu notre enfant. Pourtant je n'y pensais pas.

Plus tard j'ai compris que cette fulgurance particulière, ce plaisir si intense allaient plus loin que le seul amour : ils donnaient la vie.

J'ai su que j'étais enceinte au début du mois d'octobre, après avoir fait un test de grossesse. Je m'en doutais déjà, j'ai eu quatre enfants, et une femme devine ce genre de choses à l'avance.

C'était un samedi, j'ai appelé Vili pour qu'il vienne me rejoindre. J'ai eu Soona d'abord, je lui ai demandé si son fils pouvait participer le soir même à un barbecue. Elle a accepté.

J'étais en état de choc. Une sorte d'hébétement me paralysait. Je n'avais pris aucune précaution. Quelque part dans un coin de ma tête, je ne *pouvais* plus être enceinte, après cette fausse couche du début de l'année. Je croyais sans doute ne plus être capable de concevoir un enfant. Le premier mois de nos relations avec Vili, je n'étais pas tombée enceinte, donc je n'y croyais plus. Ça n'arriverait plus.

J'étais réellement pétrifiée. En ce qui me concernait, j'étais résignée à ce que Vili s'éloigne de moi, je m'étais fixée à cette idée. Même si nous avions besoin l'un de l'autre, il devait continuer ses études, je devais mettre ma vie en ordre, et celle de mes enfants. J'avais des choses importantes à faire, le divorce à entamer, une nouvelle maison à trouver, et une situation. C'est là que notre différence d'âge devenait un problème. J'avais conscience des difficultés qui m'attendaient maintenant, je comprenais la gravité de la situation, pas lui.

Bien qu'en état de choc, je songeais à ce moment dans le parking, à présent j'étais certaine de la date. C'était un épisode particulier de notre vie amoureuse. Ce que j'avais ressenti ce jour-là, c'était déjà le cri de la vie.

Je savais, au fond de mon cœur, que j'allais garder ce bébé. Vili est arrivé, et je ne le lui ai pas dit tout de suite. La journée s'est écoulée normalement. De temps en temps il allait jouer au basket avec Steven, ou dessiner avec lui dans la grande pièce. Je les voyais tous les deux derrière la baie vitrée, en pleine lumière, penchés sur leurs dessins. J'essayais de ne pas penser. Steve n'était pas là. Après le barbecue, la nuit est tombée, j'ai couché les enfants, il était l'heure de ramener Vili chez lui. En montant dans la voiture je me demandais où j'allais pouvoir m'arrêter pour lui annoncer la nouvelle. J'ai d'abord conduit en silence sur la route, guettant un endroit où nous ne serions pas visibles. Je me suis garée dans le noir, près d'un terrain vague. Vili cherchait de la musique sur son lecteur de cassettes. Il est tombé sur le début d'une chanson de Michael Jackson.

I'll be there... « Je serai là... Je serai là pour toi... »

J'ai fondu en larmes d'un seul coup. Vili était perdu, il cherchait à me faire parler, à comprendre. Finalement j'ai essuyé mes yeux, inspiré longuement, et j'ai commencé par une question :

– Qu'est-ce que tu penserais... qu'est-ce que tu dirais... si on avait *vraiment* un enfant ?

Nous en avions parlé une fois, nous nous étions promis qu'un jour nous aurions une grande famille. Mais à ce moment-là je n'imaginais pas une seule seconde que je tomberais enceinte.

Il y avait évidemment des possibilités pour que cela se produise, et nous n'avions pas pris de précautions, même les plus élémentaires. Mais si cela se produisait, où serait le drame ? Ce n'était l'affaire de personne à part moi. J'allais divorcer, je serais libre, des milliers de femmes font des enfants sans qu'on leur demande qui est le père.

Mais sincèrement, depuis ma fausse couche, je pensais ne plus pouvoir avoir d'enfant. J'en étais presque heureuse, car cela me libérait de Steve. Il n'avait plus aucune raison de me garder prisonnière. Et même si cela devait survenir avec Vili, je ne me faisais pas trop de soucis. J'étais une adulte, une mère de famille, qui avait l'expérience des enfants, je n'étais pas une adolescente ignorante. J'étais capable de m'assumer. Si je voulais un enfant, j'en aurais un. J'avais réfléchi à tout cela depuis longtemps... Ensuite, j'avais arrêté d'y penser.

La réaction de Vili a été instinctive. Il m'a serrée contre lui, il m'a dit qu'il m'aimait. Puis il a immédiatement songé à Steve, et à sa réaction quand il le saurait. Il ne pourrait pas ignorer que l'enfant n'était pas de lui. Il fallait envisager de nous protéger tous les deux. Je devais trouver un endroit où me réfugier. Chez ma mère ? Non. La réaction de ma famille nous tourmentait aussi.

À ce moment-là je ne m'inquiétais pas pour Vili, parce que je me faisais confiance : s'il voulait, plus tard, se préoccuper de l'enfant, il le pourrait toujours. Mais pas pour le moment. Nous savions, lui et moi, que cet enfant avait été conçu dans l'amour, et qu'il naîtrait entouré d'amour. Plus tard, probablement, il connaîtrait la famille de Vili. Je savais qu'il faudrait en parler à Soona, dans un an ou deux. Une ou deux années de plus, cela ne m'effrayait pas.

Le problème financier m'ennuyait davantage. Je me demandais comment faire. Continuer à enseigner avec cinq enfants était impossible. Particulièrement pour moi, car je m'impliquais terriblement, je donnais presque tout mon temps à mes élèves. Ce serait difficile, même si, en fin de compte, un enfant de plus ne faisait pas réellement de différence. Ce n'est pas le nombre d'enfants qui importe, c'est ce qu'une mère peut donner à chacun d'eux.

Nous avons reparlé de Steve : pouvait-il se douter que Vili était le père ? Nous n'avions pas la réponse.

Mais Steve était un danger, pendant les huit mois à venir, je devais me mettre à l'abri.

Une idée m'est venue. Je pourrais me débrouiller pour qu'il se passe quelque chose entre Steve et moi. Au moins une fois. Je ne savais pas comment exposer mon idée à Vili. Faire l'amour avec Steve ? Le mot amour ne lui convenait vraiment pas.

– Vili, il faut que je fasse quelque chose avec Steve, pour qu'il pense que le bébé est peut-être de lui... Une fois seulement...

Vili n'a pas supporté. Il voulait me protéger, m'aimer. Mais il ne pouvait pas comprendre pourquoi je devais faire ça. Il n'allait sûrement pas me laisser agir.

Il m'a même repoussée, tendu et furieux après moi. Quel homme pourrait, dans une telle situation, répondre à la femme qu'il aime : « Oui, excellente idée ! » ?

Ce ne serait pas un homme.

Plus tard j'ai essayé de lui expliquer mes sentiments dans une lettre que cette fois il a lue.

J'aimerais croire que nous sommes des artistes rares, que nous ne suivrons jamais une route banale. Nous voyons le monde comme un système spirituel merveilleusement vivant qui nous donne la chance de faire mieux ici-bas grâce à nos dons, de le contrôler à notre manière, avec fierté, esprit, et de faire la preuve de ce que nous voulons exprimer.

Je sens en nous une puissance créative. J'aime notre amour, nos rires, notre langage. Je songe à la nouvelle vie que nous pourrions construire ensemble en ce monde, avec tout ce que nous possédons comme talent. Alors je prie Dieu pour qu'Il nous offre ce cadeau-là. Je prie pour que personne n'en souffre, pour que s'envolent mes craintes, pour comprendre le projet de Dieu, pour avoir la force de rester seule dans la vie, après ce que nous avons vécu ensemble. Et si tu as peur, alors tu n'es pas pour moi. Fini l'amour.

Je sais que tu voudras te marier un jour, un beau mariage, une merveilleuse épouse, et une grande cérémonie devant toute ta famille.

Le voilà le rêve. Je voudrais être à toi seul, et t'aimer à jamais. Je serais si fière et si heureuse. Je ne deviendrais pas vieille. J'ai l'impression d'entamer la plus belle, la plus intense partie de ma vie. Tu n'as qu'à décider si nous devons avoir une vie banale. Combien d'années nous donnes-tu ?

Je me souviens... ces choses ont commencé en cours moyen et au collège. Des pressions, contre lesquelles tu ne pouvais pas lutter. Tes amis voulaient que tu leur ressembles, que tu sortes avec eux faire la fête, danser, courir les filles, toutes sortes de tentations. Ma peur vient du fait que je vous connais, toi et ta curiosité, toi et tes obsessions. Je ne peux pas lutter contre ces instincts-là, ils sont naturels et font partie de toi.

Comment faire pour tout arrêter ? Nous en sommes là. Aucun de nous n'est responsable de la force qui nous a poussés l'un vers l'autre. J'ai si peur. Peur de te perdre. Peur d'être avec toi. Peur de perdre la tête, peur du bouleversement.

Je peux seulement te dire merci. Et je ne demanderai pas plus que ce que tu m'as donné. Tu connais l'expression : « Dieu sait pourquoi. » Ce genre de certitude n'arrive qu'une fois dans une vie. Je suis sûre que tu es celui qui m'était destiné. Mais j'ignore pour combien de temps.

Mon enfant va naître, je suis si troublée à présent que je ne sais même plus quand.

Tout le reste semble si lointain pour nous, tellement impossible, que j'en deviens folle.

21

Steve comprend

Mary et Vili

MARY

L'idée de coucher avec Steve me répugnait. Je ne l'envisageais que pour me protéger dans les mois à venir. Cela me mettait mal à l'aise, car c'était un acte de trahison envers lui, mais j'avais si peur qu'il réagisse violemment. Et puis d'ailleurs, peut-on réellement trahir un ennemi ? Quoi que je fasse pour me persuader qu'il n'existait aucune autre solution, je ne parvenais pas à m'y résoudre : je ne pourrais pas supporter le contact de son corps. Le chantage qu'il m'avait déjà fait à propos du voyage en Alaska était suffisant pour m'en convaincre. En y réfléchissant, cela n'avait aucun sens : comment, après tant de rebuffades, pourrais-je d'un seul coup lui faire croire que je m'intéressais à lui ?

Je n'arriverais même pas à être naturelle, à lui faire croire que j'avais eu envie de lui un jour et que, dès le lendemain, ce n'était plus vrai.... Il aurait forcément des soupçons. J'étais folle d'y avoir seulement pensé. Mais le désespoir y était pour beaucoup.

J'avais peur. Peur de tout, de ne pas le supporter, de trahir Vili, peur de ce que je devrais faire, j'étais à la dérive. De plus, les événements se sont précipités pour Steve. La liaison qu'il entretenait depuis assez longtemps avec une autre femme s'est terminée, et cela s'est vite ressenti à la maison. Il était déprimé, anxieux à tout propos. Plus coléreux et vindicatif que d'habitude. Un rien l'énervait, et j'en étais la première victime. J'ignore ce qui se passait dans sa tête, mais il s'est mis à me surveiller davantage. Comme s'il se disait : « Je ne suis pas heureux, il n'est pas question que tu le sois. » Il a commencé à lancer des accusations à propos de Vili et de moi. Il soupçonnait plus qu'il n'accusait d'ailleurs :

– Je sais qu'il se passe quelque chose... Il se passe sûrement quelque chose...

Il aurait pu soupçonner davantage au cours de l'été, ironie du sort il ne se passait pas grand-chose à ce moment-là, mis à part ma grossesse. Son attitude ne faisait que me convaincre davantage de la nécessité d'un divorce rapide.

Il s'est mis à fouiller partout dans mes affaires, dans les dossiers de mon ancienne classe, comme un malade. Il cherchait quelque chose, n'importe quoi. Puis il est tombé sur une note que j'avais écrite sur Vili le Noël précédent. La fameuse lettre intitulée : « *Ce qui est. Ce qui devrait être. Ce qui pourrait être.* »

Maintenant il tenait une preuve – du moins le pensait-il, imaginant que, si j'avais écrit ça à Noël, il s'était passé des choses entre-temps.

Puis il a découvert un autre brouillon de lettre que je destinais à Vili, après l'été que nous avions passé ensemble. C'était la première version de mon message d'adieu, deux pages dans lesquelles je lui disais de vivre ses propres rêves, de se construire une vie normale, sans moi, d'être un garçon normal et d'aller « jouer ailleurs... »

Mais Steve n'était encore sûr de rien.

J'avais des contacts quotidiens avec Vili, des rendez-vous après l'école, des conversations au téléphone évidemment. Pendant une semaine, j'ai emmené mes élèves dans un camp, pour leur sortie annuelle. Je n'ai donc pas vu Vili durant cette période. À mon retour, il m'a offert un petit diamant enchâssé sur un anneau d'or. Je voulais lui rendre sa bague, me doutant qu'elle venait d'un endroit où elle aurait dû rester... Il a refusé de la reprendre, et c'est l'une des preuves que Steve a découvertes au cours de sa longue enquête.

Steve parlait beaucoup à ce moment-là, avec sa belle-mère Phyllis à Anchorage. Il était dans une mauvaise passe, et il est certain qu'elle en a profité pour lui remplir la tête de son idéal et de ses principes mormons, sur la manière dont il

devrait reprendre sa maison en main, après sa rupture sentimentale. Cela m'a paru évident, lorsqu'un jour, alors qu'il
venait de raccrocher après une très longue conversation
téléphonique avec elle, il m'a dit d'un air souverain :

– Phyllis pense que je dois être le roi dans ma maison.

Il recevait une aide extérieure, des munitions pour ali-
menter son combat. Ce que Phyllis disait, Steve le faisait.

Quand il m'a demandé de but en blanc si j'avais une liaison avec Vili, j'ai nié. Mais de façon indirecte.

– Laisse-le tranquille... Pourquoi me faire une scène qui
n'a pas lieu d'être ?

Ce n'était pas le moment que Steve aggrave les choses,
ces mêmes choses sur lesquelles Vili et moi avions réfléchi
énormément, au mieux des intérêts de tout le monde. J'ai
donc choisi de lui répondre simplement :

– Ne te mêle pas de ça.

Il a menacé d'aller chez la mère de Vili, pour savoir
ce qui se tramait. Ce qu'il a fait, mais ce jour-là il n'a pas
rencontré Soona.

VILI

J'étais tranquille avec mon copain dans la pièce du fond,
on s'éclatait avec des jeux vidéo, on écoutait de la musique
peinards, on discutait dur. Et, tout à coup, ma tante se
pointe :

– Bouddha, ton professeur est là !

– Qu'est-ce qu'elle fout là ?

Bon, je vais voir dans l'entrée, c'était pas Mary, c'était
Steve.

– Salut, Vili, je peux te parler un moment ?

– De quoi ?

– J'ai seulement besoin de te parler.

Il parlait haut, la voix aiguë, ça sonnait bizarre. J'étais pas
sûr qu'il venait discuter de Mary et de moi. J'en savais rien,
mais j'avais pas peur du tout. J'avais aucune raison d'avoir
peur, mes copains étaient là. Genre, si Bouddha se fait botter le cul, on est là. Ils me fileraient tous un coup de main.

Alors on est sortis tous les deux de la maison, et il a
commencé :

– Tu couches avec ma femme ?

188

Et moi :
– Ouais.
Alors lui :
– Eh ben... il faut que ça s'arrête !
– D'accord.
J'ai tourné la tête, lui il me dévisageait vachement.
– Depuis combien de temps ça dure ?
– Un moment...
Je l'ai regardé en face. Lui ne me quittait pas des yeux.
– Combien de fois vous avez baisé ?
– Trois, peut-être deux...
– Deux seulement ?
J'attendais la suite, moi, il a mis du temps.
– Bon, faut que ça s'arrête, je veux plus te voir tourner autour de chez moi.
J'en avais rien à foutre de ce qu'il disait, j'ai répondu :
– Et alors ? T'as compris, t'as fait le point, maintenant tire-toi.
– C'est agréable de parler avec toi.
Putain, je lui avais même pas dit que j'avais baisé sa femme plus de cent fois !
Il m'a jamais inquiété ce type, c'était pas le genre de mec à me balancer son poing dans la gueule, juste le genre qui lance des vannes et qui se dégonfle après. Et moi je me disais, merde, moi si je tombe sur le mec qui baise ma femme, je le massacre ! Je le mets dans un sale état. Il en bougerait plus une le mec. Un môme de treize ans, ça ferait pas un pli, je lui casserais la tête. Merde, je rentrerais chez moi, je collerais ma femme sur une putain de chaise, et j'en baiserais une autre devant elle !
Je suis rentré dans la maison, et il s'est barré en voiture. Un de mes copains m'a demandé ce qui se passait, j'ai inventé une salade en vitesse. J'ai dit que c'était à cause d'une fille, j'ai même donné un nom, son père était venu, parce que je l'avais mise enceinte. Et mon pote a dit :
– Déconne pas ! Pour de vrai ? T'es sûr qu'il est pas dingue le mec ?
– Il est pas dingue.
Après ça on est retournés s'éclater. Et le téléphone a sonné, c'était Mary. J'ai dit :

– Qu'est-ce que tu vas faire ?
– Je sais pas. Reste en ligne.

J'ai attendu un bon moment et, tout à coup, j'ai entendu un drôle de bruit, il se passait quelque chose, comme si quelqu'un prenait des coups. Et la ligne a été coupée.

Plus tard cette nuit-là, Mary a appelé, elle a dit que Steve était venu à l'école, qu'il l'avait traînée dehors de force devant tous les profs et les gosses qui la regardaient.

J'ai vu Mary quelques jours après, dans la classe de dessin, elle était venue chercher ses gosses pour les ramener à la maison. Elle m'a dit de me planquer à l'arrière du van au cas où Steve serait chez eux.

J'ai grimpé dans le coffre, on a filé chez elle et, de là, je les ai entendus s'engueuler, Mary criait qu'elle devait retourner à l'école, qu'elle avait oublié quelque chose pour son travail. J'ai entendu Steve dire quelque chose comme : « Tu vas pas encore traîner avec ton petit copain, j'espère ? »

Et moi je rigolais dans le coffre.

Mary est remontée en voiture, elle m'a dit :
– Tu as entendu ?
– Ouais. Et après ?

Je suis remonté à l'avant, et on est retournés là-bas, dans la salle de dessin. Après ça on a fait l'amour sous un pont, dans le parc de stationnement. Je m'inquiétais pas de Steve et de ce qu'il disait, j'avais aucun respect pour ce mec, j'arrivais pas à croire qu'il s'était pointé chez moi sans me flanquer une dérouillée. Au moins essayer. Je l'aurais fait, à sa place, merde !

Lui et moi, on était pas du même coin, on dirait qu'il y a toujours deux côtés dans la vie, le côté des riches, le côté des pauvres. Ceux qui sont pauvres veulent faire comme les riches, et les riches comme ceux qui sont pauvres. Pour la peau, c'est pareil. Les gens qui ont la peau noire essaient de faire comme les Blancs, et les Blancs de faire comme les Noirs. Ceux d'une culture veulent piquer la culture des autres. Ce type, Steve, il venait du côté des pauvres, il voulait faire le riche. Mary disait que le seul espoir qu'il avait d'être riche, c'était sa famille à elle, parce que la sienne était riche et chic et tout le reste à cause du passé de son père.

C'est pour ça uniquement qu'il avait décidé d'être avec elle. Quand elle a commencé à fricoter avec moi, il a voulu fricoter avec quelqu'un, juste parce qu'elle fricotait avec moi! Compliqué son truc...

Une fois on était en train de discuter tous les deux, Mary et moi, pour savoir si ce qu'on faisait était bien ou mal, l'adultère, le péché... J'avais mis l'adultère sur le tapis, et je disais à Mary :

— C'est pas ta faute ou la mienne, c'est notre faute à tous les deux, d'abord parce qu'on l'a fait ensemble. Et moi j'ai continué, je savais ce qu'on faisait. Je serais curieux de savoir comment tu peux dire que c'est de l'adultère ou pas. D'abord comment tu peux dire si tu es mariée ou pas ? Avec un morceau de papier ? Si c'est Dieu qui dit que tu es mariée, s'il y a un Dieu, alors oui peut-être. Mais qu'est-ce qui se passe si tu aimes vraiment quelqu'un, et que ce quelqu'un t'aime vraiment ? Comme on s'aime toi et moi... Là moi je dis qu'on est mariés. Puisque tu n'as jamais aimé Steve, alors vous deux, on vous a jamais mariés ! Mary... Si tu as jamais eu le sentiment profond que ce type courait dans tes veines, dans ton sang, chaque minute de chaque jour, alors personne a pu vous marier ! Tout ce qui reste, c'est cette alliance de merde à ton doigt. C'est comme ça.

Mais elle a répondu qu'elle avait quatre enfants de lui, et qu'il avait besoin d'être aimé par quelqu'un. Pas elle, parce qu'elle pouvait pas l'aimer vraiment. Moi, j'avais pas pitié de ce type, il m'intéressait pas vraiment. J'étais en CE1 quand je l'ai rencontré la première fois, j'ai dit « salut » c'est tout. J'avais pas de sympathie particulière. Je connaissais juste son nom, sa voix, son allure. Et je savais que Mary lui achetait ses fringues, parce qu'il savait même pas comment s'habiller le mec.

Je me disais aussi, tous les types que Mary a connus et qui ont fait l'amour avec elle, c'est tous des abrutis. Des vrais nuls. Quand je regardais des photos d'elle, dans les bals d'étudiants, avec tous ces crétins autour, je lui disais :

— Pourquoi tu sortais avec des cons pareils ? Pourquoi tu faisais des trucs avec eux ? Pour leur donner de l'espoir et les laisser tomber après ?

Elle a répondu qu'elle en savait rien, elle voulait seulement aller danser, elle leur demandait seulement de danser avec elle, après ça ils la soûlaient et elle rentrait avec ces types. Rien qu'à leur allure sur les photos, ça se voyait que c'était des nuls. Comment ils s'habillaient les mecs, leur connerie de grands nœuds papillons! Moi si j'avais été là à cette époque, je me serais pas fringué comme ça, j'aurais fait ça avec du style, pas besoin de nœud papillon jusqu'aux oreilles!

Je lui disais à Mary :

– Prends Steve, c'est une petite lavette ce mec, avec sa petite voix on dirait un *drag queen*...

Une fois j'étais chez Mary, et Steve m'a raccompagné chez moi, on a discuté dans la bagnole, genre d'homme à homme, quelle blague! Il voulait savoir si j'avais eu des bagarres, en banlieue dans le « Hood ». Parce que lui il s'était jamais battu de sa vie. Et moi je disais, qui tu es toi? Comment tu fais? Tu cours pleurer chez ta mère? « Hé m'man, y a des gosses qui m'ont tapé dessus »?

Je me souviens, j'ai eu des copains comme ça. Je leur cassais les pieds, je leur expliquais tous les trucs, parce qu'un jour leurs parents seraient pas là, et qui ferait gaffe à eux? Ils m'écoutaient vachement : « Bouddha a raison. » Sûr que j'avais raison. Maintenant je les vois se bagarrer avec les autres mômes. Avant ils appelaient leur mère!

Et ce type, Steve, il fait pas la même chose pour Mary et moi? Qu'est-ce qu'il fait? Il va chialer dans sa famille, au lieu de se démerder tout seul. Gros nul.

Quand Steve a commencé à s'en prendre à Mary, j'attendais qu'une chose, qu'il le fasse devant moi, là j'aurais eu le bon prétexte pour lui cogner dessus. Je comprends pas qu'on tape sur les filles, pourquoi ces gens frappent leurs femmes?

J'étais là à attendre qu'il la frappe, pour lui sauter dessus. Ça a failli arriver une fois. On voulait aller au cinéma, il est sorti de la maison, il a dit qu'elle s'en irait pas, elle lui a dit de rentrer à la maison, ils se sont disputés les clés de la voiture. Après il s'est pointé avec une batte de base-ball, et il a fait comme s'il allait lui cogner dessus. Et elle a dit comme ça :

Mary : « *Photo de famille, avec mes trois frères aînés, John, Joe et Jerry, et ma mère. Mes deux petites sœurs, Teri et Liz, ainsi que le petit dernier, Philip, n'étaient pas encore nés. Je suis sur les genoux de mon père. C'est un homme remarquable qui a exercé une grande influence dans ma vie.* »

Mary, petite fille, vers l'âge de six ans.

Le sourire de l'insouciance. Mary : «*J'étais une adolescente heureuse et épanouie.* »

Mary : «*Danser pour encourager l'équipe de football de mon lycée me donnait des ailes, et u solide sens des responsabilités, puisque j'ai aussi été chargée des chorégraphies pendant u année.* »

Mary : « *Une photo de fin d'année. Pendant cette année scolaire 1995-1996, Vili (en haut au centre, la main sous le menton) n'était encore qu'un élève parmi d'autres.* »

Mary Letourneau aime son métier par-dessus tout. Elle a reçu plusieurs distinc-tions pour ses qualités de pédagogue, et était l'une des enseignantes les plus demandées de sa région. Aujourd'hui encore, ses anciens élèves continuent de lui écrire, pour la soutenir et lui dire combien elle leur manque...

Mary : « *Avec mon mari Steve, à la réception du mariage d'une de mes amies, peu de temps avant notre séparation. J'ai vraiment essayé d'aimer Steve, de le rendre heureux, mais au fond de mon cœur, je n'y ai jamais réellement cru.* »

Vili : « *Aurais-je pu dessiner ainsi le corps d'une femme qui m'aurait violé ? !* »

Mary et Vili : « *Le temps du bonheur et de la tendre complicité… Ils nous ont tout pris.* »

Mary, comme en prière, lors du procès qui l'a envoyée en prison pour sept ans et demi : « *Aidez-moi.* »

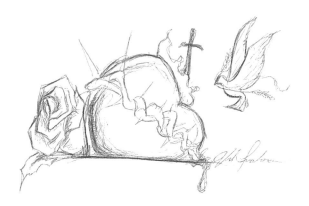

Vili : « *J'ai dessiné un cœur qui raconte bien l'histoire de notre amour. La passion charnelle, la naissance d'Audrey, le bouquet d'épines que notre amour a dû franchir pour que nos deux cœurs soient réunis à nouveau (...). Je nous ai dessinés, Mary et moi, comme deux êtres spirituels que symbolise la croix. Une épine fait naître une goutte de sang, elle tombe du cœur... C'est la naissance d'Audrey (...). Puis il y a le deuxième bébé, et l'épine devient une rose. Alors le cœur tout entier de notre amour commun s'auréole d'une lumière qui brille pour nous au paradis, pour l'éternité.* »

Un autre dessin de Vili, qui reflète sa perception du procès, et où il donne sa version personnelle du «combat de David contre Goliath». *Au fond*, les piliers de la société : la confiance, le bonheur, la vie, le paradis, la croyance, la compréhension, l'amour, la famille, les lois, l'esprit, la fierté. Vili, alias David, brandit une fronde face au géant Goliath, représenté sous les traits de la peur, des médias et de la société *(au centre)*. Plusieurs personnages interviennent : *à gauche et au centre*, le policier et le psychiatre, animés par une clé comme des automates, et qui répètent machinalement : «Je ne fais que mon boulot !» (le policier, *à gauche*) et «Examen pour abus sexuel» (le psychiatre, *au centre*). À *droite*, un homme hurle au viol, c'est le procureur, et un juge s'interroge, visiblement sans rien comprendre. Dans la fourgonnette, Mary est emmenée, et, de sa main passée entre les barreaux, elle tend à Vili le célèbre poème de Kipling : *Si*.

À travers ce dessin, Vili exprime son message : « Merci à elle, qui m'a donné une raison de vivre. Je suis une vieille âme, je suis capable d'aimer. Je ne suis pas une victime. Lisez mon livre et vous comprendrez. »

Vili serre dans ses bras sa fille d'un an, Audrey, l'enfant de l'amour fou. Son deuxième prénom, « Lokelani », signifie « ange du paradis » en samoan.

Été 1998. Mary, enceinte du deuxièm[e] enfant de Vili, dans sa prison de Seattl[e]. Sa vie n'est plus qu'une attente interm[i]nable. « *Cette fenêtre est le symbole de m[a] punition, elle offre au regard l'illusion d[u] monde extérieur, tellement inaccessible, héla[s] qu'il est un rappel constant de la prison, et d[e] la punition.* »

La naissance d'Audrey a changé la vie de Vili : « *Elle était là, c'était vraiment ma fille. (...[) Quand j'ai mis mon doigt dans sa petite main, elle l'a agrippé très fort, comme pour dire : "To[i] tu es mon père, et je ne vais pas te lâcher.*" »

– Oh... mais regardez-moi ce gros bras... Il veut me battre avec ça ?

Et lui :

– Je suis pas un gamin, d'accord ? Arrête de me dire de rentrer à la maison !

J'ai dû me mettre entre eux. Je lui ai dit :

– Hé... Steve, rentre à la maison.

Il est rentré.

Et quand il s'est jeté sur le téléphone, on a décollé avec la voiture en rigolant après lui.

MARY

Je savais que Steve s'était mis en tête d'affronter Vili, et je ne cessais de lui répéter que c'était inutile, qu'il ne ferait qu'aggraver la situation. Je ne croyais pas qu'il irait jusque-là, mais finalement il l'a fait.

Quand il est parti chez Vili, j'ai téléphoné et nous étions en train de parler quand j'ai vu le van bleu se garer devant l'école et Steve en descendre.

J'ai voulu retourner aussitôt dans ma classe, mais je l'ai vu traverser l'école et, à sa façon de marcher, je me suis dit : « Il est devenu fou. » Le visage crispé de colère, le regard mauvais, les lèvres serrées, la mâchoire bloquée. Il avançait de façon agressive dans ma direction. J'ai couru à nouveau vers le téléphone. Je voulais savoir ce qui s'était passé avec Vili, et surtout s'il avait dit à Steve que je portais son enfant. Jusqu'à ce qu'il affronte Vili, il n'avait que des soupçons, rien d'autre. Il avait lu dans une lettre que je parlais de « notre ange ». Mais ce n'était pas une preuve. Il fallait que je sache ce qui s'était passé entre eux.

J'ai composé le numéro de Vili, c'était occupé. Steve est entré dans le bureau comme un bolide, et le personnel s'est vraiment inquiété. Il a grogné :

– Tu sais de quoi il s'agit !

– Non, je ne sais pas exactement, mais j'en ai une idée, vu le ton que tu prends !

J'ai dit alors, le plus calmement possible, que je voulais passer un coup de téléphone privé.

– Pas question !

Le personnel du bureau était au courant de notre projet

de divorce, les gens commençaient à s'inquiéter sérieusement. On me regardait, ne sachant pas si j'avais besoin d'aide. J'ai fait signe que ça allait.

Puis il m'a traînée de force, depuis le bureau jusqu'à ma salle de classe, en me tirant par les cheveux. Il m'a précipitée à l'intérieur, en déclarant qu'il était au courant pour Vili et moi, et que je n'avais rien à dire. C'était affreusement gênant, il y avait encore du monde dans cette salle, quelques écoliers, et même un parent d'élève.

– Si tu veux discuter de tout ça, sortons. On ne peut pas en parler ici.

Nous sommes sortis tous les deux, lui me poussant devant lui, les enfants attendaient dans la voiture. Steve venait de les récupérer. La route jusqu'à la maison s'est faite en silence, nous ne voulions pas parler devant eux. Ce qui me donnait le temps de réfléchir à ce qu'il pouvait savoir. Jusqu'à quel point était-il au courant ? Et, question cruciale, savait-il que je portais l'enfant de Vili ? Garder mon calme dans de pareilles circonstances était éprouvant. J'avais les mains croisées sur les genoux, je les serrais avec tant de force que mes doigts blanchissaient. Tête droite. Je devais garder la tête droite. Mon amour, ma vie, mon enfant étaient en jeu.

En pénétrant à l'intérieur de la maison, j'avais décidé d'une petite stratégie, qui consisterait à en dire le moins possible.

Il a attaqué immédiatement :

– Pas la peine de nier maintenant, je sais tout.

– Oh ! vraiment, et qu'est-ce que tu sais exactement ?

– Je sais que tu as couché avec Vili, parce qu'il me l'a dit !

Consciente que les enfants n'étaient pas loin, j'ai baissé le ton volontairement :

– Je ne crois pas qu'il y ait grand-chose à dire là-dessus. Tu sais ? et alors ? Je t'ai dit l'autre jour que rien ne te concernait dans cette histoire. Nous ferons face à la situation.

– Oui... bon... J'ai dit à Vili de ne pas essayer de te revoir.

– Oh, ça c'est très intelligent.

J'attendais qu'il se calme. Finalement la discussion a repris. Je ne voyais pas pourquoi je ne pourrais plus voir Vili. J'ai dit que ce serait cruel de m'en empêcher.

— Tu sais ce que nous représentons l'un pour l'autre ?

Je ne voulais pas du tout parler de sexe, et Steve le savait. Vili et moi, nous avions des projets en commun, des cours de dessin, des tas de choses à faire ensemble. Il fallait que je rentre dans la tête de Steve que ma relation avec Vili avait évolué, qu'elle pouvait être parfaitement innocente. Même maintenant.

— En gros, tu es bien obligé de constater que lui et moi, nous avons des choses à faire, donc ou je le verrai avec ton accord, ou sans que tu le saches.

Steve a bien voulu convenir que nous avions besoin de rester en contact. Je pouvais donc voir Vili s'il n'était plus question de sexe entre nous. J'ai accepté, évidemment. C'était une sorte de contrat bizarre, mais plus acceptable que de céder à son ultimatum. J'abondais dans son sens.

— Oui... bien sûr, je te comprends, il n'est pas question que ça recommence, je ne te demande pas ton accord pour ça...

Un contrat qui tenait plus du virtuel que de la logique amoureuse.

22

Supprimer l'enfant ? Jamais !

Mary

J'avais donc la « permission » de rester en contact avec Vili, mais j'étais bien décidée à ne pas en rester là et à en profiter davantage. Steve s'étant apparemment calmé, je lui ai demandé de téléphoner à Vili pour lui dire que c'était d'accord, qu'il pouvait venir. Il répugnait à le faire... Presque timide... Alors j'ai pris les choses en main.

Steve était allé se coucher, je suis rentrée dans la chambre et je lui ai apporté le téléphone :
— Maintenant je veux que tu lui parles.
Steve secouait les bras, l'air de dire qu'il ne voulait pas.
J'ai composé le numéro de Vili et, après une brève conversation, j'ai ajouté :
— Steve veut te dire quelque chose.
J'ai tendu l'appareil à Steve, il reculait toujours.
— Il veut te dire que c'est d'accord pour qu'on se parle.
Une fois de plus, j'ai approché le combiné de Steve.
Cette fois il l'a pris et, l'air penaud, il a dit très vite :
— Oui, c'est d'accord pour vous deux. Vous pouvez continuer à vous parler.
Il m'a rendu l'appareil sans attendre la réponse.

L'accord conclu avec Steve supposait que je parle à Vili en sa présence uniquement, de manière qu'il puisse entendre tout ce que nous disions. Quand Steve m'a rendu le combiné, j'ai discuté au moins vingt minutes avec Vili. De temps en temps, l'un des enfants entrait dans la pièce et distrayait l'attention de Steve. J'en profitais pour chuchoter à Vili que je le rappellerais plus tard. Je suis allée sur le pas de la porte, pour pouvoir parler plus librement, mais Steve a mis fin à la conversation :

– Ça suffit.

La version de Steve concernant sa confrontation avec Vili chez lui différait quelque peu de ce que Vili m'avait raconté. D'après lui, Steve aurait commencé à l'insulter, le traitant de « petit punk qui ne serait jamais rien d'autre qu'un punk ». J'avais pensé très fort : « Tu peux penser ce que tu veux, Vili est tout pour moi. »

Vili et moi avons discuté encore ce soir-là, et nous nous sommes revus plusieurs fois à l'école, nous étions tous les deux inquiets de ma grossesse, et du temps qu'il faudrait à Steve pour s'en apercevoir et comprendre que Vili était le père.

Il savait que nous avions fait l'amour, et mon état allait vite devenir visible. Je me suis souvenue de l'idée que j'avais eue un peu plus tôt : essayer de faire croire à Steve qu'il était *peut-être* le père. Je voulais nous protéger, moi et mon bébé, le plus longtemps possible. Cependant, juste après que Steve eut découvert ma liaison avec Vili, je voyais bien, à cette petite lueur dans ses yeux, qu'il mijotait quelque chose. Parce qu'il savait ce qui s'était passé, il disposait désormais d'un moyen de pression contre moi, dont il espérait se servir pour m'attirer dans son lit.

Je l'ai laissé faire, et nous avons fini dans la chambre. Il fallait que j'y arrive, pour ma propre sécurité et celle du bébé.

Je lui ai dit que c'était le mauvais moment du mois, et qu'il devait mettre un préservatif. Je ne pouvais toujours pas supporter que sa peau touche la mienne. J'ai ensuite songé à l'absurdité de ma requête, puisque le but principal de la manœuvre était de le persuader qu'il pouvait être le père de l'enfant ! J'ignore pourquoi j'ai fait ça. Peut-être essayais-je de me convaincre, et surtout de *le* convaincre, que rien n'est jamais vraiment sûr, que même avec un préservatif, ça pouvait arriver. Steve s'en fichait, il ne disait rien. Ce qu'il voulait, c'était me montrer toutes les facettes de sa virilité. La dernière fois que je m'étais pliée à ses volontés, cela m'avait rendue malade, et je savais que je ne pouvais pas, que c'était au-dessus de mes forces... Je me suis relevée et je lui ai dit :

— Je ne peux pas faire ça.

Nous sommes repartis dans le salon. Steve réfléchissait à voix haute :

— Hé... et si tu étais enceinte ?

— Je ne le suis pas... mais si c'était le cas ?

Alors il m'a raconté que sa liaison avec sa maîtresse s'était terminée parce qu'elle était enceinte. Je me sentais toujours aussi mal à l'aise. J'étais d'autant plus réticente à lui parler de mon état que je connaissais son caractère : je savais qu'il était en proie à d'intenses sentiments de jalousie et d'infériorité, ce que mon père devait résumer plus tard en quelques mots : « Steve ne supporte pas le fait d'avoir été surpassé par un gamin de quatorze ans. »

C'était étrange que Steve ait évoqué ma possible grossesse aussi vite, et qu'il veuille en parler. Il devenait morose... Moi, j'étais aux aguets. Prudente, je tâtais le terrain en prévision de sa réaction.

— Et si... si j'étais enceinte, et que je n'en sache rien ?

Sa réponse n'a pas tardé :

— Eh bien, on va faire un test !

Mon cœur a bondi. Je ne pouvais plus y échapper. Il était déjà debout, sur le départ. Il voulait aller acheter un kit de test de grossesse.

Pendant qu'il était dehors, je me suis précipitée pour fabriquer une sorte de mixture, avec du colorant alimentaire jaunâtre. J'ai mis ce mélange dans un petit sac en plastique que j'ai caché dans mes sous-vêtements. Je me figurais que ce subterfuge me donnerait encore un peu de temps.

Steve est revenu avec le kit de test complet, il m'a suivie dans la salle de bains, pour me surveiller. Je me suis assise sur les toilettes devant lui, et j'ai feint d'uriner, tout en vidant discrètement le contenu du petit sac dans le tube. Je le lui ai passé :

— Voilà, c'est fait.

Naturellement, le test était négatif, mais je ne pourrais pas reculer l'échéance trop longtemps, car l'arrondi de mon ventre commençait à se voir.

Quelques jours plus tard il semblait être d'assez bonne humeur, plutôt placide... Je me suis décidée simplement, d'un coup :

– Je suis enceinte.

– Et le test de l'autre jour ?

– C'était une farce.

– Je savais que tu étais enceinte, je m'en suis rendu compte.

Le soir où j'avais essayé de l'attirer au lit, il m'avait bien regardée. Et aussi sous la douche, ma poitrine avait changé, je ne pouvais donc pas le tromper.

Finalement il prenait cela avec un certain calme. Nous avons discuté un peu, apparemment il avait résolu ou accepté un certain nombre de choses dans sa tête.

Son seul véritable souci était : « Il ne donnera pas son nom à l'enfant. »

Étrange... Vili pouvait être le père, mais il ne pouvait pas donner son nom. Nous avons discuté du divorce, de la garde des enfants à partager, des maisons à trouver pour chacun de nous.

C'était une conversation très pragmatique, sur des sujets extrêmement banals, mais nécessaires. Je me sentais soulagée, j'ai même dit à Steve :

– Tu prends la plus grande maison, puisque tu gagnes plus, et les enfants partageront leur temps entre toi et moi.

Tout semblait fonctionner.

Nous avions aussi parlé du cinquième enfant. Je quitterais l'école, je chercherais un autre travail à mi-temps pour l'élever la première année. Mes soucis commençaient à s'envoler. Steve était pratiquement d'accord sur tout. J'ai raconté cela à Vili, nous avons même plaisanté sur sa grande complaisance. Trop grande...

Ces derniers jours furent merveilleux. Steve était de tellement bonne humeur que je ne pouvais pas m'attendre à ce que tout s'effondre.

Puis, comme le temps à Seattle, qui passe du beau à la pluie, il a changé, la tempête s'est levée, et un jour, après son travail, j'ai vu la vraie violence inscrite sur son visage. On aurait dit qu'il allait me tuer. Son regard me donne encore des cauchemars, c'était un animal féroce.

J'étais tellement pétrifiée que j'ai demandé platement :
— Qu'est-ce qui se passe ? Qu'est-ce qui a changé entre hier et aujourd'hui ?

Il s'est mis à hurler :
— Je comprends pas ce qui m'a pris ! Je devais être en état de choc, c'est la seule explication... Je vois la réalité en face à présent, je vois ce que tu as fait, et ce que tu es en train de faire !

Il m'a accusée de porter dans mon ventre un « petit nègre ». Il était hors de lui :
— Si tu n'avortes pas, tu ne reverras jamais tes enfants !
— Tu veux que... que je tue l'un de mes enfants ? Pour ensuite pouvoir te disputer la garde des autres ? Mais ce sont tous mes enfants !

Nous étions partis dans une guerre stupide, sur des idées complètement irrationnelles. Il ne voulait pas admettre que, de mon point de vue, mes enfants, tous mes enfants, étaient égaux à mes yeux. Y compris celui que je portais. J'essayais désespérément de le ramener à la raison, de lui faire comprendre l'horreur de ce qu'il me demandait de faire : tuer l'un de mes enfants !

J'en tremblais d'angoisse, et j'essayais aussi de me convaincre que ce n'était qu'un moment d'égarement de sa part, qu'il allait le surmonter. Aucun être humain ne pouvait dire une chose pareille. On ne dit pas à une mère : « Si tu veux garder les autres, tue celui-là ! »

J'étais sûre qu'il en avait parlé à quelqu'un d'autre, pour changer à ce point.
— Steve, est-ce que tu t'es confié à quelqu'un ? Quel est le copain qui prétend savoir ce qui est bien pour tes enfants et mes enfants ?

Pas de réponse.

Et plus d'accord sur la séparation. Nous étions convenus, plutôt que de payer très cher des avocats, de nous partager la garde des enfants, et comme nous n'avions guère de biens, de les répartir au mieux. Il était même allé jusqu'à se procurer un petit guide sur le divorce, avec des conseils sur la manière de s'en sortir sans avocat. Mais il avait encore changé d'humeur et de comportement, il avait pris rendez-vous avec un avocat.

Après son rendez-vous, les choses ont encore évolué. On lui a dit que ce que j'avais fait avec Vili était illégal, que c'était une félonie. Il avait en main à présent une arme gigantesque contre moi. Il parlait de crime, de délit...

– Maintenant tu n'as plus le choix ! L'avocat dit que c'est un crime, si tu ne supprimes pas ce bébé, tu seras accusée de crime, c'est simple !

Dans la confusion totale où je me trouvais, j'ai ri sans comprendre. Je n'étais pas très sûre de saisir la différence entre crime et délit. Il a hurlé :

– Le crime, c'est comme un meurtre !

Ça m'amusait presque :

– Ah oui... Vraiment ?

Je pensais réellement que Steve jouait son dernier atout, et qu'il me menaçait sans plus.

– Et cet avocat a aussi dit que c'était considéré comme un viol, et t'as pas une chance au monde avec ça d'obtenir la garde des enfants, si tu passes devant un tribunal ! C'est la loi !

C'était la première fois qu'il était question de loi.

Je commençais à comprendre ce qu'il avait fait.

– Alors tu es allé voir un avocat, et tu lui as tout raconté ? Tout ?

Il ne voyait pas où était le problème.

– Il a dit que ça resterait confidentiel.

– Bien sûr...

Le comportement de Steve était désormais toujours le même ; il ne connaissait plus que la grossièreté, les insultes, et la violence verbale. Pourquoi les nègres et les autres ne se contentaient pas de baiser leurs propres femmes ? Les gens devraient rester entre eux !

Cette semaine-là, les enfants se sont rendu compte de la tension grandissante qui régnait entre nous. Mary Claire a demandé tout net à son père pourquoi il était « si méchant avec maman ». Steven s'en est pris à son père lui aussi, parce qu'il buvait trop. Une fois, alors que les enfants étaient installés autour de moi sur le divan, il a craché son venin :

– Je vais te dire pourquoi je suis méchant avec ta mère... Ta mère a baisé avec Vili ! Voilà ce qu'elle a fait !

J'étais effondrée qu'il utilise ce terme devant les enfants. Il continuait, en pire :

— Et tu sais où elle l'a fait ? Elle l'a fait dans NOTRE voiture !

Mary Claire a voulu lui rendre la pareille.

— Et toi... t'as baisé Tina !

J'étais abasourdie, j'ignorais qu'elle savait ce que voulait dire ce mot. J'espérais qu'elle l'imaginait comme une sorte de relation avec quelqu'un, sans plus. Mais non.

— Alors papa ? Où est la différence ?

— La différence, je vais te la dire, moi, la différence, c'est que ta mère a un petit nègre dans le ventre, et qu'elle trouve ça tout à fait bien !

Puis la colère et la grossièreté se sont transformées en menaces directes :

— Je vais t'écraser ta sale tête à coups de batte de base-ball !

Et indirectes aussi, mais tout aussi mauvaises :

— Attends... attends seulement que ta famille soit au courant !

Derrière tout cela, il y avait cette obsession maladive de me faire avorter, de se débarrasser de l'enfant. J'étais tout aussi déterminée que lui... à ne *pas* le faire.

C'est lorsque le délai légal a été dépassé que les violences physiques ont commencé...

23

Otage de la violence

Mary

Steve m'a agressée et battue à plusieurs reprises. Une première fois dans la chambre, devant ma petite fille de neuf
ans, il m'a frappée sauvagement dans le dos. Je suis allée à
l'hôpital, où je n'ai pas pu faire de radio à cause de ma grossesse, mais l'examen médical a révélé une fracture de l'os du
bassin. Une autre fois, il m'a frappée vicieusement entre les
jambes, dans la région de l'aine, comme s'il voulait piétiner
ce bébé qu'il ne supportait pas. Vili a découvert l'hématome
une semaine plus tard, je ne pouvais pas le voir moi-même.
C'était un énorme bleu, parsemé de vaisseaux éclatés.

Ensuite, il m'a fait une blessure à la tête derrière l'oreille,
c'est un de mes collègues qui s'en est aperçu. Il m'a aussi
frappée au visage et à la tête, il ne se contenait plus. Les
coups tombaient sans prévenir, au cours d'une discussion,
ou simplement à l'occasion d'un regard qui ne lui plaisait
pas. Je ne pouvais ni fuir, ni me défendre.

Je ne pouvais pas davantage aller me plaindre à la police,
puisqu'il savait tout sur Vili. J'étais devenue l'otage de sa
violence.

Le pire s'est produit un jour où je m'étais réfugiée sur la
terrasse de la maison, pour écrire une lettre dans laquelle je
parlais de son comportement. Il est venu m'arracher le
papier des mains et m'a donné un grand coup de poing dans
le ventre. Je suis tombée à terre, le souffle coupé et souffrant
le martyre, mon fils Steven s'est précipité sur lui en le traitant de singe alcoolique.

Dès qu'il a quitté la maison, j'ai composé le numéro

d'urgence de la police. Ils sont venus faire un constat, la marque du coup de poing sur mon ventre était visible. J'ai vite regretté d'avoir appelé la police, car, à son retour, Steve était encore plus soûl et agressif que jamais. Je me suis précipitée dehors pour le prévenir, lui dire d'aller chez un ami, afin que la police ne l'arrête pas.

– Alors t'as fait ça ! T'as appelé les flics ! Attends...

Il était tellement soûl qu'il avait du mal à articuler et à finir son discours. Il faisait pivoter les roues de la voiture dans tous les sens en manœuvrant comme un fou. Finalement le véhicule m'a heurtée à l'épaule gauche et à la jambe, m'envoyant rouler sur le sol en travers de la route. Pendant que je rampais sur les genoux, j'ai jeté un coup d'œil en arrière et vu qu'il avait arrêté la voiture. J'ai rampé plus vite, regardé encore derrière moi, terrorisée. Il est resté immobile au volant quelques instants, son regard était diabolique. J'ai cru qu'il allait reculer et m'écraser. Mais il est parti en m'abandonnant sur la route avec mes blessures. Par chance, une voisine m'a vue ramper en direction de la maison, et s'est précipitée pour m'aider. Mes vêtements étaient déchirés, je souffrais sur tout le côté gauche, elle a proposé de me conduire au centre de soins le plus proche. Soudain j'ai ressenti une douleur intense dans le bas-ventre, une contraction. Elle a immédiatement changé de direction, pris l'autoroute vers le centre ville, et l'Hôpital central où j'étais suivie régulièrement pour ma grossesse.

L'équipe médicale a réussi à stopper les contractions. On m'a fait subir un examen complet, dont les résultats ont été remis à la police dans le cadre de l'enquête pour « violence domestique », ouverte après mon appel d'urgence. Heureusement j'étais sauve, et le bébé aussi.

Steve n'a jamais été poursuivi, car lorsqu'on a voulu l'interroger sur l'incident, il avait déjà quitté l'État du Washington pour retourner chez lui en Alaska.

Plus tard, devant moi, il a nié complètement en prétendant que j'avais tout inventé. C'était un pur mensonge, ou bien il était tellement ivre qu'il ne se souvenait de rien...

Lorsque j'ai mentionné la voisine témoin de l'incident, l'hôpital et les médecins, il a bien été obligé de reconnaître les faits, à sa manière.

204

– Admettons... mais j'étais vraiment hors de moi à ce moment-là. C'est toi qui m'as rendu fou.

Face à une telle situation, je n'avais qu'une seule personne vers laquelle me tourner. Frère Spitzer. Un prêtre jésuite assistant de l'université de Seattle, de renommée nationale et très respecté par l'Académie. Ma famille connaissait la réputation du frère Spitzer et lorsqu'il est venu s'installer dans le Pacifique Ouest, j'ai saisi chaque occasion d'assister aux services religieux qu'il présidait, l'église était toujours pleine de monde. Il était indispensable que nous allions tous les deux, Steve et moi, lui demander de l'aide. Je pensais que Steve avait grand besoin de parler de sa violence avec quelqu'un. Il nous fallait un conseiller et un arbitre.

Le frère Spitzer a accepté de nous recevoir séparément d'abord, puis ensemble. Je m'y suis rendue la première et, bien qu'il me reçoive dans son bureau à l'université, je me sentais comme dans un confessionnal. Je lui ai tout raconté, mes rapports avec Steve, mes enfants, ma liaison avec Vili, son âge, treize ans, le fait qu'il était un de mes anciens élèves, et le bébé que je portais.

Je me tenais debout la plupart du temps durant cet entretien, car je souffrais encore de ma blessure au bassin. Le frère Spitzer est la première personne à qui j'ai décrit les brutalités de Steve et qui se soit véritablement inquiété de ma sécurité.

Je lui ai expliqué que Steve utilisait deux formes de chantage. Révéler les détails de ma liaison avec Vili à sa mère, à toute sa famille, et même aux autorités de l'école. Et, en même temps, me brutaliser, ainsi que le bébé que je portais.

Le jour approchait où je devrais parler de l'enfant à Soona, mais je ne voulais pas le faire avant plusieurs années. J'avais prévu de le lui amener, lorsqu'il serait devenu un joli petit bambin, et de lui raconter moi-même dans quelles circonstances il était venu au monde.

Le frère Spitzer a compris que les mauvais traitements que me faisait subir Steve étaient destinés à rendre la situation publique, donc à me faire affronter un jour ou l'autre la justice. Il s'est montré catégorique, il ne fallait surtout pas mettre cette affaire entre les mains de la justice. Il a beaucoup insisté là-dessus. D'autre part, il nous déconseillait d'aller voir ensemble un conseiller matrimonial, ou un thérapeute à l'intérieur des frontières de notre État. Si nous exposions notre problème à un conseiller aux États-Unis, nous serions victimes des obligations légales de sa profession, le contraignant à avertir les autorités policières.

En quittant le frère Spitzer, j'avais quelque espoir de régler au mieux notre situation familiale, en privé. Mais cette recommandation a déclenché la colère de Steve car elle allait plus dans mon sens que dans le sien : ne pas prendre d'avocat, ne pas révéler la situation aux autorités. Steve pensait que ce prêtre soutenait inconditionnellement mon point de vue, il croyait même à une conspiration montée par ma famille contre lui. Le frère Spitzer nous a convoqués ensemble, comme convenu, pour faire le point sur notre couple. Sur une feuille de papier, il a tracé deux lignes parallèles représentant les directions que chacun de nous avait suivies sans l'autre. J'ai reproduit le même dessin, en faisant se croiser les lignes à chacune des naissances de nos enfants. Mais le prêtre a hoché tristement la tête :

– Je ne suis pas né d'hier, et ma longue expérience me permet de vous dire une chose, je ne peux même pas prier pour qu'un miracle vous réunisse... Vous êtes bien trop éloignés l'un de l'autre, hélas !

Frère Spitzer était très soucieux des solutions qui s'offraient à moi, il voulait savoir quelle option me semblait préférable. J'ai répondu que je voulais mettre l'enfant au monde, et que j'étais éventuellement prête à envisager la possibilité d'une adoption. Mais mon vrai, mon premier désir était de garder l'enfant, de l'élever dans une famille unie, avec mes autres enfants, et de divorcer de Steve.

– Divorcer, c'est mettre un pied dans la loi. Si vous confiez cette affaire à la justice, les effets seront dévastateurs. C'est un choix qui risque de détruire entièrement votre famille.

Il nous a parfaitement expliqué à tous les deux ce que représenterait la légalité dans une affaire comme la nôtre.

En insistant particulièrement, à l'intention de Steve, sur le fait que l'entretien était a priori destiné à sauver notre famille du désastre, surtout les enfants.

À ce moment-là, j'ai vu que Steve dissimulait mal la haine et le désir de vengeance qui bouillonnaient en lui. Ce n'est pas tant les mots qu'il a utilisés pour répondre au prêtre, mais la rage intérieure qui déformait ses traits. Le prêtre lui demandait de bien peser les conséquences des actions qu'il pourrait entreprendre, il acquiesçait d'un signe de tête à chacune de ses injonctions. Mais en réalité il fulminait, sans se soucier de l'avis de cet homme.

Frère Spitzer avait fait appel à son sens de la logique. Il s'est rapidement rendu compte qu'il n'en avait aucun. Il avait voulu le convaincre d'accepter au moins une coexistence pacifique, un contrat verbal, par lequel il s'engageait à ne plus me brutaliser, ni moi ni l'enfant. Il a cru que Steve avait accepté de se montrer raisonnable. Mais plus tard il a compris que ce contrat verbal était inutile. Je l'ai souvent appelé en pleine nuit, pour lui confier que Steve disait des horreurs sur moi aux enfants, ou bien qu'il m'avait jetée contre un mur, ou qu'il avait arraché une porte de ses gonds. Frère Spitzer lui a parlé à plusieurs reprises, l'adjurant de calmer cette violence, Steve se contentait de répéter :

– Je ne peux pas... je ne peux pas la contrôler.

Tout comme il était incapable de tenir sa parole ! Frère Spitzer a établi par écrit une sorte de contrat qui rappelait à Steve les engagements qu'il avait pris. Ne pas s'attaquer au bébé ou à moi, ne pas rendre la situation publique. Mais il s'inquiétait beaucoup de l'équilibre de Steve, il m'a souvent dit qu'il ne le croyait pas capable de se dominer. Il le décrivait comme une bombe à retardement.

Je n'avais plus qu'à attendre l'heure à laquelle elle exploserait.

Steve me menaçait sans cesse d'avertir mes parents. Cette manœuvre était destinée dans son esprit non seulement à impliquer ma famille, mais aussi à me voir châtiée et condamnée par l'Église catholique... De cette façon, le bébé me serait retiré et serait élevé ailleurs.

Parfois il appelait juste pour m'insulter au téléphone, parfois il rentrait à la maison, visiblement ivre. Et il me racontait ses prétendus entretiens secrets avec ma famille, au cours desquels il leur aurait tout dit.

– J'ai parlé à ta mère et, crois-moi, elle en a des choses à te dire maintenant !

Je savais qu'il n'avait pas encore osé leur parler, j'étais seulement l'otage de sa folie vengeresse. Depuis qu'il avait eu ce rendez-vous avec un avocat, il me torturait sur un plan émotionnel et physique, il avait entamé toute une série de représailles. Je ne pouvais plus aller chercher les enfants à l'école, ni parler à leurs instituteurs. Cela faisait partie aussi de sa stratégie tendant à démontrer que je n'étais pas une bonne mère, soucieuse de ses enfants.

Je résistais, j'ignore comment. Je n'avais pas le choix, et ma vie était un véritable enfer. Par moments, j'avais l'impression de devenir folle, à force de me contrôler en tout. Devant les enfants, en classe, devant lui surtout. Vivre avec la peur constante de la violence physique est plus épuisant que la souffrance elle-même.

Vers la fin novembre, à l'occasion du mariage d'un cousin à Chicago, j'ai pu partir chez mes parents. J'avais l'intention de leur raconter toute l'histoire, je devais seulement choisir le moment, l'ambiance ne se prêtant pas aux confidences de ce genre. C'était aussi une parenthèse dans mon existence sordide. La cérémonie du mariage fut merveilleuse, une de mes amies m'avait donné une très jolie robe, signée Oscar de La Renta. Je l'avais baptisée ma robe Scarlett O'Hara, car elle était noire, semblable à celle que portait Vivien Leigh dans *Autant en emporte le vent*. Elle avait coûté deux mille dollars, et je l'adorais. Elle était parfaite pour ma silhouette. J'avais l'impression de revivre, dans cette ambiance agréable et feutrée, au milieu de gens normaux. J'étais de retour dans le monde de mon enfance et de ma jeunesse. C'était un grand mariage auquel assistaient de nombreux parents. Steve n'était pas venu, j'étais seule. Le samedi après le déjeuner, mon père et ma mère m'ont ramenée à l'aéroport. Père était au volant, maman à ses côtés comme d'habitude, j'étais assise à l'arrière. L'heure était venue de parler.

Père a rompu le silence :

– Il paraît que Steve a quelque chose d'important à nous dire ?

Il avait donc parlé... Probablement du divorce, mais jusqu'où était-il allé ?

J'ai répliqué aussitôt :

– Moi aussi j'ai quelque chose à vous dire, mais je doute que ce soit la même chose.

Nous arrivions à l'aéroport. Je suis descendue de voiture, mais mon père ne m'a pas laissée aller plus loin, il m'a tendu un journal qu'il tenait derrière son dos. Une publication du Milwaukee dans le Wisconsin. Le titre était énorme :

« Un professeur condamné pour de multiples viols sur un élève de seize ans. »

Il y avait à l'époque une énorme controverse à ce sujet, le professeur était marié, l'élève considéré comme « en danger ». D'où venait ce journal ? de Steve ?

– Est-ce que cette histoire a quelque chose à voir avec toi ?

J'ai répondu très honnêtement :

– En fait oui, elle a quelque chose à voir.

J'avais déjà parlé de Vili à mon père, il connaissait non seulement l'existence de mon ancien élève, mais les rapports d'amitié que nous entretenions, et surtout les talents artistiques de Vili. Je lui avais montré quelques échantillons de ses œuvres. Nous avions discuté à cette occasion de la possibilité de le faire entrer au studio Disney. Mon père ignorait l'âge de Vili, mais il savait qu'il était jeune...

– Donc c'est à propos de cet artiste ? Ce jeune dessinateur ?

– Oui.

– Ah oui, je m'en souviens, il est samoan, n'est-ce pas ? Et il est là depuis un moment, non ?

Ma mère ne s'intéressait pas au sujet, elle s'inquiétait surtout de me savoir enceinte de Steve pour la cinquième fois. Lorsque j'ai dit que l'enfant était illégitime, elle a éclaté en sanglots.

Je n'avais vu ma mère pleurer que deux fois dans ma vie. À la mort de mon petit frère. Puis lorsque la liaison extra-conjugale de mon père avait été étalée dans la presse.

Depuis, elle ne cessait de répéter que la seule chose qu'elle avait voulu dans la vie, c'était une famille unie, heureuse. Qu'elle ne supporterait plus le malheur...

Aujourd'hui elle pleurait sur l'enfant que je portais. C'était tout dire !

J'avais révélé à ma mère l'information la plus importante, à savoir que le bébé n'était pas de Steve. Mais je refusais obstinément de révéler le nom du père, et encore moins son âge. Elle était extrêmement choquée par cet aspect du problème. Selon elle, un enfant qui n'a pas de parents – et il en faut toujours deux – est « un enfant qui n'existe pas ». Elle ne parlait pas d'éliminer le bébé bien sûr, car nous sommes catholiques, mais c'était l'attitude sur laquelle Steve comptait, lorsqu'il me menaçait de prévenir ma famille. Car il connaissait la rigueur de ma mère.

Lorsqu'elle n'était pas d'accord avec moi sur un problème important, l'affrontement était inévitable entre elle et moi. Nous n'avions pas la même notion de la liberté de chacun de vivre sa vie en son âme et conscience.

Steve avait eu connaissance d'une histoire de famille, au sujet de laquelle ma mère s'était toujours montrée intransigeante, et qui la rendait furieuse. Il s'agissait d'un ancêtre illégitime de mon père. L'un de mes frères avait fait des recherches dans les archives familiales, et avait découvert comment le grand-père de mon père, donc mon arrière-grand-père, était le fils illégitime du prince Carol de Roumanie. On dit d'ailleurs que mon père est le véritable sosie de cet homme. Et lorsque mon frère Joe a retrouvé une photographie de cet arrière-grand-père, qui nous fascinait évidemment, ma mère ne nous a jamais permis de l'encadrer.

C'était un enfant *illégitime*. On ignore ces enfants-là. Ils n'existent pas. Lorsque les détails de la liaison de mon père sont devenus publics, que les journaux ont révélé qu'il avait lui aussi deux enfants illégitimes, ma mère nous a bien entendu rigoureusement défendu de les voir, et même de leur parler. Après toutes ces années, elle dit encore que si jamais l'un de nous s'y risquait, elle désavouerait tout simplement mon père.

L'illégitimité est plus qu'un scandale dans son esprit, c'est un secret de pierre tombale.

J'ai parlé longuement à mes parents, au point de rater mon avion. Même sans connaître l'âge de Vili, mon père estimait que le « pire scénario » serait que Steve aille trouver la police. Mon père réfléchissait en tant qu'homme. À son avis, tout cela n'avait rien à voir avec la loi, rien à voir avec le divorce. Il était seulement question de l'ego d'un homme qui se sentait bafoué.

Ce dont j'étais moi aussi persuadée.

Ma mère a réfuté les commentaires de mon père, avec mépris. Elle voulait essayer de considérer le problème sur le plan pratique. Elle pensait détenir la solution parfaite : je pouvais prendre un congé à l'école, m'installer dans le ranch familial, mettre le bébé au monde tranquillement, le faire adopter, et retourner ensuite à Seattle, à mes enfants et à ma carrière.

C'est une suggestion que nous avons écartée rapidement. Le plus important était de ne pas laisser cette histoire devenir une affaire publique et légale. Jusqu'à quel point pouvions-nous faire confiance à ceux qui étaient au courant ? Aucune certitude. Ma mère, qui a toujours été très réaliste, estimait que je devais en parler à Vili.

– C'est un jeune homme, Mary, tu devrais savoir qu'il peut s'en vanter auprès de ses amis... ou se confier à quelqu'un d'autre...

– Maman, j'espère seulement que, s'il en parle à quelqu'un, il le fera en bonne connaissance de cause, Vili n'est pas le problème, c'est Steve... c'est lui qui peut faire tout éclater.

Pendant le voyage de retour, j'ai écrit une lettre à Vili, mettant l'accent sur la gravité de la situation actuelle. C'était une véritable torture d'être obligée de l'avertir ainsi des dangers, de lui faire subir une telle pression, car j'avais foi en lui. Il ne devait pas s'occuper de ce qui se passait à la maison. La violence de Steve, le divorce, rien ne le concernait. Je ne voulais pas qu'il se sente responsable de quoi que ce soit. J'ai achevé ma lettre, par une toute petite phrase :

« Consacre-toi à tes études, c'est cela qui est important. »

Ce qui voulait dire aussi : « Je t'aime. »

Quelque temps plus tard, nous étions au téléphone, et

Vili m'a posé l'une de ces questions dont il avait le secret, et qui donnait à réfléchir :

– Tu vis pour quoi ?

– Je ne peux pas répondre comme ça, je vis pour beaucoup de choses, je te les dirai plus tard.

Alors cette nuit-là j'ai écrit toutes mes raisons de vivre, l'aube pointait à ma fenêtre lorsque je l'ai rappelé. J'ai lu pour Vili, avec parfois des larmes dans les yeux.

Je vis pour quoi ?
Pour la vie elle-même qui est un cadeau
Pour voyager, trouver le réconfort des anciens lieux sacrés
Pour la belle musique
Pour le chœur des enfants à l'église
Pour l'art
Pour la danse, la nature, la création, les couleurs
Pour mon bel océan
Pour ses horizons infinis qui me parlent des cieux
Pour m'imprégner de sa puissance
Écouter son histoire
Courir en liberté le long de ses plages
Chevaucher ses vagues, sentir son parfum de brume
Pour le rire des enfants
Leur amour toujours présent
Pour la tendresse
Pour les regards
Pour voir, tout voir
Ne plus savoir où regarder
Pour sentir le rythme
Le rythme d'un battement de cœur
Des saisons qui naissent et qui meurent
Le rythme de la danse
Le rythme des corps dans l'amour
Pour m'abreuver à la douce orange
Au beurre de l'avocat
Au cœur de l'artichaut
Mordre dans le kiwi sur l'arbre
Dévorer le poulet
Les pâtes fraîches
Grappiller le raisin

Le doux chocolat noir
Et le bon lait glacé
Crouler sous les livres
Partager le savoir
Voir les enfants du ghetto
Faire des châteaux de sable
S'éclabousser de soleil
Parler de la belle vie
Toujours écouter la sagesse
De celui qui jadis me tint par la main
Et me donna la force
De faire face à la vie
M'éveiller par des matins calmes
Doucement alanguie
Les longs jours d'été
M'étonner des lueurs du couchant
Annonçant des nuits sans fin
D'amour de musique et de jeux
Prier pour l'espoir
Prier de gratitude
Pour chaque main rencontrée
Pour que chaque jour qui passe
Offre toutes ses richesses
Malgré tous les trésors de la vie
C'est pour ton amour que je vis.

Il m'avait écoutée en silence. Ce silence a duré. Puis il a murmuré :

– Oui. La vie, c'est ça.

24

Le portrait

Mary

Mes relations avec Vili étaient paisibles, sincères, amicales, malgré son envie d'« aller jouer ailleurs ». Je voulais comprendre ce qu'il attendait de moi, et s'il m'était possible de le lui offrir. Nous discutions tous les soirs au téléphone, on se voyait surtout après l'école. J'étais convaincue qu'il viendrait à bout de cette crise, pourtant, il avait parfois des bouffées d'angoisse et me disait : « Mary ne me quitte jamais ! » Je ne comprenais pas pourquoi il éprouvait un tel sentiment d'insécurité. J'étais toujours présente pour lui. C'est durant cette période que nous nous sommes profondément attachés l'un à l'autre, en douceur et tout naturellement. Nous faisions beaucoup de choses ensemble. Certains jours, lorsque je devais aller à l'hôpital pour ma grossesse, Vili m'accompagnait. Ces rendez-vous chez le médecin nous accaparaient des après-midi entiers. Il nous est arrivé de les oublier et d'aller dîner en ville, de boire un café au Starbuck, ou de visiter la cathédrale. Nous aimions prendre le temps de visiter une galerie d'art, de regarder le monde, les gens, le ciel, ou bien nous nous occupions de la bourse de Vili, car les cours allaient commencer.

Un soir, vers la mi-janvier, je suis allée le chercher à l'école. Il avait réalisé une étude de nu en atelier, et il m'a fait rire en me racontant la séance de pose. Il était d'humeur à dessiner et voulait continuer.

– Je veux dessiner ton corps nu. Pose pour moi.

J'ai garé la voiture dans un endroit tranquille, près d'un centre commercial, l'un des plus grands de Seattle. Tout était fermé, à cette heure-là, la lumière d'un lampadaire devait servir d'éclairage à Vili. Les vitres de la voiture, légèrement fumées, nous mettaient à l'abri d'un improbable regard extérieur.

Je me suis déshabillée, j'ai arrangé mes vêtements pour confectionner une sorte de lit sur les sièges. Dehors il faisait froid, mais à l'intérieur nous étions bien. Je me suis allongée, et il s'est mis à travailler. C'est émouvant, de poser nue pour celui qui vous aime. Ce fil tendu qui relie l'artiste au modèle est si proche de l'amour. Pendant qu'il dessinait, je plaisantais sur son modèle de l'après-midi, un homme, qu'il avait représenté avec d'étranges déformations physiques, essayant de deviner quelles monstruosités il allait ajouter à mon corps, mais il ne souriait pas, il était profondément concentré sur mon corps et son travail. Je me sentais l'objet d'une double passion.

Un an plus tard, nous sommes allés voir *Titanic*. Dans une des scènes le jeune homme dessine sa jeune amante de la même façon. C'était comme une réplique de notre soirée dans la voiture.

Nous sommes restés là jusque vers minuit. De toute façon, quelle que soit l'heure à laquelle je rentrais, Steve n'était jamais satisfait. Il se mettait en colère au moindre prétexte. Notre relation en était arrivée au point où, quoi que je fasse, cela ne changerait rien. Je résistais à ses sautes d'humeur autant que possible, pour mes enfants et pour ma maison. Parfois il tapait sur la poche de son pantalon d'un air sadique :

– Je peux faire de l'argent en vendant cette histoire, tu sais ? Un million de dollars, c'est facile ! Et je sais ce que je ferais du fric !

– Et les enfants ? Tu penses à eux ? Tu crois qu'ils n'en souffriraient pas ? Ce serait une catastrophe pour eux !

Pour toute réponse, il tapotait de nouveau sa poche, faussement sûr de lui et persuadé qu'il avait prise sur moi :

– Je m'en moque complètement ! Le pire, je connais déjà !

Steve est parti une semaine à Mexico, avec sa nouvelle petite amie. Quel soulagement, pour Vili et moi, de le savoir au loin ! C'était l'anniversaire de Soona, j'étais invitée à une petite cérémonie dans leur église samoane. Ma grossesse commençant à se voir, j'ai décidé de m'y rendre avec ma fille Jacqueline, afin d'éviter tout commentaire. Elle me servirait en quelque sorte de paravent en se tenant devant moi à l'église, et je garderais mon manteau fermé. Il y avait un repas après la cérémonie, Soona m'y avait conviée, mais j'ai décliné son offre, par crainte de devoir ôter ce manteau. En outre, elle aurait pu me demander qui était le père du futur bébé, et je n'étais pas prête à le révéler. Pas encore.

Le lendemain, Steve étant absent et la maison ayant sérieusement besoin d'être nettoyée et rangée, j'avais décidé de m'y atteler, mais j'avais besoin de quelqu'un pour m'aider. Mon aspirateur était cassé, Soona m'a proposé de me prêter le sien, je suis donc allée le chercher avec Vili. À ce moment-là sa mère l'avait déjà interrogé pour savoir s'il y avait quelque chose entre nous, mais je l'ignorais. Elle nous a raccompagnés jusqu'à la voiture, où elle a fait un petit signe de la main pour nous saluer, en disant simplement :

– Oh! vous deux...

Elle se doutait de quelque chose. Il fallait que je lui parle du bébé. Elle avait le droit de savoir, et moi le devoir de l'en informer. Mais je n'en ai jamais eu le temps...

Steve était rentré de Mexico furieux parce que j'avais emmené Jacqueline à l'église samoane et que Vili était venu à la maison m'aider à passer l'aspirateur. Je lui avais expliqué que j'avais besoin d'aide : la maison était en bazar, la moquette arrachée, les portes abîmées... J'étais incapable de le faire seule, il avait bien dû se rendre compte du travail que nous avions effectué pendant son absence. Mais il s'en moquait. Comme il se moquait que je voie Vili ou non. Simplement, il ne voulait pas que les enfants le rencontrent. Nous en étions convenus, et j'avais osé emmener Jacqueline à l'église! Est-ce la cause principale des événements qui allaient suivre? Je n'en suis pas sûre. Mais l'horreur allait commencer.

Le deuxième jour après le retour de Steve, j'ai reçu un coup de téléphone de Vili à l'école. J'étais surprise car il avait appelé dans le bureau du conseiller pédagogique, et j'ai dû prendre la communication sur place. C'était urgent :

il venait de terminer un poème pour moi, et il voulait absolument me le lire. « C'est la plus belle chose que j'aie écrite pour toi », disait-il.

Sa voix était douce. Il a lu les vers lentement, tandis que j'écoutais, debout dans le bureau, la gorge serrée d'émotion.

Pour vivre je veux ton amour à jamais
Je ne vis que pour ton bonheur à jamais
Les aigles enserrent mon âme et je suis plein de vie
Quand la vie est ainsi, rien ne sert plus de vivre
J'entends la musique, elle accompagne l'aube
Je pleure pour que ton âme me revienne tout entière
Je rêve d'un lieu de paix pour nous et tes enfants
Je crains la jalousie qui toujours nous poursuit
Je sais ta passion d'enseigner et d'aimer
Je chante, heureux que se lève un nouveau matin
Je veux livrer bataille aux démons
Je te jure mon amour, sur mon âme et mon cœur
Je te donne mon amour, mon amour fou
De l'aube au crépuscule et à la nuit
Nous serons toujours ensemble
Pourvu que tu le veuilles.

Je pleurais au téléphone.

– Je viens juste de le finir, Mary ! C'est pour toi, je voulais te le lire maintenant.

Le lendemain, le monde s'est effondré autour de nous. J'étais à une réunion de travail à l'école, je devais aller chercher mes deux plus jeunes enfants à 5 heures pour libérer la baby-sitter. Il était déjà 4 heures et demie. Je me suis excusée auprès de mes collègues, j'étais pressée, je n'avais même pas le temps d'emporter du travail à la maison. J'ai pris mes clés et j'ai filé. Il me fallait au minimum un quart d'heure pour arriver à la maison, ce serait juste. Soudain je me suis rappelé que je n'avais pas vérifié ma boîte aux lettres de toute la journée. J'ai fait un détour rapide par mon bureau avant de rejoindre ma voiture, au cas où il y aurait un message important. Je suis tombée sur Anne Johnson, le proviseur de l'école, en compagnie d'une inconnue.

– Ah ! Mary ! justement nous vous cherchions. J'aimerais vous présenter Pat Maley.

La femme s'est immédiatement adressée à moi sur un ton autoritaire :

– Par ici, s'il vous plaît. Je pense que vous savez de quoi il s'agit ?

Sur le coup j'ai pensé : « Non, absolument pas. Qui est cette femme ? »

Mais le ton était si sévère, que j'ai commencé à comprendre. Non... ce n'était pas possible, ça ne pouvait pas être ça !

Madame le proviseur avait adopté une attitude très officielle :

– Nous avons quelques questions à vous poser.

Je me faisais du souci pour mes enfants, j'ai demandé la permission de téléphoner à la baby-sitter qui m'attendait chez elle. En réalité j'avais besoin de passer deux coups de fil. Le premier à Vili, pour savoir ce qu'il avait dit et à qui. Le second à la baby-sitter.

Le numéro de Vili était occupé. J'ai rappelé sans arrêt, en vain. J'ai appelé Steve à son travail. Il n'y était pas. J'ai laissé un message à son supérieur, demandant que Steve aille chercher les enfants. Je ne m'affolais pas vraiment, mais je devinais que les questions de cette femme allaient prendre un certain temps.

Je m'apprêtais à refaire le numéro de Vili, lorsqu'elle est entrée dans le bureau avec le proviseur. Cette fois, elle s'est présentée sèchement :

– Je suis l'inspectrice Pat Maley. Suivez-moi, que nous procédions à cet interrogatoire ailleurs.

Elle n'a pas précisé où se trouvait cet ailleurs. Il s'agissait probablement du poste de police ; quoi qu'il en soit, je ne pouvais qu'obéir. Elle se comportait avec courtoisie, mais le ton était cassant.

Nous sommes allées jusqu'à sa voiture, banalisée. Je m'y suis assise, elle a pris le volant, et là, elle m'a lu mes droits :

– Vous avez le droit de garder le silence...

Puis elle m'a demandé si j'avais bien compris ; j'ai acquiescé.

Pendant que la voiture roulait, mon cerveau avait du mal à réaliser ce qui se passait. Pourrais-je retourner à l'école après l'interrogatoire ? Et mes cours du lendemain ? Mes élèves ?

Plus tard, dans le rapport de police, cette inspectrice a noté mes questions d'une manière tendancieuse. J'aurais *demandé si je pouvais encore avoir du travail.* Elle n'a pas compris, ou n'a pas voulu comprendre, que mon souci, à ce moment-là, concernait uniquement ma classe et mes élèves.

Depuis le poste de police elle a téléphoné à la baby-sitter, pour la prévenir de mon retard. C'était plutôt bon signe. Cela signifiait que l'on n'allait pas me mettre en prison immédiatement. J'ignorais encore tout des procédures. Je n'avais pas peur, j'étais seulement dans l'incertitude quant au sort que l'on me réservait. Je me faisais surtout du souci pour Vili, et j'ai voulu savoir si sa mère était au courant. Si oui, Soona allait lui donner une sévère correction. L'inspectrice m'a répondu qu'elle savait.

– Est-ce que Vili va bien ?

– Il va bien. Je comprends votre inquiétude, nous sommes nous aussi inquiets pour lui.

Je m'inquiétais surtout de la réaction de sa mère. Et s'il ne rentrait pas chez lui ? S'il faisait une fugue ?

– Je vous répète qu'il va bien. Tout à fait bien.

Le ton signifiait que je me mêlais de ce qui ne me regardait pas. Mais je n'avais nullement l'intention d'abandonner le sujet ; je voulais lui prouver que cela me concernait, au contraire. Elle s'est montrée sarcastique durant tout l'interrogatoire, qui a duré une heure.

– S'il y a eu relations sexuelles, il s'agit du viol d'un mineur.

L'air de dire : « On vous a coincée. »

– Après tout, il vous reste quelque chose de lui. Vous portez son enfant.

Mordante, cette fois, et méprisante.

Elle voulait me faire avouer que je m'étais rendue coupable de viol. À ce moment-là, je me fichais complètement d'avouer ou non, simplement je ne voulais pas aller à l'encontre des déclarations de Vili. Et j'ignorais ce qu'il avait dit. S'il avait avoué notre liaison, je l'avouerais aussi. Qu'elle l'appelle comme bon lui semble, quelles qu'en soient les conséquences, je m'en moquais.

– Soona désirerait que vous plaidiez coupable. Si vous plaidez coupable, elle n'aura pas à venir témoigner avec sa famille. Vous bénéficierez d'un programme de soutien psychologique, et personne d'autre ne sera impliqué.

Un soutien psychologique ? Comme pour les alcooliques ? Les violeurs ?

– Si vous plaidez non coupable, en revanche, il y aura un procès, les médias s'en mêleront, ça peut devenir très compliqué.

J'ai cru comprendre que, si je plaidais coupable, il n'y aurait pas de procès ; si j'avouais, je « bénéficierais » de leur programme de soutien psychologique, Vili et sa famille ne seraient pas inquiétés, mes enfants non plus.

Maley m'a ramenée à l'école. Curieusement, elle me donnait l'impression d'être jalouse. Je ne sais quel autre terme employer. Il y avait tant de sarcasmes dans ses propos :

– Je crois savoir que Vili vous a donné une bague. Alors ? Dites-moi, où est-elle ?

Je n'allais sûrement pas l'aider ! Il était hors de question qu'elle emporte quoi que ce soit nous appartenant.

– Je l'ignore. Peut-être à la maison, dans la salle de bains. C'est là que j'ai dû l'oublier.

– Bien... Pourquoi lui ?

Comment ça pourquoi lui ? J'ai répété sa question lentement, avec détermination.

– Pourquoi lui... Pourquoi lui... Alors comme ça, je passe pour le grand méchant loup ?

C'était incroyable de poser une pareille question ! Elle me prenait vraiment pour une sorcière perverse aux grandes dents qui aurait soigneusement choisi sa proie !

Jalouse n'était peut-être pas le mot juste, finalement. Si elle avait seulement pris le temps de parler avec Vili, elle aurait compris qu'il n'avait rien d'un pauvre gosse sans défense.

– C'est une question personnelle, ce « Pourquoi lui ? », ou ça fait partie de l'enquête ?

– C'est une question personnelle.

Voilà qui était clair. Elle n'avait rien cherché à comprendre.

J'ai croisé l'une de mes amies et collègue de l'école, Beth Adair. Je lui ai demandé de m'héberger quelque temps.

Maley devait aller chercher quelques affaires chez moi, où je ne voulais pas retourner tout de suite. J'avais besoin aussi de contacter Vili, malgré la défense formelle de Maley : « Aucun contact, de quelque nature que ce soit. »

Je savais qu'il avait dû appeler sur ma ligne, car nous avions rendez-vous à une heure précise chaque soir. Si l'un de nous ne pouvait pas joindre l'autre, parce qu'il y avait du monde autour de nous, nous avions un code. Laisser sonner et raccrocher. Une sonnerie pour « Je t'aime ». Deux sonneries pour « J'ai besoin de toi ».

Ce soir-là j'ai essayé d'expliquer à Beth ce qui s'était passé. Elle savait déjà que j'étais enceinte, et que le père était un autre homme que Steve. Elle savait aussi que j'étais intime avec un Samoan, avec qui j'avais suivi des cours tout l'été aux beaux-arts. Elle ignorait qu'il s'agissait de Vili.

Beth estimait qu'il valait mieux que je reste chez elle pour la nuit, mais je mourais d'envie de passer chez moi pour entendre mon « Je t'aime ». Elle a fini par me convaincre, et j'ai appelé Steve tard dans la soirée, juste après l'heure du rendez-vous téléphonique. Avant de le laisser parler, j'ai posé la question :

— Le téléphone ne vient pas de sonner à l'instant ?
— Si. Pourquoi ?
— C'était moi, j'ai cru que je m'étais trompée de numéro.

Je l'avais, mon « Je t'aime ».

La conversation avec mon mari a été brève. Je voulais qu'il sache que, puisque la police était informée, il n'avait pas intérêt à me maltraiter davantage.

— C'est fini, maintenant, tu ne me toucheras plus !
— Je sais. L'inspectrice me l'a dit. Mais je te signale qu'elle m'a aussi dit qu'elle me comprenait...

À mon tour de comprendre, avec amertume, que la police semblait lui accorder son pardon. Il a ajouté, d'un ton évasif :

— Ce n'est pas moi qui les ai prévenus... Je voulais que tu le saches.

Je pouvais lui faire confiance là-dessus ! J'ai riposté :
— Steve, ça n'a plus d'importance.

Et j'ai raccroché. En dépit de tout, de la police, de lui, j'avais eu le message que je voulais : le « Je t'aime » de Vili.

Avec Beth, nous avons discuté de la situation jusqu'à 3 heures du matin, puis je suis rentrée chez moi. Mon père a appelé à ce moment-là. Il a simplement demandé :

– De quoi as-tu le plus besoin, de moi ou de la voiture ?

Mon père avait deviné que Steve s'était proclamé unique propriétaire du break familial et refusait que je m'en serve. Je devais rester confinée à la maison, sans moyen de transport.

– Les deux, papa.

J'ai emmené les enfants à l'école le lendemain matin. Ils étaient surpris de me voir ; ils s'attendaient à ce que je sois en prison, ou chez Beth. Je les ai avertis que leur père n'avait pas compris ce qui s'était passé, que ce n'était pas grave, que tout irait bien, et que je ne les quitterais pas.

Pourtant, j'étais dans l'incertitude quant à la suite des événements. J'étais à la fois optimiste, inquiète et ennuyée pour mes élèves. J'ai su un peu plus tard que les parents avaient été convoqués à l'école pour une explication me concernant. Dieu sait quel genre d'explication on avait pu leur fournir ! Je ne voulais plus y retourner. Je me suis dit que je resterais désormais à la maison, avec mes enfants, et que je m'occuperais de leurs devoirs. Ils ne pouvaient pas avoir de meilleur répétiteur que moi.

J'ai dormi une bonne partie de la journée, et Steve n'est pas allé travailler. Nous avons discuté âprement du divorce. Lorsqu'il a décidé d'aller voir son avocat, je lui ai proposé de l'accompagner. J'ignore pourquoi, la maison me faisait une impression étrange, presque surnaturelle, et je ne voulais pas y demeurer seule. J'avais besoin de quelqu'un, et il n'y avait que Steve à proximité. Il s'est indigné, protestant de ce que je n'avais pas à venir avec lui chez son avocat.

– Je me sens mal, ici. Si tu veux, je resterai dans la voiture pendant que tu iras lui parler.

Il s'est laissé convaincre. Sur le chemin il s'est même arrêté pour me chercher un café ; j'ai dormi dans le break pendant qu'il discutait du divorce.

En quelques jours les enfants ont été envoyés ailleurs. Les deux aînés sont partis au Canada, les plus jeunes à la campagne chez un de nos amis. Je les ai rassurés de mon mieux avant le départ. Tout irait bien, nous allions nous revoir.

J'éprouvais un immense sentiment de vide. Je l'éprouve encore. Je suis amputée de mes enfants.

La police et les autorités de l'école m'avaient interdit de voir mes élèves, interdit de voir Vili. Je ne comprenais pas pourquoi. J'ai interrogé l'inspectrice Maley, qui m'a répondu :

– Vous ne comprenez pas qu'il est la victime et vous l'auteur du délit ?

– Non. Je ne comprends pas. Ce que je comprends, c'est qu'il existe une loi qui nous défend d'avoir des relations sexuelles.

– C'est bien ce que je pensais, vous ne comprenez que cela !

La réponse était insultante. Elle insinuait que je me mettais au-dessus de la loi.

Je me suis toujours sentie frustrée avec Maley. Pour moi, elle en faisait une affaire de femmes. J'étais professeur, séduisante, ça ne lui plaisait pas, le ton de sa voix le disait en filigrane. Il m'a semblé qu'elle outrepassait, par son comportement, sa fonction d'officier de police. C'était une femme qui en jugeait personnellement une autre plutôt que selon les termes de la loi. Ça s'est passé ainsi à la minute où elle m'a vue ; elle tenait une ennemie, elle ne pouvait pas laisser passer ça !

J'ai reçu des lettres de mes élèves, durant les jours et les semaines qui ont suivi. Beth me les rapportait deux fois par semaine. Ils m'y racontaient que l'école avait ouvert une cellule d'aide psychologique après mon départ, pour tous ceux qui pourraient en avoir besoin. J'avais donc perturbé beaucoup de monde !

Je supportais mal de ne pas être à ma place parmi eux, j'espérais qu'ils allaient se souvenir de leur programme, car je n'avais même pas le droit de parler à ma remplaçante. Ça non plus, je ne parvenais pas à le comprendre.

Une amie m'a dit que j'avais besoin d'un avocat, et que je pouvais me confier à David Gehrke, un voisin. Je ne pensais pas avoir besoin d'un avocat. J'avais décidé de plaider coupable pour l'accusation de viol, je n'imaginais pas que l'affaire puisse devenir publique. C'est ainsi que l'inspectrice m'avait présenté les choses.

– Si vous plaidez coupable, à la demande de la famille de Vili, vous suivrez le programme d'aide psychologique et il n'y aura pas de procès.

Mon père est venu avec la voiture, qu'il m'a ensuite laissée pour que je dispose d'un moyen de locomotion. Ça m'a fait un bien fou de le voir. Je lui ai expliqué comment j'avais l'intention de plaider, et, dans mon enthousiasme, j'ai ajouté que j'apprécierais de recevoir une aide psychologique. Après tout, j'allais divorcer, commencer une nouvelle vie, devenir mère célibataire. J'espérais que le psychologue m'aiderait à m'en sortir au mieux. Enfin, c'est ce que je songeais. Puisque j'avais besoin d'aide psychologique, j'allais m'en servir ; d'ailleurs, la cour ne me laissait pas vraiment le choix.

On ne m'a jamais dit, jamais, que je ne pourrais plus voir mes enfants, ou que je devrais renoncer à eux. Personne n'en a parlé, ni dans les conversations avec mon avocat, ni au cours des interrogatoires avec l'inspectrice Maley. Si quelqu'un avait sincèrement abordé la vérité, j'aurais bondi de fureur, je me serais battue autrement. Tous les deux m'ont prévenue que la procédure de délit sexuel serait dure, et je pensais : « Oui, évidemment, mais on n'impose pas une aide psychologique à quelqu'un de sensé pour un délit qui n'existe pas. Ils comprendront. »

Non. On ne comprenait pas ma relation avec Vili.

Si j'avais soupçonné que l'on me priverait de mes enfants, j'aurais franchi la frontière avec eux. J'aurais appuyé sur la pédale, très vite, et adieu ! Bien avant que l'on m'accuse, et bien avant de plaider coupable. Coupable de quoi ? D'amour ?

Avant d'être prise au piège, j'aurais sauté dans le premier avion avec mes enfants.

On m'a alors expliqué que j'aurais dû m'exiler avant la mise en accusation, afin de ne pas risquer l'extradition. J'étais furieuse. Si j'avais pu appréhender tous les méandres du piège qui m'attendait, si j'avais su que mes enfants allaient souffrir, je n'aurais pas eu d'autre choix pour les protéger que de disparaître avec eux.

25

Interrogatoire

Vili

Les flics se sont pointés à l'école pour venir me chercher. J'avais séché un cours, pour aller fumer dans les toilettes, en sortant je suis tombé sur la principale, Mme Bailey, et une autre femme que je connaissais pas.

– Oh! Vili! justement nous te cherchions.

Merde. J'allais me faire gauler pour avoir séché le cours.

On s'est tous retrouvés dans le bureau du conseiller d'éducation, à côté de celui de la principale. Ça avait l'air sérieux. J'attendais que les emmerdements me tombent dessus. Et voilà que cette bonne femme dit qu'elle est inspectrice. Là, je me demande ce que j'ai bien pu faire... Un truc que j'aurais oublié, ou alors j'ai pas eu de bol, on m'aura vu fumer aux alentours de l'école... Je pensais vraiment qu'elle était venue me coincer pour un truc de ce genre, mais la voilà qui me balance aussi sec de pas me faire de souci et que j'ai pas d'ennuis...

Là, je me demandais encore plus ce qui se passait. J'ai bien pensé à Mary, mais sans y croire vraiment, jusqu'à ce qu'elle me demande :

– Tu connais Mme Letourneau?

Évidemment... Voilà pourquoi elle était là.

Ça m'a scandalisé. Je connais pas de plus grand mot pour le dire : scandalisé! Cette espèce de tordue de flic, ce rat humain avec ses petits yeux vicelards, ses grandes oreilles et son nez de fouine! Elle posait la question mine de rien : si je connaissais Mary!

– Ouais.

Et elle raconte qu'elle est déjà au courant de notre liaison, et de toute l'affaire sexuelle.

Putain, j'avais la trouille ! Je savais que Mary pouvait aller en prison, à cause de notre différence d'âge.

La flic a dit qu'elle s'appelait Maley, et elle s'est mise à faire la gentille avec moi, polie et attentive, comme si j'étais malade. Elle m'a emmené comme ça, dans sa voiture, jusqu'au poste de police du centre ville. Elle avait même pas prévenu ma mère ni rien, et pendant le trajet elle s'est mise à vouloir discuter de « mon cas » et à me demander des trucs du genre : « Est-ce que Mary t'a manipulé ? », « Est-ce qu'elle t'a forcé à faire des choses avec elle ? » J'avais beau lui dire qu'il y avait rien de tout ça dans l'histoire, elle marmonnait et elle arrêtait pas de m'interroger. Elle voulait absolument que Mary m'ait forcé à faire l'amour. Et moi je répétais : « Mais non... Non... et non. »

Elle me traitait comme un gosse de cinq ans ! Elle me parlait comme à un môme ! J'aimais pas ça du tout. Elle se foutait de moi ou quoi ?

On est arrivés au poste, on s'est assis dans son bureau, et là elle a téléphoné à ma mère pour tout lui raconter sur Mary. Elle en débitait, des conneries ! Et moi je me disais : « Gagné ! Merci, salope ! Merci ! Grâce à toi je vais me faire botter le cul à la maison. »

Après ça elle a demandé si je voulais rentrer chez moi, ou qu'on m'emmène quelque part ailleurs. J'ai répondu ailleurs, je voulais pas rentrer à la maison. Après ça, elle a dit qu'elle me ramènerait quand même chez moi, mais qu'elle avait encore quelques questions à poser à ma mère. Elle les a posées. Pendant ce temps-là je me demandais ce qui s'était passé. Qu'est-ce qui avait bien pu arriver à Mary ? J'étais vachement inquiet que Mary ait fait une connerie, se suicider ou un truc comme ça.

La flic Maley avait bien vu que ça m'embêtait qu'elle ait appelé ma mère, alors elle a dit que si elle me battait elle aurait des problèmes, donc qu'elle n'avait pas intérêt à me toucher. Ouais... super ! Encore merci !

Après son coup de fil, elle a demandé si j'avais faim, et

elle m'a emmené dans un restaurant chinois. Là, elle a commencé à me raconter qu'elle avait déjà eu à s'occuper de cas de mineurs comme le mien. Puis elle a dit :

– Est-ce que tu veux que tout ça s'arrête ?

Là, j'étais pas sûr de ce qu'elle voulait dire. Que s'arrête ma liaison avec Mary ou qu'elle arrête de me gonfler avec ses questions ? Alors j'ai répondu : « Ouais. » Au hasard. Je savais plus où j'en étais, et ce qui attendait Mary.

On mangeait, elle était en train de poser encore des questions sur Mary, et tout à coup elle demande un truc complètement bizarre.

– Est-ce que tu pourrais avoir une relation avec une femme comme moi ?

Alors là... j'ai seulement répondu que je savais pas... J'aurais bien dit carrément : « Non », mais je voulais pas la mettre en rogne. Après ça on est retournés à son bureau.

Chaque fois que j'essayais de lui expliquer ma liaison avec Mary, elle m'interrompait :

– « Incident » avec Mary.

Elle voulait pas du mot « liaison ». Mais ça voulait dire quoi « incident » ? On a un incident, avec une femme ? Elle tournait comme ça autour de petits détails, et à un moment elle a demandé :

– Est-ce qu'elle a essayé de t'enlever tes vêtements ?

– Je me rappelle pas.

J'en avais marre. Je voulais plus parler à cette femme, plus rien lui dire. Mais elle continuait :

– Est-ce que Mary t'a forcé à faire quelque chose ?

– Non.

– Sais-tu ce que signifie « rapports sexuels » ?

– Ouais.

– Combien de fois l'as-tu fait avec Mary ?

– Six.

Ça me paraissait un chiffre raisonnable. J'ai pas dit zéro, parce que Mary était enceinte et qu'ils auraient fait un test pour savoir de qui était le bébé. Mais je lui ai pas dit la vérité non plus, la vérité, c'est entre deux et trois cents fois. Parce que j'avais peur qu'on lui colle des charges en plus, et qu'on l'enferme pour le restant de sa vie. Je savais que c'était déjà sérieux, mais si notre liaison n'avait pas l'air normale pour les autres, alors là, ça deviendrait vraiment grave pour elle.

Six, je trouvais que ça avait l'air normal, moi.

Pendant quatre, cinq, peut-être six heures je suis resté là à me faire chier avec cette flic. J'aurais voulu être ailleurs, j'en avais marre qu'elle me pose tout le temps les mêmes questions sur les mêmes trucs. J'en suis arrivé au point où je regrettais presque d'avoir sauté Mary. J'étais mal, je commençais à me sentir coupable de tout ça. Je me disais : « Si seulement je pouvais remonter le temps, j'aurais plus jamais l'idée de baiser mon prof. J'y penserais pas une seconde ! » Après toute cette salade avec la flic, ça m'a passé. Je regrette pas. Mais sur le moment... merde ! j'en pouvais plus.

J'ai commencé à dessiner n'importe quoi sur du papier, un ange, parce qu'à ce moment-là j'étais fana des anges, et quand j'ai eu fini la flic Maley a dit que ça lui plaisait beaucoup et elle l'a accroché dans son bureau. Maintenant elle doit raconter à tout le monde qu'elle est mon amie ! Tu parles d'une amie !

Elle a fini par me ramener chez moi. J'ai foncé en direction de ma chambre. Et voilà ma mère qui rentre et qui vient tambouriner à ma porte.

— Bouddha, tu es là ?

— Ouais... quoi ?

— Comment, quoi ? Sors de là en vitesse ! TOUT DE SUITE !

Putain ! j'avais peur, autant que de sauter par la fenêtre et de me tirer. En même temps je me suis dit que ça servait à rien d'essayer de lui échapper, alors j'ai ouvert ma porte. Maman ne m'a pas tapé dessus, non, elle a dit :

— On va faire un tour.

On est allés faire un tour en voiture du côté de notre église, et elle a commencé à poser des questions sur Mary. Encore les mêmes saloperies de questions que chez les flics. Ça me portait salement sur les nerfs. J'avais envie de mourir, ce jour-là.

Je répondais pas, je voulais rien dire du tout.

— Est-ce que Mary t'a forcé ?

228

J'arrêtais pas de grogner :

– Je veux pas parler de ça... Je veux pas parler de ça... Je veux pas... Je veux pas...

Et elle arrêtait pas de demander :

– Pourquoi? Pourquoi? Pourquoi?

Quand elle a demandé si le bébé était de moi, j'ai dit oui. Ça l'a complètement paniquée. J'ai cru qu'elle allait m'en coller une, mais elle l'a pas fait. On est rentrés à la maison, j'ai filé dans ma chambre. Et tout le monde était là, mais personne s'est occupé de moi. Maman leur avait rien dit, mais quand le portrait de Mary est passé à la télévision et qu'ils ont vu de quoi elle était accusée, ils ont commencé à se douter de quelque chose. Tous mes cousins ont téléphoné :

– Hé! Vili! C'est toi qu'as baisé la prof?

Moi je répondais non, et je raccrochais.

Le jour suivant mon grand-père est mort. Tout le monde était triste, et ils m'ont fichu la paix parce qu'ils étaient trop occupés à préparer les funérailles. J'aurais pu dire merci au grand-père, si j'avais pas été si triste moi aussi, parce que ça m'a soulagé qu'on me laisse seul.

Un peu plus tard, on a eu un rendez-vous chez un conseiller du service social, et je leur ai dit que j'allais me flinguer, rien que des conneries comme ça, genre j'étais suicidaire. Le conseiller a dit :

– On ne peut pas te laisser avec de telles idées en tête.

Alors après ça je suis resté à la maison, je faisais que dormir, manger et fumer. Tout le monde était malheureux à cause de la mort de grand-père, et même ma mère a pris deux semaines de maladie, si bien qu'on n'a plus parlé beaucoup de Mary.

Après l'enterrement, j'ai appelé Mary pour savoir si elle allait bien. Je me rappelle plus de quoi on a parlé ensuite, je voulais seulement lui dire que je l'aimais.

On s'est donné rendez-vous la nuit suivante, elle m'attendait de l'autre côté de la rue, sur le parking des immeubles en face de chez moi. Comme au bon vieux temps. On a discuté de cette histoire de flics, Mary voulait savoir ce que je leur avais dit, pour qu'on soit sûrs de leur raconter la même chose tous les deux. Elle m'a demandé comment ça allait avec ma mère, elle était triste pour mon grand-père aussi. Elle avait l'air fatiguée.

Je lui ai dit ce que j'avais raconté au flic, qu'on avait fait l'amour cinq ou six fois. Elle a demandé en souriant pourquoi cinq ou six.

– Parce que c'est mieux pour toi que deux ou trois cents.

Mais comme c'était faux, c'était encore mieux pour elle.

26

On me voudrait malade mentale

Mary

Après ma première arrestation, on m'avait laissée en liberté. En attendant que le juge statue sur mon sort, j'avais accepté de suivre un programme d'aide psychologique. Et d'y perdre mon temps à subir les expertises et les évaluations mentales. On voulait me faire entrer dans une de leurs boîtes, me cataloguer. Tout le monde était convaincu que je souffrais de certains désordres de la personnalité.

Lorsque nous avions choisi ce système de défense avec mon avocat, j'y croyais. D'abord David Gehrke avait confirmé ce que m'avait dit la police : si je plaidais coupable pour viol, je ne serais condamnée qu'à subir le programme d'aide aux délinquants sexuels. D'après lui, c'était là « mon unique option ».

Ensuite les options se sont réduites et précisées : ou bien j'acceptais le programme, ou bien j'allais en prison pour sept ans et demi. En dépit de tout ce que j'avais pu dire, de mon espoir de régler l'affaire entre les deux familles, pour éviter les médias, je n'avais que deux solutions : accepter d'être une malade mentale, ou être enfermée. Je me pose toujours des questions sur la législation de notre État : pourquoi la loi n'a-t-elle rien prévu entre ces deux options ?

Le premier psychiatre chargé d'évaluer ma personnalité, Michael Comte, est un homme respecté dans son métier et au premier abord il m'a plu. Il m'avait l'air sympathique et très humain. Il m'a expliqué le système d'une évaluation psychologique et à quel point elle peut être un piège. Il allait donc me poser des questions, je n'avais qu'à y répondre sincèrement.

Ensuite il n'aurait plus qu'à « ficeler » son rapport.

La première question concernait Steve étrangement, et non Vili.

Steve ? Je pensais qu'il avait des problèmes sérieux au sujet de l'enfant que j'allais avoir, car il le considérait comme une injure non seulement personnelle mais aussi à sa famille. Il pensait sans doute que je le considérais comme un être génétiquement inférieur. Il avait porté toutes sortes d'accusations contre moi, et surtout celle-là : j'aurais voulu cet enfant uniquement parce que les gènes de sa famille n'étaient pas assez bons pour moi !

La deuxième question concernait toujours Steve, et aussi Vili. Je devais dire comment se passaient nos relations sexuelles, et si j'avais un orgasme avec eux.

C'était le cas avec Steve, à condition qu'il s'en donne la peine. Avec Vili c'était complètement naturel.

Lorsque son rapport a été terminé, j'ai compris ce qu'il voulait dire par « ficeler ». Il avait en effet « ficelé » certaines choses. La principale chose qui ressortait était que je souffrais soi-disant de narcissisme. Je me suis sentie dupée, et j'ai commencé à me demander si le fait d'avoir l'estime de soi vous transformait en Narcisse. Il n'avait jamais entendu parler de narcissisme sain ? Je connais la définition du narcissisme : une personne narcissique est incapable de ressentir de la compassion envers les autres, elle est tellement absorbée par elle-même qu'elle ne peut compatir aux problèmes de quiconque. C'est à l'opposé même de ma nature.

Depuis l'enfance, personne ne m'a jamais reproché une telle attitude, parce que cela n'a jamais été nécessaire. Tout au long de mon éducation, chaque fois que l'on a évalué mon caractère, il a toujours été dit que j'avais de la compassion. Je réfute complètement cette étiquette qu'on a voulu me donner. Pourquoi s'obstiner à me cataloguer ? Pourquoi ne pas essayer de comprendre le couple que nous formions avec Vili ?

David Gehrke était au courant de mon inquiétude au sujet de ce rapport et, quelque temps plus tard, il a reçu un courrier intéressant par la poste, venant d'un dentiste de la région de Seattle qui prétendait avoir résolu le mystère de « cette institutrice », et de sa relation avec un adolescent. Sa belle-fille me ressemblait, disait-il, et on avait diagnostiqué chez elle un comportement maniaco-dépressif. Ce qui est curieux, c'est que lorsque David m'a montré cette lettre, je venais de lire un article sur ce sujet, et je dois reconnaître que certaines explications me convenaient. On décrivait ce comportement comme un désordre de la personnalité souvent attribué aux artistes, accompagnant des qualités telles que l'instinct de création, qui aurait besoin de s'exprimer vingt-quatre heures sur vingt-quatre.

On ajoutait dans cet article qu'il s'agissait d'une forme de dépression. Si j'admettais volontiers avoir cet instinct créatif et pouvoir m'en servir nuit après nuit, je n'étais pas pour autant dépressive. Si je m'étais sentie tomber dans la dépression, je m'en serais sortie très vite.

Je ne savais pas où me mènerait cette histoire de désordre maniaco-dépressif, et quels avantages je pouvais légalement en tirer. Je trouvais cela assez intéressant jusqu'à ce que je découvre un livre, *Les Syndromes de l'ombre*, qui décrivait les personnes atteintes de désordre maniaco-dépressif comme étant en partie hypomaniaques. D'après ce que j'avais lu, l'hypomanie est une forme atténuée de la manie, caractérisée par une activité exagérée à laquelle succède souvent une période de dépression. Parmi les personnalités présentant ces symptômes, le livre signalait, entre autres, John Fitzgerald Kennedy, Abraham Lincoln et Madonna...

C'était exactement ce que j'avais suggéré à David Gehrke. Des personnalités à fort pouvoir créatif, ou des artistes. Le livre expliquait également que ce genre de personnalités sont appelées à devenir de grands chefs de guerre, des dirigeants politiques, des artistes célèbres, à condition qu'ils dépassent le cap de la trentaine.

De nombreux psychiatres qui m'avaient vue penchaient en ce qui me concernait pour le syndrome maniaco-dépressif. Et l'un d'eux m'avait même dit que les gens hypomaniaques montrent souvent des réactions qui peuvent faire penser au narcissisme. Une autre femme psychiatre m'avait également dit qu'il existait six types de troubles maniaco-dépressifs, et que l'hypomanie était l'un des plus importants. Cette femme avait conclu :

– Personne ne souhaite venir au monde avec ce genre de choses. Mais si vous, vous êtes hypomaniaque, alors c'est le genre de choses qu'on aimerait avoir à la naissance ! Pour simplifier, je dirais que les gens hypomaniaques croient toujours que leur coupe est pleine, et ils travaillent sans relâche pour la vider, ce qui veut dire qu'ils travaillent beaucoup plus que la normale. En tout cas beaucoup plus que ce que la plupart des gens estiment normal !

J'ignorais si j'étais normale ou anormale, mais j'ai toujours beaucoup travaillé, c'est un fait, parfois aux limites de l'épuisement. D'ailleurs, le résultat en valait vraiment la peine, et je me demandais pourquoi les gens ne voient jamais le bon côté des choses comme je le vois.

On m'avait mise en état d'arrestation en mars, et le procureur Lisa Johnson m'avait accordé un délai jusqu'à la naissance de l'enfant, et m'avait imposé un certain nombre de conditions.

Subir des tests psychologiques.

Ne plus avoir de contacts avec Vili, que l'on décrivait à présent comme « la victime ».

Ne jamais rester seule avec mes enfants. Je n'avais la permission de les voir qu'en présence d'un tiers.

Presque immédiatement Steve a voulu obtenir un supplément à ces conditions, et il l'a obtenu : je ne devais plus jamais résider à mon domicile. Il croyait probablement que j'allais tout simplement m'en aller, mais il n'avait pas compris que je ne quitterais jamais mes enfants. Je ne pouvais partir sans eux.

J'ai respecté très précautionneusement l'ordre de la cour de ne pas *résider* à mon domicile, autrement dit, de ne pas dormir sous le même toit que mes enfants.

Alors chaque nuit, aux environs de une heure du matin, les enfants étant endormis, je prenais ma grande couette bien douillette, deux oreillers, et je sortais tranquillement de la maison. Je mettais le tout dans ma voiture, je roulais jusqu'au parking d'un lotissement voisin de la maison de Vili. C'est sur ce parking que je passais mes nuits. À cette époque j'étais largement enceinte, il restait sept ou huit semaines avant la naissance, et j'étais bien contente de me reposer.

La première fois que j'ai quitté la maison, j'ai fait un long détour de crainte d'être filée. Une fois certaine que ce n'était pas le cas, j'ai rejoint mon domicile provisoire, que je commençais à bien connaître. Vili sortait de chez lui, parfois en sautant par la fenêtre. Il venait me rejoindre et, pelotonnés sous ma couette, nous nous endormions tous les deux, comme à la maison. Parfois lorsqu'il était en retard, j'étais déjà endormie quand il se glissait à mes côtés. Nous étions réveillés autour de 7 heures du matin, et il rentrait chez lui sur un baiser et un rapide « à demain soir ». De mon côté, je retournais chez moi, pour le petit déjeuner des enfants et le départ à l'école. C'était une existence particulièrement bizarre, mais il fallait bien que je me débrouille pour la supporter. Il est arrivé certains soirs que Vili ne puisse pas me rejoindre, la maisonnée n'étant pas complètement calme, il avait peur de se faire prendre. Je m'endormais solitaire dans la voiture, privée de tout sauf de son amour et de notre enfant.

Parfois aussi, je ne pouvais pas quitter la maison, lorsque Steve se couchait trop tard. Je ne voulais pas risquer qu'il devine où je me rendais. J'allais donc m'installer dans un coin tranquille sur une chaise longue. Une nuit il m'a trouvée à moitié endormie sur ma chaise. J'ai fait mine de m'éveiller. Il m'a regardée sévèrement, en silence, l'air d'un juge outragé.

– Oh... j'ai dû m'endormir... Tu devrais appeler la police ! Tu m'as surprise en train de *résider* avec mes enfants.

Il est retourné se coucher en m'ignorant. L'attitude de Steve était vraiment étrange. C'est lui qui avait obtenu du juge cette condition supplémentaire, mais il se fichait pas mal qu'elle soit respectée. Il était lâche, je pense qu'il cherchait surtout à conserver un ultime moyen de pression sur moi.

Je n'enseignais plus à ce moment-là, et pour la première fois depuis longtemps j'avais le temps de faire des choses. Et guère celui de m'ennuyer, car il y avait énormément de questions à régler en matière juridique, la situation de mes enfants, tout un tas de papiers. Une fois j'avais décidé d'emmener les enfants à Disneyland. Vu la condition qui m'était imposée, strictement parlant, je ne serais jamais seule avec eux. En interprétant la loi, je pouvais toujours dire qu'il y avait des gens dans l'avion, du monde à Disneyland, et toujours quelqu'un en Californie, puisque je m'installais chez mon amie Michelle.

Steve avait quelques difficultés à saisir le concept, que j'ai argumenté de la façon suivante :

— Est-ce que tu crois que nous allons prendre un avion privé ? Que l'on va ouvrir Disneyland uniquement pour moi et personne d'autre ? Non ? Alors ?

Il a dû s'en convaincre et, une fois de plus, il m'a laissée faire. Même s'il voulait me punir en me privant des enfants, il n'arrivait pas à aller jusqu'au bout. Peut-être se sentait-il un peu coupable vis-à-vis d'eux ?

Le côté triste du voyage, c'est qu'il a bien fallu rentrer, et mon fils Nicolas ronchonnait plaintivement :

— Maman, pourquoi on doit rentrer ce matin ?

— Nous avons des choses importantes à faire ton père et moi à Seattle.

— Mais pourquoi... pourquoi on me répond jamais dans la vie ?! Pourquoi les enfants ne doivent pas traverser la rue ? Et pourquoi on peut pas rester encore un peu en Californie ? Hein, maman ? Pourquoi ?

Nicolas avait cinq ans, il m'a fait craquer complètement avec son petit nez en l'air et son air triste, sur les pourquoi de la vie.

Avant de quitter la Californie, au moment de reprendre l'avion, j'ai dû faire éclater son beau ballon Mickey et la Minnie de Jacqueline, que nous ne pouvions pas garder durant le vol. J'ai ressenti ce double éclatement comme un bouleversement symbolique. Il me restait tant de choses encore à affronter...

27

Naissance

Vili et Mary

VILI

Le bébé pouvait arriver d'un jour à l'autre, et Mary et moi on commençait à se préparer. On discutait ferme de ce qu'il faudrait faire le moment venu. Moi j'ai dit :
— J'irai à l'hôpital avec toi ! J'en ai rien à foutre, des autres ! Ils peuvent dire ce qu'ils veulent.

Mary me parlait tout le temps de son expérience. Comme elle avait déjà eu quatre gosses, elle disait que tout irait bien et qu'il n'y avait pas à s'en faire. Elle était seule, Steve s'était tiré avec les enfants.

Son ventre était rond comme un œuf, je la regardais se dandiner dans la maison, les derniers jours elle avait autant de mal à s'asseoir qu'à se relever. Et pour monter en voiture, c'était toute une affaire. Elle a préparé une valise avec des tas de trucs pour l'hôpital, du maquillage, des produits de soins, et des vêtements achetés exprès pour le bébé. Elle emportait des vêtements pour elle aussi, pour après l'accouchement. Elle disait :
— Ça va pas tarder, ça va pas tarder...

Elle a commencé à m'expliquer qu'il faudrait compter les minutes entre chaque contraction, si ça recommençait toutes les quatre minutes à peu près, ça voudrait dire que le bébé allait pas tarder. Comme si j'y comprenais quelque chose ! Quand la première contraction est arrivée, elle était assise tranquillement en train de lire un bouquin sur l'accouchement, et tout d'un coup elle s'est mise à hurler. D'abord j'ai cru qu'elle s'était fait mal avec quelque chose, tellement elle a gueulé fort. Elle m'a appelé en vitesse pour que je mette ma main sur son ventre, carrément sur le bébé.

– Tu sens ? Tu sens comme c'est tendu ? C'est ça, une contraction, Vili...

Elle avait raison, on aurait dit une peau de tambour prête à éclater. J'osais pas bouger ma main, je l'ai laissée sur son ventre, et ça me faisait drôle. Je lui ai demandé si elle voulait un médecin, mais elle a secoué la tête :

– Non, non, ça va aller, tu vas voir, dans une minute ça va passer...

Je sentais vraiment la douleur, ça roulait sous son ventre, mes doigts en tremblaient ! Puis ça c'est relâché comme une vague qui se retire sur la plage. Son visage s'est détendu, elle a respiré un bon coup. Moi je bougeais toujours pas ma main. Ça m'impressionnait, ce truc.

Au bout d'un moment une autre vague est arrivée, et là Mary a eu l'air vraiment inquiet. Elle a dit qu'il fallait qu'on parte pour l'hôpital.

– Ça vaut mieux. On ne sait jamais, avec un cinquième enfant, il peut arriver d'un coup, tu sais, n'importe quand !

Ça me rassurait pas du tout, ce genre de truc. Si le bébé se pointait sans prévenir, qu'est-ce que j'étais censé faire ? Ça, c'était du Mary tout craché ! Elle avait rien prévu de spécial pour se rendre à ce fichu hôpital, en plein centre ville. On était au milieu de la matinée, et on était obligés de prendre la voiture, parce qu'on avait pas assez de liquide pour payer un taxi ! Et elle disait, ça aussi c'est typique de Mary :

– Pas de problème, je vais conduire.

Comme si elle en était capable, dans son état ! Tu parles, elle arrivait même pas à glisser son gros ventre derrière le volant sans coincer complètement le bébé ! Je me disais qu'au moindre choc elle allait l'écraser, sûr et certain. Alors elle a proposé que ce soit moi qui conduise ! Eh merde ! J'avais jamais conduit de bagnole sans boîte de vitesses automatique, j'ai dit que ça serait pas facile. Alors Mary, comme d'habitude :

– Pas de problème, pas de problème, tu t'occupes de la pédale de débrayage et moi du levier de vitesse !

– Mais putain, je sais même pas comment elle marche, ta foutue pédale de débrayage !

Bon. On fait comme elle a dit, moi au volant et elle à côté. Et la voilà qui dit qu'on a pas assez d'essence ! J'ai failli péter les plombs, à ce moment-là, j'ai commencé à lui crier dessus, et puis je me suis calmé. Pas la peine d'attirer l'attention sur nous un jour pareil. On avait surtout besoin d'une pompe à essence, et en vitesse.

Mary a décidé que la route du Pacifique était le meilleur chemin ; on aurait moins de feux rouges, et en plus on était sûr de trouver une station quelque part. Ça nous évitait aussi de prendre l'autoroute. On était juste en train de manœuvrer pour entrer dans une station-service et, d'un seul coup, elle a crié. Encore une contraction. J'ai braqué en vitesse pour ranger la voiture et lui tenir le ventre. Elle disait que ça allait arriver très vite, et là, j'avais vraiment les glandes. Le bébé allait quand même pas se pointer au bord de la route, devant une saloperie de station d'essence ? !

Je sais pas comment on a fait, mais au bout de huit kilomètres on s'est quand même retrouvés sur la bretelle de l'autoroute. J'avais vachement la trouille de me payer une bagnole. C'était dingue, de temps en temps on s'engueulait, ou bien on rigolait, et finalement on se disait qu'on se démerdait drôlement bien tous les deux. Le problème, c'est qu'on avait complètement oublié de prendre de l'essence dans tout ça, et la jauge avait dégringolé dans le rouge. On avait encore du chemin à faire pour arriver au centre ville et à l'hôpital.

À l'entrée de l'autoroute, j'ai eu les jetons. Je me suis rangé une fois de plus, et j'ai dit :

– Mary, pas question. Si je conduis là-dessus, je vais nous tuer, et notre bébé avec !

Une voiture de flic est passée, on s'est méfiés, mais elle avait l'air de courir après une bagnole en excès de vitesse. Alors Mary a dit qu'elle allait essayer de conduire. Elle m'a super impressionné, à ce moment-là, elle souffrait vachement, et je la trouvais courageuse. On a changé de place, et elle a déboîté aussi sec, mais une saloperie de camion est passée au ras du rétroviseur, il a failli nous faire dévier et prendre la direction de West Seattle. Dans ce cas-là, le bébé serait né sur le bord de cette saloperie de route, c'est sûr.

En fin de compte on a roulé, on était presque arrivés au centre ville, quand Mary a fait une nouvelle embardée, sous la douleur d'une nouvelle contraction. Ça devenait grave, parce que là on était dans une espèce de tunnel et pas moyen de se garer. Alors elle s'est arrêtée où elle a pu, en serrant les dents. Elle avait du mal à respirer, et les camions, les voitures étaient obligées de faire un écart pour nous éviter. Je voyais la tête des chauffeurs se pencher pour nous insulter au passage. J'avais vraiment envie de leur cogner la gueule, à ces allumés ! Ils se foutaient pas mal des autres ! Pas un de ces salauds d'enfoirés a pris le temps de demander si on avait besoin d'aide.

Comment on est arrivés à l'hôpital... j'ai jamais su ! En tout cas, on y est entrés ensemble. On en avait plus rien à foutre d'être reconnus ou pas. On a grimpé un étage, et là elle m'a dit de m'installer dans la salle d'attente, et de rester tranquille à côté du téléphone. Je me voyais mal là-dedans. De quoi j'avais l'air ? On voit ce genre de trucs au cinéma, avec les mecs qui flippent et tout. J'étais supposé marcher de long en large et fumer des cigares ou quoi ?

À part les cigares, c'est ce que j'ai fait pendant un moment. C'est là qu'un autre type est arrivé, complètement excité :

– Salut ! C'est ta mère que t'attends ?

Je lui aurais bien tout raconté, mais finalement j'ai fermé ma gueule :

– Non, j'attends ici, c'est tout.

Et je me suis tiré pour aller m'asseoir dehors, sur les marches de l'hôpital.

J'étais là, comme un abruti, un peu dans le coltard, en train de me répéter : « Merde alors, cette fois c'est vrai ! Ça va devenir vrai... Je vais devenir père... Un vrai père ! »

MARY

Juste avant qu'on m'emmène en salle de travail, j'ai fondu en larmes dans les bras de l'infirmière. Je ne sais pas pourquoi, peut-être le fait de devoir quitter Vili. J'ai eu le temps de dire à l'infirmière que le bébé était en train d'arriver et j'ai fondu en larmes. Puis j'ai dit à Vili d'attendre près

240

du téléphone, que je l'appellerai dans la salle d'attente. Je lui ai fait un petit signe de la main, et un sourire tendre.

Il semblait anxieux, il devait se demander quoi faire, alors qu'il ne pouvait rien faire, justement. Et j'étais furieuse de pleurer. J'aurais voulu dominer la situation, lui montrer que j'étais forte pour nous deux, que tout allait bien se passer. Mais j'étais inquiète, car nous étions venus ensemble dans cet hôpital, au risque de nous faire prendre une nouvelle fois en flagrant délit. Mais je voulais qu'il soit présent, je voulais qu'il soit au courant de tout. Il s'agissait de son enfant. Déjà, pour d'évidentes raisons de prudence, nous n'étions pas allés au cours de préparation à l'accouchement. En ce qui me concerne je n'en avais pas besoin, mais Vili aurait pu y apprendre beaucoup. Il avait dû satisfaire sa curiosité grâce à l'*Encyclopédie de la grossesse*, qu'il avait dévorée à la maison.

Je sentais la naissance imminente, et, en dépit des protestations des infirmières, j'insistais pour avoir une péridurale. Les douleurs du travail me font trop peur. Les infirmières ont essayé de m'en dissuader à plusieurs reprises, mais j'ai tenu bon. Lorsque le médecin est venu, il s'est montré très rassurant. J'avais discuté avec lui plusieurs semaines auparavant, il m'avait promis que les médias ne seraient pas autorisés à nous approcher, mon bébé et moi. Il était sûr de lui. J'accoucherais sous péridurale, dans les mêmes conditions que pour mes autres enfants. L'infirmière m'avait interrogée gentiment à propos du père :

– Vous le voulez avec vous ?

J'avais chuchoté :

– Non, il n'y aura que vous et moi.

Vili ne pouvait pas assister à la naissance, je le savais bien. Je l'imaginais faisant les cent pas dans le hall, comme au bon vieux temps, lorsque les pères patientaient loin de leurs épouses, en fumant et en se racontant des histoires.

Le bébé était pressé, et l'accouchement n'a duré que deux heures. À un moment j'ai entendu l'une des infirmières dire qu'elle apercevait une grosse touffe de cheveux noirs. C'était une fille et elle pesait un peu plus de quatre kilos. Un gros bébé !

Comme tous les nouveau-nés elle était un peu fripée en arrivant, mais son visage, tout rond, était manifestement asiatique. Le médecin et les infirmières l'ont emmenée à la pesée, elle était couchée sur le dos, les jambes en l'air, ses petits bras dodus arrondis au-dessus de sa tête. Totalement décontractée. L'une des infirmières a dit :

– Oh! le joli petit bouddha que nous avons là... On dirait vraiment un petit bouddha!

J'ai failli éclater de rire en pensant : « Si elle savait! Bouddha est le surnom de son père! »

On m'a ramené ma fille, enveloppée dans les langes de l'hôpital. Je ne me rappelais plus où était passée ma valise contenant toutes ses affaires. Peut-être dans la voiture; nous étions tellement pressés...

Délivrée, je flottais dans un autre monde. Heureuse et triste en même temps, avec ma petite bouddha couchée sur mon flanc. Je la regardais intensément, cette enfant dont on parlait tant, les émotions se bousculant dans ma tête. Joie profonde de sa naissance, tristesse infinie de savoir qu'elle, si vulnérable, allait être précipitée dans ce vaste monde et ne bénéficierait plus de la protection de mon corps. Elle m'a souri. Je me suis penchée sur son petit visage tout rond, pour notre première conversation entre mère et fille.

– Alors te voilà? Bienvenue au monde.

Elle était si contente qu'elle a voulu téter immédiatement. Je n'avais pas encore de lait, mais elle s'est tout de même accrochée à mon sein. Comme j'étais heureuse de vivre une fois encore la plénitude de la maternité!

Elle était là, et elle avait un prénom, Audrey. Notre petite fille, l'enfant de Vili et de Mary, existait.

Nous avions choisi ensemble ce premier prénom. Je le voulais américain, le second serait samoan ou hawaiien; la famille de Vili le choisirait.

On m'a enfin emmenée dans ma chambre. J'étais impatiente de voir Vili, mais je n'ai eu aucun signe de lui. J'ai pris le téléphone sur la table de nuit pour appeler la salle d'attente. Pas de réponse. Il devait être quelque part, à tourner en rond. Je savais qu'il était resté, rien n'aurait pu l'empêcher de rester.

J'avais déjà appelé Beth depuis la salle de travail. Elle devait venir me voir après sa classe et n'allait pas tarder.

242

Une demi-heure plus tard, en effet, Beth est entrée dans la chambre, les yeux écarquillés, choquée. Juste derrière elle, Vili ! J'ai compris tout à coup qu'elle ignorait qu'il était venu à l'hôpital avec moi. Elle a balbutié :

– Il... il... il est entré... il m'a suivie...

Vili attendait sur les marches ; il s'était renseigné, il savait déjà dans quelle chambre j'étais et, lorsqu'il a vu arriver Beth, il est entré au culot en même temps qu'elle. Un pas de plus contre les règles qui voulaient gouverner notre vie privée.

Nos deux regards se sont croisés, tandis que Beth se penchait sur Audrey.

J'entendais les respirations de chacun. La mienne épuisée, celle de Beth émue, celle de Vili impatiente.

Reprenant ses esprits, Beth s'est tournée calmement vers Vili :

– Voilà ton bébé ! Prends-la dans tes bras !

VILI

Son visage était tout grimaçant. Je la regardais, et ça tournait à toute vitesse dans mon crâne. Je me disais : « C'est mon bébé ? Est-ce que c'est mon vrai bébé ? » C'était vachement dur à capter. Je savais depuis longtemps que ce serait une fille. Mais à ce moment-là, j'avais la tête vide, j'essayais seulement d'y faire rentrer l'information ; elle était là, c'était vraiment ma fille. Mes yeux étaient comme une caméra, je filmais le moindre détail physique pour me faire des souvenirs. Mary et Beth discutaient entre elles, elles la trouvaient tellement mignonne, et ci et ça, mais moi je la regardais autrement.

Elle ressemblait un peu à ma sœur Leni, avec les yeux marron un peu comme mon frère Perry. J'arrivais pas à me décider sur une ressemblance parce qu'elle avait aussi les mains de Mary, des petits doigts fins, comme les siens. Je l'examinais sur toutes les coutures, comme si je la dessinais dans ma tête.

C'était un peu bizarre. Elle était emmaillotée jusqu'au cou dans un vêtement de l'hôpital, mais je pouvais voir qu'elle avait de gros petits bras, exactement comme moi. Ses doigts, c'était la plus jolie chose que j'aie jamais vue !

Quand j'ai mis mon doigt dans sa petite main, elle l'a agrippé très fort, comme pour dire : « Toi, tu es mon père, et je vais pas te lâcher. »

De temps en temps elle fermait les yeux, et puis elle les ouvrait à moitié. Elle était cool.

Comme Beth était là, je guettais les moments où elle regardait ailleurs, par la fenêtre ou autre, pour me rapprocher de Mary. Et Beth regardait souvent ailleurs, comme par hasard, histoire de me laisser le temps. Je me serais pas arrêté d'embrasser Mary, je peux pas expliquer ce qui m'arrivait, c'était un sentiment inconnu, quelque chose comme de la fierté, sûrement, parce qu'elle avait fait mon bébé.

On a passé un moment tranquille, j'étais heureux, assis à côté d'elle, et j'essayais en même temps de réfléchir à l'avenir et au reste. J'arrêtais pas de me demander : « Bordel, comment on va faire pour vivre ? » Ça me sortait pas de la tête. À un moment une infirmière est venue demander si Mary était ma mère. Furieuse, Mary lui a balancé : « Non ! » Je lui aurais bien dit de se barrer de la chambre, parce qu'on avait vraiment l'impression qu'elle nous cherchait des crosses. Et puis maman est arrivée.

J'aurais voulu avoir le temps de me planquer, mais quelqu'un a frappé, on a cru que c'était encore l'infirmière, et c'est ma mère qui a passé la tête par la porte. J'étais pas dans la merde. Elle était surprise de me trouver là. Vachement surprise et en rogne. Elle m'a seulement dit :

– *Fakali oy !*

En samoan : « Toi, tu perds rien pour attendre ! »

Elle était furieuse, parce que je m'étais tiré et qu'elle m'avait pas vu depuis pas mal de temps ! Si j'avais pu, je me serais barré avant qu'elle arrive. J'avais passé pas mal de temps avec Mary depuis son retour de Californie, Steve et les enfants étaient partis dans la famille de Steve. Comme je ne devais avoir aucun contact avec Mary, je craignais de sérieuses emmerdes avec ma mère.

Je sais pas comment ma mère a appris que Mary était à l'hôpital, Beth lui avait peut-être téléphoné, en tout cas elle était venue voir le bébé, et moi elle m'ignorait complètement pendant ce temps.

On était bien tranquilles avant qu'elle arrive. Mais là elles ont commencé toutes les trois à discuter de trucs de bébés et à chercher le deuxième nom d'Audrey en samoan. Ça leur a pris un bon moment, elles ont choisi finalement Lokelani. Après ça, j'ai commencé à m'angoisser, parce que ma mère s'apprêtait à partir. Beth disait que je devrais rentrer à la maison. Elle pouvait pas la fermer, avec cette histoire de rentrer chez ma mère ? Elle pouvait pas me ramener chez Mary ? Pas moyen. On m'a ramené à la maison. En arrivant, j'ai vu qu'on préparait un barbecue. J'étais parti de la maison depuis un mois à peu près, et toute la famille était réunie, et tout le monde s'en mêlait :

— Hé ! Bouddha est revenu ! Comment ça va, mec ?

Ils avaient l'air contents de me voir, et contents pour le bébé aussi. Finalement c'était super, on me félicitait, on me balançait un tas de conneries, sur le papa fugueur rentré à la maison et tout ça. J'étais content, au fond, mais j'aurais bien voulu retourner à l'hôpital en vitesse, près de Mary.

Comme ma mère était là, je suis sorti en douce pour fumer une cigarette. J'avais fumé tout le paquet dans la journée, c'était la dernière. J'étais là, assis tout seul comme un imbécile, à fumer encore. Mes cousins se sont pointés, ils m'ont refilé des cigarettes, et on a commencé à discuter, et ils me félicitaient encore. Et moi je ne pensais qu'à Mary, je me disais : « Je l'aime tellement, merde ! »

J'aurais bien avalé la moitié du barbecue, j'étais mort de faim. Je suis retourné à l'intérieur, et quand ma mère m'a vu j'ai un peu flippé. Mais elle m'a serré dans ses bras, et m'a embrassé. Elle a dit d'abord qu'elle était très en colère :

— C'est ta faute si je suis devenue grand-mère !

Mais elle a dit aussi qu'elle était fière de moi, et que Audrey était un bébé génial !

Putain de journée !

MARY

Vili était aussi nerveux que n'importe quel père. On voyait qu'il n'arrivait pas à croire que le bébé était réellement dans ses bras. C'était le moment de vérité pour lui.

Elle était tout habillée, et on ne voyait plus que son visage. Je guettais les premières réactions de son père.

245

C'était formidable. Il s'est approché de la fenêtre en tenant précieusement sa fille dans ses bras, comme si on allait la lui reprendre. Le ciel derrière eux était immense et incertain, d'énormes nuages y couraient, une tempête s'annonçait, ou une autre s'achevait. On voyait se dégager des coins de ciel d'un bleu intense, des éclaircies de soleil illuminaient la chambre.

Vili soulevait sa fille dans la lumière, il la tournait sous tous les angles et la dévorait des yeux. Je sais à quel point son regard peut être acéré et critique, et c'était la première fois qu'il voyait un nouveau-né. J'étais tout de même surprise de l'intensité de son regard. Il l'examinait, tout simplement, ou bien la vue d'un nouveau-né l'impressionnait-elle ? Non, il s'agissait d'autre chose.

Il tenait sa fille à bout de bras, comme un artiste apprécie une œuvre d'art, méthodiquement, avec soin et délicatesse. Pendant quelques minutes, dans un silence parfait, il a poursuivi son examen. Parfois il la mettait dans la lumière, parfois tout contre lui. J'avais la gorge serrée.

Le silence a été rompu par Beth :

– Alors ?

– Elle ressemble à mon frère Perry !

J'ai éclaté de rire, pendant qu'il rendait l'enfant à Beth. Puis il a cherché à se rapprocher de moi, ce qui était difficile à cause de la présence de Beth. Il n'était pas sûr de lui. Après tout, une ordonnance du juge nous interdisait formellement d'avoir des contacts, de près ou de loin. Le simple fait de se trouver ensemble dans cette chambre constituait une violation de cette ordonnance qui pouvait m'envoyer en prison.

Gentiment, Beth s'est tournée vers la fenêtre.

– Quel ciel splendide ! C'est vraiment magnifique, aujourd'hui... On ne se lasserait pas de le contempler.

Ainsi, elle nous laissait profiter un peu d'un semblant de vie privée. Vili est venu s'asseoir sur le lit, tout près de moi. J'avais des choses d'ordre pratique à lui demander, par exemple où était passée la valise que nous avions emportée avec nous. Mais Vili voulait profiter autrement de ce précieux moment d'intimité, il n'avait pas envie de parler de choses matérielles.

Son regard ardent a pris possession du mien; à nouveau j'étais la seule au monde pour lui, il était le seul au monde pour moi. Nous ne faisions qu'un. Et ses yeux disaient en silence : « Je t'aime. »

Plus tard, lorsque l'infirmière est venue demander si Vili avait un lien de parenté avec l'enfant ou bien s'il était de la famille, j'ai murmuré : « Oui. » Sans autre explication. Elle savait parfaitement qui nous étions, Vili et moi. Je ne voulais pas lui donner le plaisir de croire que j'étais dupe.

J'ai appelé mes parents. Mon père était à l'hôpital à Baltimore; il devait subir une intervention le même jour. Je lui ai annoncé la naissance d'Audrey; il n'a pas dit grand-chose, comme d'habitude, mais ses quelques mots étaient parfaitement choisis :

– C'est une magnifique journée pour toi, n'est-ce pas ?

Quelque temps plus tard, j'ai eu l'impression que le peuple samoan tout entier surgissait dans ma chambre. Soona, Leni et Seni, la sœur et la tante de Vili, sont arrivées. L'ambiance de la chambre a aussitôt changé. Vili, réfugié près de la fenêtre, s'est fait tout petit sur sa chaise, tandis que Soona occupait le centre de la scène, installée dans un rocking-chair, le bébé dans les bras.

La manière dont Vili se rapetissait ainsi devant sa mère me contrariait. Les Samoans ont, il me semble, un système matriarcal qui écrase les hommes. Voir l'être que l'on aime se retrouver brusquement dans cette situation est assez bouleversant. On avait délibérément mis de côté Vili, tassé sur sa chaise contre la fenêtre, et sa mère avait pris la situation en main. Heureusement nous avions eu le temps d'être un peu seuls, Vili avait pu prendre le bébé dans ses bras et lui parler comme un père.

Il commençait à faire nuit lorsque Soona s'est installée dans ce fauteuil, telle une reine sur son trône. J'ai dit que nous avions choisi le prénom d'Audrey en premier, et que l'autre était laissé au choix de la famille, qu'il soit samoan ou hawaiien. Soona a énuméré des prénoms, nous en traduisant le sens en anglais. Lorsqu'elle a dit Lokelani, Vili et moi nous sommes regardés. « Ange du Paradis. » Bien souvent, lorsque nous parlions du bébé à venir, Vili l'appelait : « Mon Ange du Paradis. » Lokelani nous convenait, mais

Soona continuait à énumérer sa liste de prénoms. Lorsqu'elle est arrivée à Ramaroa, elle s'est arrêtée sans nous donner de signification. Comme le silence durait, j'ai fini par demander le sens de ce prénom. Elle a regardé son fils droit dans les yeux, il tremblait sur sa chaise, et elle a répondu :

– Celui-là signifie « Amour interdit ».

Vili s'est recroquevillé sur sa chaise, et le silence s'est installé de nouveau. Des larmes ont soudain roulé sur mes joues. Furieuse de me laisser aller devant tous ces gens, je me suis réfugiée sous les couvertures. Beth est allée chercher un mouchoir en papier pour essuyer mon nez, et je ne sais pas comment elle s'est débrouillée, mais elle n'a attrapé que la pointe du mouchoir, qui s'est déchiré, et un minuscule morceau de papier est venu se balancer sous mes yeux, léger comme un flocon de neige. Tout le monde a éclaté de rire, et la tension a disparu.

Les conversations ont repris, l'attention s'est portée de nouveau sur Audrey, et le choix de Lokelani comme deuxième prénom. Quand l'heure est venue de se quitter, j'ai bien vu que Vili répugnait à partir. Il a dit à Beth qu'il voulait dormir dehors dans la voiture, mais elle l'a ramené chez sa mère, avec toute la tribu.

Au moment du départ, nous n'avons eu que vingt secondes à nous. Visiblement, il ne voulait pas partir. Dans ces cas-là, il lutte. On a l'impression que son corps avance malgré lui et que son esprit refuse de bouger. Nos doigts restaient entremêlés, nos regards soudés l'un à l'autre.

Je ne crois pas l'avoir embrassé. Ce n'était pas très important, car cet instant était le plus symbolique de notre amour. Une véritable union spirituelle entre deux âmes. Exceptionnelle.

Je me suis recouchée seule avec le bébé. C'était magique. Dans la pénombre de la chambre, j'ai laissé libre cours à mes émotions. Lokelani...

Je sais qu'un jour Audrey-Lokelani sera fière de son prénom, il sonne bien.

Mon Ange du Paradis... Mon Amour interdit.

28

On ne m'a pas comprise

Mary

Je n'avais pas avorté, Steve n'avait pas réussi à tuer mon enfant... Il était donc né, et on ne me l'avait pas retiré pour le mettre en adoption. Steve devait trouver autre chose pour se venger. Et il n'a pas tardé.

Pat Maley s'étant rangée de son côté, ils ont décidé de porter toute l'affaire devant la cour de l'État, afin qu'elle décide du meilleur avenir pour mon bébé.

Juste après la naissance d'Audrey à la fin du mois de mai, les enfants étaient chez mes parents à Washington DC. J'ai demandé à mon avocat si je pouvais aller les voir. David pensait que c'était une bonne idée. J'ai appelé ma mère pour l'avertir que je viendrais avec Audrey. Elle n'était apparemment pas très heureuse d'accueillir chez elle un enfant illégitime. Elle a téléphoné à Steve, qui a aussitôt prévenu l'inspectrice Pat Maley, laquelle en retour a pris contact avec le procureur, qui à son tour a joint mon avocat. J'étais cernée par les femmes dans cette affaire.

David Gehrke m'a simplement dit :

– N'allez pas à l'aéroport, on va vous arrêter.

Il était clair que Steve ne voulait aucun contact entre Audrey et les enfants. Ma mère m'avait trahie dans cette histoire et, de bien des façons, elle continue aujourd'hui. Bien sûr, son comportement s'est considérablement amélioré, elle a fait des progrès, mais d'un autre côté, j'ai l'impression que plus les choses changent autour d'elle, et plus elle reste la même : un enfant illégitime ne mettrait pas le pied dans sa maison.

Avec elle, il me semblait que je devais toujours défendre mes positions : le divorce avec Steve, ma liaison interraciale, le problème de la différence d'âge, elle ne supportait rien. De toute la famille, mon frère Jerry était celui dont je pouvais attendre le plus de soutien ; il avait en effet épousé une femme d'origine cubaine. Ma mère n'était pas allée à leur mariage, car elle est bornée, et chacun le sait. Elle a l'esprit étroit, et bien qu'elle ait évolué ces vingt dernières années, ce défaut-là ne l'a pas quittée.

La première audience avait été fixée au mois d'août, je devais en principe y plaider coupable de viol. Je savais qu'à la fin du délai accordé par la cour, je devrais aller en prison en attendant que le juge reçoive les rapports des nombreux psychiatres et psychologues qui s'étaient penchés sur mon cas. Ils avaient trois semaines pour rendre leur dossier. Ce qui signifiait trois semaines de prison préventive à partir du mois d'août car, selon la loi de l'État, quiconque plaide coupable d'agression sexuelle doit rester enfermé dans l'attente de son procès.

Avant le procès, j'ai emmené les enfants avec moi chez mon amie Beth Adair, sur l'île de Vachon, dans la baie de Seattle. Nous étions en juin, j'avais encore un peu de temps. Ce fut un petit moment de bienheureux répit, et j'envisageais de m'installer ici après la vente inévitable de notre maison à Normandy Park. Hélas, le répit fut de courte durée, car mes deux aînés sont partis très vite en Alaska dans la famille de Steve, et les deux plus jeunes dans ma propre famille. J'ai dû rentrer, mais heureusement, Steve était lui aussi en Alaska. J'étais donc seule chez moi, avec Audrey.

Le lendemain du départ de tout le monde, Vili est venu à la maison. Nous ne savions pas combien de temps nous pourrions demeurer ensemble, sauf que ce serait probablement très court. Mais ce fut une période idyllique durant laquelle nous avons pu rester tous les deux seuls avec le bébé. Parenthèse étrange du point de vue légal, tous me croyant seule avec l'enfant, Vili chez lui, alors qu'il en était parti...

Dans les semaines qui ont précédé l'audience, je me suis

soumise, en qualité de « délinquante sexuelle », au programme d'aide psychologique dirigé par Marsha Macy, désignée par la cour. Je devais rencontrer une fois par semaine un groupe de femmes délinquantes sexuelles, qu'elle était en train de former. Il y avait deux femmes seulement dans ce groupe, j'étais la troisième.

Les deux autres s'étaient rendues coupables d'agressions sexuelles sur leurs filles. L'une était sadomasochiste, l'autre droguée.

Je voyais difficilement le rapport entre elles et moi. J'écoutais ces deux femmes parler des choses affreuses qu'elles avaient faites à leurs filles. À la première réunion, j'avais déjà compris qu'elles ne tireraient aucun bénéfice de ma présence, ce qui est en principe le but de ces séances de groupe. J'ai passé ma vie en revue, en l'espace de trois minutes, mère, père, famille nombreuse, une radiographie la plus rapide possible. Pendant les autres séances, je ne faisais qu'écouter, plus en observatrice qu'en participante, car ces deux femmes suivaient ce programme depuis assez longtemps. J'entendais d'horribles détails sur les mauvais traitements qu'elles avaient infligés à leurs propres enfants. Il y a eu six séances en tout, et la dernière devait être consacrée à des hommes délinquants sexuels. J'étais censée y participer, parler de ce que j'avais fait et écouter leur propre histoire. Tout cela était organisé autour d'un buffet, curieuse idée, mais je n'y suis pas allée.

Pendant la plupart des séances, la personne que j'étais supposée avoir violée, ma « victime », Vili, m'attendait dehors dans la voiture...

Je m'étais préparée psychologiquement à devoir aller en prison. J'avais décidé que cette période à supporter serait une expérience comme je n'en avais jamais eu, et comme je n'en aurais certainement plus jamais.

La veille de la première audience, et par conséquent celle du départ en prison, a été une journée particulièrement remplie, je dirais même infernale, le point culminant étant une interview pour un programme national, « *Dateline* », qui s'est déroulée chez mon avocat.

En rentrant à la maison, j'étais extrêmement lasse, épuisée par la tension nerveuse et la concentration que réclame une interview dans mon cas. Je savais que c'était probablement la dernière fois que je rentrais chez moi, la dernière fois que je passais cette porte. Vili avait commencé à emballer mes affaires dans des cartons. Il en avait déjà terminé trente-cinq, et il regardait la pile d'un air triste :

– Salut... on a encore besoin de ruban adhésif pour fermer tout ça.

Il était fatigué, et désespéré que j'aille en prison, je le voyais dans ses yeux.

Le soleil s'est levé et nous n'avions pas encore fini d'emballer, mais nous avions besoin d'une pause. Besoin de passer ces derniers moments de solitude à deux, ailleurs qu'au milieu de ce triste capharnaüm. Nous sommes partis vers le bord de mer, dans un endroit où j'avais l'habitude d'emmener jouer les enfants et où se trouvait une balançoire accrochée à un arbre très haut. Les lieux étaient déserts, un cormoran ou une mouette traversait parfois le ciel comme une flèche, en criant dans le soleil levant.

Je voulais couper la corde de cette balançoire, symboliquement : je souhaitais la garder, l'emballer dans un de mes cartons. C'était lugubre. Nous avons essayé d'abord à l'aide d'un canif, ça ne marchait pas. Vili est retourné à la maison chercher un gros couteau de boucher, et la balançoire est enfin tombée à nos pieds. Assis tous les deux devant la mer, nous avons passé ces derniers moments à pleurer et à nous embrasser, en nous promettant de toujours rester ensemble. De toujours nous aimer.

Une fois les paquets terminés, il était presque l'heure pour moi de me rendre au tribunal. David Gehrke avait prévu de venir me chercher. Vili devait disparaître auparavant, sans se faire voir. Il était avec moi depuis des semaines, et il allait repartir chez lui.

Nous sommes restés enlacés jusqu'à la dernière minute, jusqu'à ce que la voiture de David apparaisse au bout de la route... Alors Vili s'est faufilé derrière la maison, je tentais encore de l'apercevoir de loin, le regard brouillé par les larmes... J'ai entendu claquer la portière de la voiture de David, qui s'est présenté à la porte. En quittant ma maison, du fond de mon cœur, j'ai adressé un dernier adieu à Vili.

La séance devant le tribunal a été courte. Les médias en ont fait trop en clamant plus tard que j'avais supplié qu'on « m'aide ». Alors que j'avais dit : « Aidez-nous tous... » Ils n'ont ni écouté ni retranscrit correctement les trois malheureuses phrases que j'ai eu le droit de prononcer.

Lorsque j'ai déclaré : « J'ai mal agi », j'étais sincère. Ce que j'avais fait était mal, contre les principes de ma religion, car j'étais encore mariée. J'avais donc tort, moralement autant que légalement. Moralement vis-à-vis de l'Église, et légalement parce que j'avais rompu mon contrat de mariage.

Lorsque j'ai déclaré : « Cela ne se reproduira plus, je vous en prie, aidez-moi », je voulais en fait dire que j'allais divorcer, et que la situation serait différente. Je ne voulais pas dire que je ne reverrais plus Vili, je n'ai jamais voulu dire cela. Seulement que je ne me mettrais plus dans ce genre de situation.

Et lorsque j'ai dit : « Aidez-nous tous », il est vrai que je réclamais de l'aide, et cela a pu paraître très ambigu. Aidez-nous tous... Ne détruisez pas deux familles, laissez-nous nous aimer, donnez-nous la chance d'élever notre enfant, laissez-moi continuer à être la mère que j'ai toujours été.

Mais pour pouvoir comprendre, encore fallait-il écouter chacune de ces trois phrases.

Je n'avais pas le droit de plaider plus longtemps ma cause. Mon avocat l'avait fait. Et lorsqu'un juge vous demande en fin d'audience, à brûle-pourpoint, sèchement, d'un air presque méprisant : « Accusée, avez-vous quelque chose à ajouter ? »... Mon Dieu, j'aurais eu tant à dire que j'en tremblais.

La première audience passée, je me préparais à entrer en prison, espérant que j'allais supporter cette nouvelle épreuve sans trop de dégâts. On m'avait enlevé Audrey, qui par bonheur avait été confiée à Soona et Vili. Je devais subir encore d'autres tests psychologiques. Les trois semaines d'incarcération devaient durer jusqu'au 29 août, jour de mon retour devant le tribunal, cette fois pour y entendre la sentence. D'après mon avocat, je pouvais, en restant plus longtemps incarcérée, bénéficier d'une consultation avec l'un des meilleurs psychiatres, agréé par le tribunal, le docteur Copeland. Quel que soit le délai, et le temps que cela prenne, je devrais suivre en attendant un traitement destiné aux délinquantes sexuelles. Je ne comprenais toujours pas que l'on puisse me considérer comme telle.

La date de la sentence tardait à venir, j'étais dans le flou. Les trois semaines de prison sont devenues six, puis neuf semaines. Durant lesquelles j'ai eu l'insigne honneur de recevoir le traitement du docteur McGuire, psychiatre renommé. Il était convaincu que j'appartenais à la catégorie des maniaco-dépressifs. J'ai accepté de prendre un médicament qui devait avoir un effet sur ce désordre du comportement. Son effet principal s'est révélé en une semaine, je perdais mes cheveux par paquets. Chaque fois que je me lavais la tête, ils me restaient entre les mains. C'était effrayant comme sensation. On aurait dit que je suivais une chimiothérapie.

Et je devais tenir deux semaines encore, malgré les effets de cette drogue qui me perturbait considérablement. Plus mes cheveux tombaient vite, plus le temps passait lentement.

J'ai toujours eu une excellente mémoire, la capacité d'organiser énormément de choses dans ma tête. Ma mémoire aussi s'en allait. Le plus pénible était de commencer à faire quelque chose, puis au beau milieu de me retrouver complètement perdue, l'esprit vide, toute idée effacée de mon cerveau.

Ensuite, il fut décidé que je devais passer entre les mains du docteur Copeland, celui que nous attendions, David et moi. Il avait enfin pu se rendre disponible pour un rendez-vous à la prison. Il acceptait de m'intégrer dans son programme de réhabilitation.

David ne pouvait pas assister à ce rendez-vous, il avait envoyé à sa place un de ses collaborateurs. J'attendais avec lui, dans la salle des avocats de la prison, de rencontrer ce docteur Copeland.

Il a posé une première condition, il acceptait de me prendre dans son programme à la condition expresse que je n'aie plus *aucun* contact avec mes enfants pendant six mois. Aucun contact, c'est-à-dire pas d'appels téléphoniques, pas de cartes postales ou de lettres, pas de nouvelles du tout

J'étais pétrifiée. Ensuite il m'a expliqué que la grande majorité des délinquants sexuels dont il s'occupait étaient des violeurs, des pères de famille incestueux envers leurs filles.

Je lui ai demandé immédiatement :

– Bon, dites-moi combien de ces pères violeurs ont accouché d'une fille ? Vous en avez combien dans ma situation ?

Il ne m'a pas répondu.

Je lui ai dit que j'acceptais ses conditions concernant l'interdiction de voir mes enfants, mais je voulais que sur le délai de six mois il prenne en compte la longue période pendant laquelle nous avions déjà été séparés et n'avions plus eu aucune vie de famille.

Il a refusé, froidement. Et il a ajouté, pour faire bonne mesure, que je devais également m'engager à ne pas parler de ce programme aux médias ni à qui que ce soit d'autre. On voulait encore me museler, me priver de mes droits constitutionnels.

En regagnant ma cellule, j'ai su que je ne pourrais pas supporter ce programme de réhabilitation pour délinquants sexuels. Il ne me concernait pas. Je n'étais pas une délinquante, je n'avais violé personne, et je n'avais pas besoin de leur réhabilitation.

Les gens qui organisaient ce genre de choses, l'État lui-même, ne voulaient pas comprendre ce qui s'était passé entre Vili et moi. Ils étaient incapables de faire la différence entre un violeur patenté et moi. Je n'entrais pas dans les catégories dont ils s'occupaient, ils n'y trouveraient jamais ma place, puisqu'elle n'existait pas.

Je me réconciliais peu à peu avec l'idée qu'il vaudrait peut-être mieux passer sept ans et demi en prison (c'était la peine que je risquais), plutôt que d'essayer de convaincre la société qu'il s'agissait pour nous d'amour, rien que d'amour. Rien à voir avec la définition de l'abus sexuel !

Plus tard, le remplaçant de David m'a apporté en prison une lettre dans laquelle David me recommandait de me conformer à la loi et de suivre ce programme. J'étais tellement en colère que je lui ai dit en face :

— Je me fous de ce genre de loi, je vais même la combattre à partir de maintenant !

Je lui ai tourné le dos et je suis partie, en le plantant là, bouche bée.

Oh oui, j'allais me battre contre ça, depuis ma cellule de prison s'il le fallait !

Je voyais clair à présent. La loi voulait me faire passer pour folle, la loi m'avait séparée de mes enfants, et ça, c'était le pire des abus.

29

En prison

Mary

Lorsque mon prétendu syndrome maniaco-dépressif a été évoqué au tribunal, beaucoup de gens souffrant de ce trouble m'ont écrit. Mais j'ai aussi reçu de nombreux autres témoignages, parfois émouvants, parfois troubles. J'ai lu toutes sortes de lettres, certaines à caractère religieux, d'autres complètement folles. J'avais droit aux visites. On voulait souvent me voir, comme une bête curieuse peut-être, ou pour d'autres desseins qui ne se dévoilaient pas immédiatement.

Les hommes voulaient me rencontrer uniquement pour des motifs sexuels. Certains prétendaient le contraire au début, mais ils finissaient toujours par en arriver là, après quelques visites. Je m'en suis rendu compte à leur comportement et à leurs commentaires. Ils commençaient généralement par me parler de mon cas, en s'indignant de la peine qui m'était infligée, allant même jusqu'à la qualifier d'erreur judiciaire. Et puis, invariablement, à la fin de l'entrevue, ils ramenaient tout à eux, et chacun devenait le seul homme capable de me sauver.

Au début, je pensais qu'il ne fallait pas refuser les visites. Je trouvais grossier de renvoyer quelqu'un qui se donnait du mal pour venir me voir. Mais tellement de gens défilaient – je n'avais qu'une heure l'après-midi, entre 15 et 16 heures, pour les recevoir – que la prison a dû prendre des mesures. En un sens c'était un soulagement. Les trois premières semaines, j'avais dû rencontrer au moins une cinquantaine de personnes étrangères.

Ils étaient de toutes origines, de tous milieux, jeunes ou plus âgés. Je n'en connaissais pas un seul, à part quelques collègues ou parents d'élèves. Je pense que la plupart d'entre eux étaient sincères, mais même sincères, beaucoup d'hommes me chuchotaient, au moment de partir :

– Quand vous sortirez, vous viendrez vivre avec moi si vous voulez...

Ils ne réalisaient peut-être pas ce qu'ils faisaient.

J'ai reçu également beaucoup de lettres et d'appels venant du monde entier, et notamment d'Europe. L'histoire avait été publiée en France dans certains journaux, et en l'espace de quelques semaines j'ai reçu une centaine de lettres de France. Pas une n'était négative à mon sujet. Chacun de mes correspondants m'apportait son soutien et pensait que j'étais victime d'une injustice. Il n'y avait pas de lettres d'injures, j'en suis certaine, car la prison ne passait pas le courrier au crible avant de le distribuer ; la meilleure preuve étant que certaines détenues recevaient des lettres vicieuses ou injurieuses en rapport avec les crimes qu'elles avaient commis. J'avais aussi du courrier venant d'autres détenues à travers le pays.

J'ai pu classer mon courrier par sujet.

Il y avait les maniaco-dépressifs, que l'évocation de mes troubles du comportement au tribunal avait rendus « solidaires »

Puis venaient les religieux, aux opinions diverses, et ceux que j'appelais « mon comité de soutien ». Ensuite, des gens qui m'avaient connue par le passé, et enfin mes parents.

Ma mère m'adressait ce que je baptisais les lettres météo, du type : « Je dois te parler du temps qu'il fait ici... » Elle m'écrivait de la même façon qu'avant, lorsque j'étais encore dehors et libre ; cela me touchait.

Je commençais à m'habituer à la vie carcérale à King County Jail, constamment occupée par des visites ces premières semaines. On m'avait mise en cellule individuelle dans un secteur particulier de la prison, assez tranquille, ce qui me laissait toute liberté de penser et d'écrire.

Penser à mes enfants surtout, je les imaginais en Alaska avec leur père dans la famille de Steve. Que leur avait-on dit sur moi ? Que j'étais une malade en prison et que je risquais de leur faire du mal? Une vilaine femme qui avait trompé leur père? Que pouvaient-ils comprendre à tout cela, mes quatre petits? Pas une lettre d'eux, pas une photo dans ma cellule, j'étais une paria. Une mère non seulement privée de statut maternel, mais à qui la justice voulait aussi interdire tout un passé de tendresse. Comme si l'on pouvait intimer à une mère l'ordre de se vider le cœur et le cerveau! Audrey était chez Soona. Je l'avais eu si peu de temps dans mes bras, mon petit ange du ciel. J'imaginais le regard de Vili sur sa fille, le fruit vivant de notre amour, la preuve que nous étions liés à vie. Ma prière allait vers eux deux, j'allais revenir, on ne pouvait pas tout me prendre, c'était impossible.

Une fois j'ai écrit un monologue sur Vili.

Je suis la seule qui puisse partager sa vie avec lui... Comment je le sais? Parce que si on lui retirait ses yeux, les trésors de son talent, je suis le seul être qui pourrait les remplacer.

Il est le seul qui peut partager sa vie avec moi... Comment je le sais? Parce que si je perdais mon cœur, il serait le seul capable de me remplacer dans mes activités auprès des autres exactement comme je voudrais, dans le moindre détail, avec la même sensibilité et le même sens des valeurs. Et il saurait du fond du cœur qui a besoin de moi, et comment.

Il est le seul à qui je confierais ma vie tout entière, et je suis la seule à qui il confierait la sienne.

Grâce à un de mes amis, une lettre de Vili avait réussi à passer la censure de la prison. Car si l'administration de la prison ne censurait pas le contenu du courrier, elle gardait néanmoins un œil sur la provenance des lettres, et Vili était mon seul correspondant interdit. La lettre disait :

Fée. Tant que nous serons ensemble, Dieu tiendra notre amour dans ses mains divines.

Je voudrais pouvoir pleurer à ta place, pour que jamais une larme ne coule du torrent de ton amour pour moi. Que le Christ nous aide! Car Dieu est le premier.

Je te promets que je serai là quand le jour viendra. Non pour étonner le monde mais pour te montrer combien je t'aime. Cet amour est bien plus fort que les blessures endurées, plus grand que la sagesse en ce monde. Tout ce qui compte, c'est que nous reconstruirons le puzzle de notre existence, nous retrouverons les pièces perdues. Je garde ton amour en moi à jamais, et nous serons toujours ensemble, pour ne faire qu'un.

Mon amour pour toi ne disparaîtra jamais, même avec la mort, jamais. Nous vivons ensemble dans les océans, c'est nous qui rendons les vagues si puissantes ; ensemble nous posséderons toujours cette puissance. Montrons-leur qu'ils doivent nous laisser partir, c'est la vie, ils ont mis deux colombes dans des cages séparées, et ils ne savent pas que les colombes sont les messages d'amour de Dieu, à travers le pur amour du Christ.

La fée minuscule a le pouvoir de millions de mortels. Le vieux guerrier a toujours la force de ton père spirituel. Le soldat honnête et courageux donne sa vie pour les siens. Les armées sont nombreuses mais font trop de bruit, elles vont réveiller l'enfer. L'armée d'un seul homme, vif et rapide, assez silencieux pour ne pas alerter l'enfer, fera de la fée la fierté spirituelle de son père.

Nous sommes plus forts aux côtés de Dieu. Je te promets que je serai là pour tes jours heureux.

Pour Vili, je suis la fée et il est le guerrier.

Sa mère avait bien raison, Vili est une vieille âme dans un jeune corps. Mon autre moi, lorsqu'il écrit ce genre de choses, n'est plus l'adolescent qui jure et traîne avec les voyous de son quartier. C'est mon amant sans âge, il m'était destiné de toute éternité, un poète capable de lyrisme, et aussi un dessinateur plein d'humour et de talent.

Depuis mon nid d'aigle en prison, à l'écart des autres prisonnières, j'observais l'ironie de ma situation. J'étais servie en particulier, pour la nourriture comme pour le courrier. J'avais l'impression d'avoir appelé le service d'étage d'un hôtel, chaque fois que mon plateau arrivait. Personne dans la prison n'était traité de cette manière. Les autres devaient se lever tous les jours à heure fixe, aller au réfectoire pour le petit déjeuner et le déjeuner, et faire leur lit. Je pouvais utiliser le service de la bibliothèque quand j'en avais envie, on m'apportait un journal tous les jours, et pour la première fois de ma vie j'avais le temps de m'asseoir tranquillement pour prendre connaissance des nouvelles. Je lisais des livres, j'avais déjà lu au collège *Le Chemin le moins fréquenté* de Scott Peck, et je regrettais d'avoir été si injuste avec mes professeurs, car à l'époque je n'en avais pas compris l'essentiel.

Je n'avais jamais eu le temps de bien le relire quand j'enseignais, tout ce que je lisais était en rapport avec mes cours, ou bien il s'agissait d'un roman que j'avais l'intention de faire découvrir à mes élèves.

L'une des détenues, qui essayait toujours d'entrer en contact avec moi, m'a prêté un livre qui lui avait beaucoup plu. Elle pensait qu'il me plairait sûrement. C'était un roman de Danielle Steel. Je craignais de tomber sur ce que j'appelle « une lecture bidon ». En fait, c'est la première fois de ma vie que j'ai lu un roman pareil. C'était bien, une sorte de plaisir, comme dans un film vidéo que l'on peut arrêter et reprendre quand on veut sans craindre d'avoir raté quelque chose.

Les premiers jours, je pensais n'avoir à supporter la prison que trois semaines, mais les choses sont devenues plus pénibles lorsque j'ai réalisé que cela durerait bien plus longtemps. En effet, la date à laquelle le juge devait rendre sa sentence n'avait cessé d'être repoussée depuis le 29 août. L'audience avait finalement été fixée au 14 novembre, c'est-à-dire presque deux mois et demi plus tard. L'attente en prison n'en était que plus difficile.

Le plus dur, c'était la nourriture, elle n'avait pas l'air vraie. Chaque matin, quand je me regardais dans la glace, mes yeux et mon visage étaient bouffis, et ils le restaient. J'avais l'air de quelqu'un qui vient de se réveiller. J'essayais de prendre soin de moi, mais malgré mes efforts, ce n'était pas toujours possible.

En octobre, lors d'une sortie pour une séance chez un psychiatre, mon avocat David Gehrke s'est arrangé pour m'emmener chez lui. Je voulais changer mon horrible tenue rouge vif de prisonnière contre une paire de jeans et un chemisier. Je voulais avoir l'air plus humaine pour cette séance. Déjà je me sentais mieux, débarrassée de ma défroque. Je me suis lavé le visage à l'eau fraîche, j'ai mis un peu de rouge à lèvres. J'allais refermer le tube de rouge, quand je me suis surprise à en gratter un peu du bout de l'ongle, afin de le garder pour plus tard... Comme lorsque j'étais adolescente! Les filles faisaient toujours cela avec les échantillons des grands magasins. Ça m'a fait sourire. J'avais au moins ma petite réserve du soir, pour les visiteurs qui viendraient me voir au parloir. Et meilleure mine, chez le psychiatre. Ce sont parfois de toutes petites choses de ce genre qui vous redonnent le moral et la force d'assumer.

J'avais beaucoup de mal à joindre mes enfants, qui vivaient désormais en Alaska dans la famille de leur père. Une fois, le 21 octobre, j'avais enfin réussi à les appeler, mais ma conversation avec Steve ne fut pas des plus brillantes. Il ne voulait pas me laisser parler aux enfants, et ce n'est qu'en raccrochant que je me suis rendu compte que c'était le jour de son anniversaire. J'avais oublié de le lui souhaiter!

Une autre fois, il m'avait empêchée de leur parler pendant plus d'une semaine. Il voulait probablement faire croire que c'était moi qui n'avais pas envie de leur parler. La fois suivante, l'un de mes enfants m'a expliqué :

– Tu sais, papa dit que ça coûte trop cher pour toi de téléphoner. Alors on lui a donné un peu d'argent pour toi, maman...

Ça, c'était très dur à entendre. Si triste.

L'audience du 14 novembre a enfin eu lieu, et le juge a rendu sa sentence : on me condamnait à sept ans et demi de prison, dont seulement six mois fermes, à la condition que je ne revoie plus jamais Vili, que je renonce à la garde de mes enfants, et que je suive un traitement psychiatrique pendant trois ans. J'étais sous le choc, je ne voyais qu'une chose positive dans cette sentence : j'allais bientôt pouvoir sortir de prison (puisque j'avais déjà effectué une partie de ma peine). Je pourrais alors réfléchir et me battre.

Thanksgiving [1] est arrivé et j'étais donc toujours en prison. La fête ne me manquait pas tellement, j'ai toujours pu m'en passer facilement. En revanche, l'anniversaire de mon fils Steven approchait, c'était le 8 décembre, et j'avais beaucoup plus de mal à m'en passer. Je voulais l'appeler. J'ai

------

1. La fête de Thanksginving a lieu le troisième jeudi du mois de novembre. *(N.d.T.)*

finalement réussi à obtenir l'autorisation de lui parler au téléphone le 10 décembre. Je lui ai dit que je l'aimais, lui autant que ses frère et sœurs, qu'il ne fallait pas qu'il s'inquiète, car de nombreuses personnes travaillaient d'arrache-pied pour me faire sortir.

J'ai préparé Noël avec l'aide d'amis qui venaient me voir régulièrement en prison. Beth m'avait procuré des catalogues de jouets. Certains magnifiques. Je les ai feuilletés et j'ai choisi un cadeau pour chacun. Les enfants ont reçu leurs présents en temps et en heure, pourtant, j'ai ressenti une immense tristesse de ne pouvoir les leur apporter moi-même et de ne pas partager la fête avec eux. Mais la nuit du nouvel an n'était plus très loin.

Cette nuit-là serait la première de l'an 1998 pour beaucoup de gens dans le monde, mais dans mon monde à moi, ce serait la fin des séances humiliantes avec les violeurs et les criminels, la fin de cette nourriture immonde, des psychiatres et de leurs certitudes. La fin des catalogues de jouets que l'on referme à Noël, loin de ses enfants...

La fée va sortir de sa cage. Je suis à la veille de ma liberté.

30

Passion de ma vie

Vili

Quand ils ont envoyé Mary en prison pour six mois, le premier mois je suis resté presque tout le temps à la maison, replié sur moi-même, enfermé dans mon propre monde. Je voulais comprendre comment je pourrais vivre mon amour pour elle et ma vie en même temps.

Ma fille était avec nous, elle faisait maintenant partie de la famille, mais, à ce moment-là, je ne me sentais pas père. Je ne savais pas comment on fait pour être père, surtout quand on est le seul parent.

J'étais parti pendant deux mois et demi environ, et la famille était contente de m'avoir retrouvé. Audrey avait fait l'aller-retour entre la maison de Mary et la mienne, parfois elle restait dormir avec ma mère, ce qui fait qu'elle était déjà habituée à vivre chez nous quand Mary est allée en prison.

La maison est toujours pleine de monde. Il y a quatre chambres, et au moins dix personnes y vivent. On y accueille les amis, la famille, et certains soirs il y a encore plus de monde. Ça mange, ça discute ou ça fait la sieste, ça regarde la télé, ça se sert du téléphone, ça écoute de la musique, ça fume à tout va, ça rigole et ça s'insulte.

C'était trop bruyant pour moi, avec toutes ces allées et venues. Je ne trouvais pas un seul coin où pouvoir me concentrer dans cette maison. Et j'avais besoin de réfléchir à mes sentiments pour Mary. Et comment j'allais faire pour m'occuper d'Audrey et l'élever.

Audrey n'avait pas l'air d'être ma fille. C'était comme si on avait accueilli un nouveau bébé à la maison, dont j'étais le père, mais sans m'en rendre compte. Je ne savais pas comment faire, et je ne voulais même pas y penser, tout ça était trop nouveau pour moi.

Et pourtant je sentais que j'avais changé. J'avais pas les mêmes conneries en tête à ce moment-là. Ma mère me donnait des choses à faire pour le bébé, lui changer ses couches, la nourrir, la garder dans les bras. Je la prenais chaque fois qu'elle en avait envie, je lui donnais le biberon chaque fois qu'elle avait faim. Parfois, à l'heure de la sieste, elle s'endormait contre moi, pendant que j'écoutais de la musique. Et je la regardais dormir en me disant : « Bon sang ! Me voilà avec un bébé maintenant. » J'arrivais pas à me le rentrer dans le crâne. De toute façon je pense que c'est difficile pour un père de s'intéresser aux gosses quand ils sont tout petits. Ça fait que roter, dormir et pisser. C'est le moment où leur mère s'en occupe en général. Je crois que les pères s'intéressent à leurs gosses quand ils commencent à marcher et à parler. Les gens arrivaient à la maison en disant : « Hé papa... », « Alors le papa ? »

Parfois ça sonnait drôle dans certaines bouches. Mon copain Chris est venu nous voir, il a secoué la tête :

– Bon sang, j'aurais jamais imaginé te voir avec un môme !

Parfois, quand un pote téléphonait pour faire une virée, j'aurais bien voulu aller avec lui, mais je pouvais pas, il fallait que je reste à la maison pour garder ma fille. J'en étais responsable.

Alors je lui disais :

– Ferme-la ! Me dis surtout pas où tu vas et ce que tu vas faire, parce que moi je suis coincé ici !

Mary me manquait à ce moment-là. J'aurais souhaité qu'on nous ait laissés tranquilles. J'aurais voulu qu'elle soit là à la maison pour m'aider avec Audrey, parce qu'elle s'y connaît. J'aurais tant voulu la voir. D'abord je me suis fait beaucoup de soucis à son sujet, je me disais que n'importe qui en prison pouvait la tabasser. C'était vraiment pas un endroit pour elle.

Et puis j'ai arrêté de m'en faire. Je me suis mis à prier tous les soirs à minuit et demi, comme je lui avais dit, pour qu'on soit ensemble. Je m'allongeais, je fermais simplement les yeux pour pouvoir parler à Dieu intérieurement. Je lui demandais de bien vouloir veiller sur Mary et de laisser personne lui faire de mal.

J'arrêtais pas de penser à nous deux, à ce qui s'était passé, et à ce qui allait se passer. Je me rongeais tellement que finalement j'allais me réfugier tout seul dans la chambre de Faavae, à écouter les chansons qu'on aimait tant tous les deux. *Let's get it on*, par Marvin Gaye, et *I'll be there*, par Michael Jackson, *Would you Love me*, par les New Edition. Et *Always* par les Atlantic Star. J'avais la tête dans le trou à ce moment-là, j'étais complètement déprimé. Je m'enfermais toujours dans ma chambre. Je parlais à personne, et personne m'embêtait. La famille avait décidé de me foutre la paix, et si j'avais besoin de quelque chose je me servais tout seul.

J'ai écrit un poème pour lui envoyer en prison. Mais j'ai pas pu le faire, à cause de cette loi qui disait qu'on ne pouvait avoir aucun contact.

J'avais appelé le poème *Passion de ma vie* :

Je veux te garder dans ma vie,
Je rêve de te voir heureuse,
Qu'ils soient jaloux de notre amour.
Je veux t'aimer comme personne,
T'embrasser et réunir nos âmes,
Te parler comme les anges éternels,
Dire que tu seras toujours là,
Le dire encore et encore,
Je t'aime.
Ma passion d'amour,
Savoir que tu penses à moi,
Que Dieu nous garde ensemble à jamais.
Nous voilà par magie réunis,
Pleurant nos amertumes,
Riant des moments heureux,
Priant chaque nuit pour notre amour,
Rêvant notre vie,
Le conte se réalise enfin.
Ma passion d'amour
Déferle sur toi en cascade,
Elle court sous le soleil,

L'aube nous regarde dans les yeux,
Je veux t'aimer sincèrement
Notre vie durant.
Ils brûlent les feux du démon,
Illuminant notre amour,
Ils meurent les haineux
Dans les yeux de l'amour,
Amour de ma vie
Passion de ma vie.

Je songeais beaucoup au côté spirituel de notre amour, à ce que signifiaient mes rêves, et au sens de tout cela. J'ai dessiné un cœur qui raconte bien l'histoire de notre amour [1]. La passion charnelle, la naissance d'Audrey, le bouquet d'épines que notre amour a dû franchir, pour que nos deux cœurs soient réunis à nouveau. Comme si Dieu avait voulu mettre notre amour à l'épreuve. Si nous passons l'épreuve, la lumière de cet amour brillera à jamais dans le Royaume de Dieu. Je nous ai dessinés, Mary et moi, comme deux êtres spirituels que symbolise la croix. Les feux de l'amour et de la passion charnelle sont au commencement, puis la couronne d'épines vient symboliser l'accusation de crime, les médias et la loi. Une épine fait naître une goutte de sang, elle tombe du cœur... C'est la naissance d'Audrey. Ensuite les lignes du cœur se rejoignent dans le fond, symbolisant nos retrouvailles. Puis il y a le deuxième bébé, et l'épine devient une rose. Alors le cœur tout entier de notre amour et de notre vie ensemble s'auréole de la lumière qui brille pour nous au Paradis.

En septembre je suis retourné au collège, en quatrième. Le premier jour, une bande de gamins m'a sauté dessus :
— Tiens ? voilà l'acteur. On t'a vu à la télé... on peut avoir un autographe ?
Certains mômes, surtout les filles, me demandaient comment allait le bébé :
— Elle va bien...
— Elle marche déjà ?

---

1. Ce dessin se trouve à la page 5 du cahier photos central.

– Non.

– Elle parle déjà ?

– Non.

Des questions idiotes, elles ne savaient pas ce que c'est d'être père à quatorze ans, à part certaines filles qui faisaient peut-être du baby-sitting, ou des gosses qui avaient des petits frères et sœurs. Les mecs voulaient tous me poser une question à la noix, juste parce qu'ils m'avaient vu à la télé. Pourtant je me prenais pas pour une célébrité. Ils m'énervaient avec leurs questions stupides, tout ce que je voulais c'est qu'on me foute la paix.

Petit à petit, pour chasser le cafard, je suis revenu à mon ancienne vie. Je me suis remis à traîner avec les copains de Roxbury. Un jour, en allant à l'église, je suis tombé sur un de mes vieux potes, Lima, et quelques autres, au Texaco Star à Roxbury. Ils étaient là à glander devant le magasin quand je suis arrivé.

– Salut, Bouddha, t'es là ?

– Et alors ?

– Et alors ! Cette histoire avec ce prof, mec ! Tu nous files un autographe ?

J'ai rigolé. J'étais content de revoir mes potes. Alors on est allés traîner sur la piste de bowling et jouer aux jeux vidéo jusqu'à ce qu'on ait plus un rond, ni une cigarette. On s'emmerdait, alors on a piqué une chope de bière et un paquet de cigarettes qui traînait sur une table. On a bu la bière, fumé les cigarettes, et après on s'est dégoté une bombe de peinture chez un copain. On est allés taguer nos noms un peu partout sur les murs des immeubles du coin. Après ça, on est allés boire un coup chez Carlita et fumer un joint. Les parents de Carlita étaient là, en train de fumer de l'herbe de toute façon, alors on est restés là à picoler et à jouer aux cartes. Et Carlita, qui a seize ou dix-sept ans, a commencé :

– Hé, Bouddha, elle t'a violé ta prof ?

Les autres étaient stupéfaits, mais ils attendaient la réponse :

– Non.

Alors l'un des gars a dit :

– Bouddha, t'es l'acteur de l'année !

268

Et un autre :
– Hé, c'est une affaire ou pas ?
Alors j'ai fait un grand sourire :
– Sûr !
Là-dessus ils ont arrêté de parler de Mary. On a joué aux dominos pendant une heure ou deux, et vers 2 heures du matin, on est allés dans un drugstore ouvert jour et nuit, juste en face de chez Carlita. On est entrés à quelques-uns, en faisant semblant de vouloir acheter quelque chose, et on s'est rapprochés du rayon des bières. Un des copains a dégoté un panier et on l'a rempli de bouteilles de bière de un litre, et de tas de machins à grignoter.

On avait ce panier bourré de trucs, et on a marché tranquillement vers la sortie. À cette heure-là, il y avait que deux employés dans le magasin, alors on a eu qu'à attendre qu'il y en ait un qui tourne la tête, et que l'autre soit occupé, et on est sortis. On est retournés chez Carlita et on a fait des paris avec la bière. Si on la sifflait en dix secondes, on avait gagné. Après on a rejoué aux dominos, jusqu'à ce que tout le monde soit complètement bourré. Alors les mecs ont recommencé à me poser des questions sur Mary. Mon copain Z. a demandé quel âge avait ma fille, et j'ai dit qu'elle avait quatre mois. Daniel voulait savoir si j'allais me marier avec Mary quand elle sortirait de prison. J'ai dit que je savais pas. Parce que j'aime pas parler de ça, et que c'est plus facile à dire comme ça qu'une longue explication, en plus je sais même pas ce que j'en pense moi-même.

Juan voulait savoir si j'allais la voir quand elle sortirait. J'en savais rien non plus, puisque je peux pas la voir en principe.

Et les autres en rajoutaient :
– Allez on sait que tu vas la voir, ça va, Bouddha, on sait que t'es dingue amoureux...
Moi j'ai souri. Bien sûr que j'étais amoureux, mais j'avais pas envie d'en parler avec ces mecs, ils étaient pas capables de comprendre.

Le lendemain, on était toute une bande dans la rue devant chez Carlita, au centre commercial Westwood. Je sortais de là quand je l'ai vue arriver. Elle est un peu petite, mexicaine, bien balancée. Elle a discuté d'abord avec les autres, parce qu'elle me connaissait pas beaucoup. Et puis elle est venue vers moi, et elle a commencé à me tourner autour :

– Alors c'est toi, Bouddha ?

– Ça se pourrait. Et toi, c'est quoi déjà, ton nom ?

Elle a dit tout tranquillement :

– Car-li-ta...

Et elle est entrée dans le magasin avec son cousin, alors j'ai demandé aux gars :

– Elle est qui pour vous les mecs ?

Au cas où elle aurait été la copine de quelqu'un. Et ils ont tous répondu :

– Une pute !

Ça voulait dire qu'ils l'avaient tous sautée.

Alors j'ai posé la même question que les autres m'avaient posée la veille, pour Mary.

– C'est une affaire ?

Et Lima a répondu :

– Chaude comme une chienne en chaleur, mec. T'as jamais vu une baise pareille !

Et moi je me demandais si c'était vrai.

Un peu plus tard ce jour-là, on est retournés chez Carlita. On a fumé et bu un coup. On planait pas mal, et on s'est mis à jouer à la Nintendo dans sa chambre. Tout le monde était écroulé, alors j'ai demandé :

– Vous allez me laisser la baiser quand ?

Je planais, ça faisait deux mois au moins que j'avais pas vu Mary. Je l'aimais pas vraiment cette fille, c'était qu'une pute, elle rigolait en mettant sa main sur ma figure :

– Tu aimes ? Tu veux ma main ?

– Oh, alors tu veux baiser ?

Et après ça tout le monde a voulu se tirer. Ses parents étaient partis bosser. Moi, je suis resté.

Elle allait prendre une douche dans la salle de bains, j'ai dit que je voulais me recoiffer, j'avais pas besoin de ça, je voulais juste y entrer avant elle. Elle m'a suivi, alors j'ai éteint la lumière, fermé la porte et j'ai commencé à la déshabiller et à l'embrasser.

– Qu'est-ce que tu fais ?

– À ton avis ?

270

C'est la seule fois que je l'ai baisée. On n'est plus allés chez elle, d'abord je l'aimais pas. On est allés traîner nos fesses ailleurs.

À cette époque-là, j'ai rencontré une ou deux filles, une avait dix-huit ans et l'autre quinze, j'ai baisé avec elles comme avec Carlita. En fait je les ai baisées une fois, c'est tout. Juste pour dire.

Aimer, c'est pas ça.

Alors, chaque fois que je me sentais trop seul, je pensais très fort à Mary, et je faisais notre petite prière chaque nuit, à minuit et demi.

31

Liberté provisoire

Mary

Je pensais sortir aux alentours du 5 janvier, j'ai demandé à l'un des gardes, le plus gentil, celui qui ne me mentirait pas, s'il connaissait la date de ma sortie. Il avait une bonne surprise pour moi. Je serais libérée le 2 janvier. Les choses allaient mieux depuis qu'on m'avait transférée du Centre judiciaire régional du Kent à la prison centrale, le jour du nouvel an. C'était sûrement l'idée de David Gehrke. Pour éviter la pression des médias, il était plus simple de me relâcher depuis la centrale. Après six mois de prison, j'allais donc retrouver la liberté.

J'ai décidé de n'avertir personne de ce changement de dernière minute. Je n'avais pas envie de supporter la meute des journalistes qui se précipiteraient pour me féliciter à la sortie. En effet Julie, une amie, m'attendait au Centre du Kent et elle m'a dit, plus tard, qu'elle avait vu une foule de caméras qui me guettaient depuis des heures.

Les vêtements que je devais porter, un jean et un sweat-shirt, ne me sont jamais parvenus. L'administration avait tout envoyé en centrale avec moi, sauf évidemment les quelques affaires dont j'avais besoin, y compris mes sous-vêtements.

Mon amie Beth avait garé sa voiture dans le parking souterrain adjacent à la prison. Elle était la seule à savoir.

Il était environ 22 heures, lorsque j'ai pris enfin le chemin de la liberté. C'était une nuit affreusement glaciale, mais c'était si bon de traverser cette cour pour la dernière fois. Lorsque les portes se sont enfin ouvertes, j'ai respiré avidement la fraîcheur de l'air qui embaumait dans le calme de la nuit. Tout était propre et rafraîchissant. J'ai rangé mon bagage et quelques petites bricoles dans le coffre de Beth. Je portais un sweat-shirt blanc beaucoup trop grand, qui était arrivé à la dernière minute, mais je n'avais toujours pas récupéré le pantalon. Sur une étagère de la salle des accessoires de la prison, il restait un pantalon de survêtement blanc ; une gardienne me l'avait donné, heureusement il était à peu près de la même matière. Ainsi je n'avais pas trop l'air d'une clocharde.

Comme je n'avais toujours pas de chaussures, elle m'en a trouvé une paire. J'ai failli m'évanouir en les voyant. Elles étaient minuscules, noires et cloutées, des chaussures de rugby ! Avec des crochets et des lacets qui montaient haut ! Je ne pouvais même pas les enfiler. J'ai dû les laisser et me contenter de mes chaussettes blanches de prisonnière. Ça m'était égal, j'aurais marché nu-pieds vers la liberté, je me sentais des ailes.

Je n'avais qu'une chose en tête, appeler Vili, et faire un tour chez moi avant qu'on sache que j'étais sortie de prison.

Beth a appelé Julie sur son téléphone portable, et Julie est partie comme une flèche pour nous rejoindre. Nous avons pris rendez-vous devant la station d'essence Texaco, près du stade de base-ball. Quand Julie est arrivée, j'ai bondi de la voiture, et nous nous sommes jetées dans les bras l'une de l'autre. Puis je suis montée dans le 4 × 4 de Julie, et, dès qu'elle s'est mise à rouler, j'ai baissé la vitre et jeté les chaussettes.

Je voulais me libérer de mes dernières entraves de prisonnière. Je n'ai gardé que les culottes fournies par la prison puisque je n'en avais pas d'autres. Elles n'avaient rien de féminin. Julie a paniqué parce que j'avais jeté les chaussettes, elle avait peur qu'un policier les trouve et nous arrête pour avoir jeté des ordures dans la rue. Elle a stoppé la voiture et fait marche arrière pour les ramasser. Une voiture nous suivait, pendant un moment on se demandait si c'était la police ou des journalistes. Julie a fait des tas de détours pour la semer avant de foncer sur l'autoroute. Ce devait être une voiture banalisée, la police voulait peut-être s'assurer qu'on quittait le secteur sans problème.

Nous étions le 2 janvier 1998, une nouvelle année commençait, j'étais pieds nus, et bien décidée à rejoindre Vili.

J'ai appelé d'abord sur son récepteur portable. Le ton et le style du répondeur m'ont laissée sans voix. Ce n'était plus le même petit message d'accueil que six mois auparavant, mais un ramassis de grossièretés. Nous avions enregistré ensemble à cette époque un petit jingle musical, il n'y était plus. Je suis tombée directement sur une voix de petit voyou.

« Fils de pute ! Rends-moi mon appareil, ou tu t'en mordras les couilles... »

J'ai raccroché en pensant que quelqu'un lui avait volé son appareil.

Julie m'a conduite chez Beth à Leschı, au sud-est de la ville, un endroit tranquille qui surplombe le lac Washington. J'ai sauté pieds nus dans l'allée de la maison, j'ai couru, des amis m'attendaient, je retrouvais enfin la vraie vie.

Et les larmes ont coulé. Des larmes de joie, tellement mes amis étaient heureux de me voir libre. Ma mère avait envoyé du cidre pétillant et de la viande fumée au miel, mon plat favori. C'était mon premier bon repas depuis six mois. Même la salade m'a paru un délice. Ce n'était pas une ambiance de fête mais un tel soulagement d'être ensemble, les uns en face des autres, sans cette maudite glace qui me séparait depuis des mois de mes visiteurs.

C'était tellement bon aussi de retrouver une vraie salle de bains, où Beth avait disposé spécialement pour moi, dans un petit panier, des affaires de toilette. J'ai lavé soigneusement mon visage avec du vrai savon, mis du rouge à lèvres, le mien, et quand je suis ressortie de la salle de bains, Julie m'a dit que je ne me ressemblais déjà plus. Pourtant je n'avais fait que me laver, mettre du rouge à lèvres et attacher mes cheveux.

C'était le visage de la liberté. La sensation de renaître, de tout oublier, comme si je m'étais débarbouillée de la prison.

J'avais hâte de pouvoir téléphoner chez moi, d'abord pour savoir si la ligne marchait encore, et s'il y avait des messages. Il y en avait trente-deux.

Certains venaient de mes amis, de frère Spitzer, de David

Gehrke, de mon père. Et cinq ou six de Vili, mais qui couvraient la période entre le mois de mars et août de l'année dernière, avant la prison, quand Steve avait quitté la maison. Je les avais sauvegardés. C'étaient les plus précieux pour moi, sur certains messages il me faisait entendre des chansons que j'aimais, et qui signifiaient beaucoup pour nous. Une fois, il était tellement désespéré de ne pas arriver à me joindre qu'il s'était mis en colère, il jurait dans le téléphone. Je l'avais gardé pour qu'il s'en souvienne, car ce n'était pas sa façon de faire habituelle avec moi. C'était drôle, il disait qu'il avait appelé plus de quarante fois, il m'insultais copieusement et à la fin :

– Où es-tu ? Rentre à la maison ! Je t'aime...

C'était tellement gentil. Une autre fois, j'avais écrit un poème qu'il aimait beaucoup et, rentré chez lui, il me l'avait relu au téléphone.

C'était dur d'écouter tous ces messages, ils venaient d'une autre vie, comme un torrent de souvenirs à mes oreilles, une vie d'avant la prison. Le seul moyen d'avoir un journal intime. Je n'écrivais plus, la plupart de mes documents personnels avaient été confisqués par la police. Il m'a fallu du temps pour réécouter tous ces messages, puis j'ai raccroché, la mort dans l'âme et, en allant m'allonger dans le fauteuil près de Beth, j'ai fondu en larmes. J'ai pleuré, pleuré à en avoir mal à la tête.

Mes amis ont quitté discrètement la pièce pour me laisser seule avec mes pensées.

Vers 3 heures du matin, j'ai décidé d'aller chez moi. La maison était fermée, je n'avais pas le droit d'y entrer, et elle ne m'appartenait déjà plus. Mais j'avais besoin de la revoir au moins une fois, pour dire adieu à certains souvenirs d'une période de ma vie trop chargée d'émotion. Des moments heureux mais aussi traumatisants.

Julie m'a accompagnée. Il faisait noir et glacial, nous avons roulé prudemment dans le quartier tranquille où j'avais vécu, à l'écart de la route. Ma maison était là. Une affiche sur la porte, venant de la compagnie d'électricité, disait qu'on avait coupé le courant.

Mais la clé, que je possédais toujours, fonctionnait encore. Je l'ai glissée doucement dans la serrure, et j'ai ouvert le verrou tranquillement. Nous sommes entrées toutes les deux, armées de lampes de poche. De toute évidence on n'avait pas encore tout déménagé. On avait seulement emporté les boîtes qui contenaient mes affaires personnelles. Qui étaient donc ces gens qui n'avaient même pas nettoyé la maison en partant ? Les cartons que j'avais empaquetés avec Vili avaient disparu. Et je ne me souvenais plus de ce que je n'avais pas encore emballé. C'était dans un tel désordre que la colère m'a envahie. Si j'avais pu déménager cette maison moi-même, je l'aurais au moins nettoyée et désinfectée avant de partir. Il restait des paquets de gâteaux, de riz et de céréales à moitié vides. Le riz s'était répandu partout.

J'étais revenue ici pour me libérer psychologiquement. Dire adieu à tout cela et tenter de reprendre le fil de ma vie. En partant pour la prison au mois d'août, David Gehrke m'avait dit que je sortirais au bout de trois semaines... J'y avais cru.

Je suis restée là un long moment, à m'imprégner encore de cette maison qui n'était plus la mienne. Il faisait noir, le chauffage avait été coupé, mais il ne faisait pas froid. C'était comme si j'étais enfin de retour chez moi. Je sentais encore la présence de ceux qui y avaient vécu avec moi, j'entendais les rires et les voix de mes enfants. Je revoyais Steve, affalé sur le canapé devant la télévision. Je sentais la présence de Vili, et toutes les nuits que nous avions passées à discuter de tant de choses, à construire un monde à part, heureux d'être ensemble.

Je suis allée en tremblant vers le petit salon, mais notre nid avait disparu. Nous avions fait de cette pièce notre repaire, lorsque nous vivions ensemble durant ces précieuses semaines avant la prison. Il était garni d'un divan, de coussins moelleux et de couvertures épaisses. La vue de cette pièce vide m'a mise en colère. Ceux qui avaient fait cela ignoraient l'importance particulière de cet endroit. Plus rien ! Si j'avais eu le temps avant de partir, je me serais efforcée d'entreposer ces objets quelque part. Ils représentaient une vie commune si courte et si intense.

Tout à coup j'ai pensé au chat, Ebony. C'était une persane magnifique à long poil, au pelage sable parsemé de brun, de roux et de noir. J'espérais qu'elle ne serait dehors que trois semaines en partant. Qu'était-elle devenue ? J'étais encore plus déprimée de ne pas le savoir.

Julie me pressait. Nous n'avions pas beaucoup de temps devant nous, je craignais le réveil des voisins. J'ai commencé à remplir la voiture de Julie de ce qu'on m'avait laissé. J'ai vu l'épouvantail que Mary Claire avait confectionné pour Halloween, elle avait consacré des heures à l'habiller de hardes au rythme des saisons et de son humeur. Il gisait écartelé dans un coin. Je ne pouvais pas l'abandonner ici. J'ai fait ainsi le tour de chaque pièce, comme dans une maison sinistrée après la guerre, ramassant de-ci de-là mes souvenirs éparpillés, prise d'une mélancolie qui me serrait la gorge. Je n'arrivais pas à me résigner à partir en laissant autant de désordre derrière moi. C'était le reflet de mon désastre personnel. Une vraie poubelle.

J'aurais voulu tout remettre en ordre, chaque chose à sa place. C'était impossible. Dans certaines circonstances, on ne peut laisser que des poubelles derrière soi.

Nous nous sommes furtivement glissées derrière la maison en emportant les cartons qui contenaient quelques-uns de mes trésors personnels, mon diplôme d'enseignante du second degré, des souvenirs, des jeux, des manuels d'enseignement.

Je n'acceptais pas l'idée que des gens aient pu se mêler ainsi de mes affaires, s'emparer de mes biens, décider de ce qui devait être gardé ou jeté. Je ne pouvais pas leur en vouloir, après tout, ils y avaient passé des heures et des jours, en croyant m'aider. Mais en voyant ce qu'ils avaient laissé derrière eux, alors que c'était tellement important pour moi, j'avais le cœur gros d'avoir dû les remercier de leur aide.

Pendant que Julie finissait de remplir la voiture, j'ai voulu refaire une dernière fois le tour de la maison avec une lampe torche. J'étais à peine à l'intérieur, que la lumière de ma lampe a vacillé, puis s'est éteinte. C'était si étrange que j'en ai eu des frissons. Puis j'ai avancé doucement dans l'ombre et, à voix haute, j'ai dit au revoir à chacune des pièces. Comme si tout le monde était là, les fantômes de ceux que j'aimais. J'embrassais mes enfants dans leurs chambres, eux non plus n'avaient pas pu dire adieu à cette maison.

Les larmes me montaient à nouveau aux yeux.

J'ai dû sortir de la maison en courant, et je suis tombée sur le chat.

Ebony me regardait fixement, furieuse sans doute d'avoir été abandonnée. J'ai avancé vers elle pour la caresser, mais elle s'est enfuie pour disparaître dans la nuit.

J'ai demandé à Julie de me conduire dans un magasin proche ouvert toute la nuit, pour lui acheter de la nourriture que je voulais déposer sous le porche. J'en ai profité pour refaire le numéro de Vili dans une cabine publique. Il y avait un nouveau message. La voix rauque de gangster des rues disait cette fois : « Hé, fils de pute, fais gaffe à tes arrières ! » Je me suis dit que c'était peut-être Vili qui prenait cette voix pour insulter celui qui lui avait volé son appareil. Alors j'ai quand même laissé un message. En essayant d'être gaie et de faire court.

– Quelle est cette voix ? Où es-tu ? Prends tes messages.

Puis je me suis ravisée, je voulais en dire plus long. Mais cette fois j'ai fondu en larmes, en parlant pêle-mêle du chat, de la maison et en le suppliant de me laisser un message.

Quand j'ai pu enfin entendre sa voix, il me disait où l'appeler, à quelle heure, en utilisant un code spécial. Je devais laisser sonner une fois, raccrocher et rappeler au bout de vingt secondes.

Nous nous sommes revus le vendredi qui a suivi ma libération. Je suis allée le rejoindre près de chez lui sur le parking d'un lotissement qui était depuis longtemps notre lieu de rendez-vous favori.

J'ai beaucoup apprécié sa nouvelle tenue. Un sweat-shirt rouge avec des gants de la même couleur et un immense manteau noir. Il avait graissé et noué ses cheveux en queue de cheval.

Lorsqu'il était à la maison, chaque fois que je le pouvais, je supprimais les huiles, le gel, la brillantine qu'il adorait mettre sur ses cheveux. Mais il se débrouillait toujours pour en racheter.

Nous avions une foule de choses à nous dire. Et au lieu de cela nous nous parlions en silence.

Se voir, être à quelques centimètres de se toucher..

Attendre pour le faire, comme une récompense délicieuse, après tant de chagrin.

C'était un peu comme avant, mis à part un détail important, nous n'avions plus de maison.

Nous avons trouvé un endroit près de chez Beth. C'était une maison vide. Nous allions garer la voiture sur le terreplein, la nuit.

La vue était superbe sur le lac. Personne ne viendrait nous chercher là. C'était l'hiver, et nous nous serrions frileusement l'un contre l'autre dans la voiture, devant cette maison vide. Amoureux transis, dépourvus de nid.

Je n'avais pas réellement peur de me faire attraper à ce moment-là. On ne peut se faire prendre que dehors ; si l'on est en voiture et que l'on conduit prudemment, il n'y a guère de chance d'être arrêté. Il ne pouvait rien nous arriver de mal, en respectant la limite de vitesse et les feux rouges. En cas d'incident, ce serait évidemment plus grave qu'une simple contravention. Pour moi, cela représentait sept ans et demi de prison. Mais nous n'avions pas peur. Nous ne vivions pas dans la peur, mais dans l'amour.

Madison Park est devenu notre petit quartier à nous. J'avais de l'argent, mais en grosses coupures. Une fois, nous voulions prendre un café au Starbuck de Madison Park, un double pour moi, un grand moka pour Vili. Il est parti avec un billet de cent dollars, et il est revenu presque aussitôt parce que le caissier n'avait pas de monnaie.

En réalité ces gens n'avaient pas l'habitude de voir des clients comme Vili, samoans ou hawaiiens. Ils devaient penser que le billet était faux. J'étais lasse de tout ça. Nous nous sommes rendus dans un supermarché en bas de la rue, pour faire de la monnaie.

Nous allions tous les jours au parc. Une fois, nous étions installés face à la mer. Il faisait sombre, et je m'étais assise en bas de la plage sur un rocher.

Vili s'est dirigé vers la chaise des sauveteurs, à quelques dizaines de mètres de là. Il croyait que j'allais le suivre, mais je suis restée seule, farouchement accrochée à mon rocher. J'étais triste, je songeais à cette liberté qui ne me laissait même pas voir mes enfants. Aucune nouvelle de l'Alaska, quant à Audrey, je devais me contenter des commentaires de Vili :

– Elle va bien, ma mère s'en occupe bien.

Je n'en doutais pas, mais ne pas voir mon bébé, n'était-ce pas la plus grande privation de liberté ?

Vili a dû revenir en arrière, furieux, j'ai même eu droit à un commentaire grossier, mais j'étais déjà convaincue de le suivre avant même qu'il revienne.

C'était romantique finalement. De là-haut, nous avons guetté les étoiles filantes dans le ciel, depuis quelque temps, Vili était fou des étoiles. Je ne sais plus si nous en avons vu une. Au moment de redescendre, Vili a sauté le premier, et m'a tendu les bras, en me disant :

– Saute !

Mais j'avais peur.

– Saute ! Fais-moi confiance !

Quelques jours plus tard, en allant voir le film *Titanic*, j'ai vu une scène semblable. Le garçon disait à la jeune fille « Fais-moi confiance ! », et Vili m'a chuchoté à l'oreille à ce moment-là : « Hé... c'est ma vie qu'il raconte ! »

J'ai sauté. Je suis tombée dans les bras de Vili. Un peu après ce même soir, Vili a fait une chose que je n'oublierai jamais. Il possédait une petite boîte en métal ouvragée, contenant deux dés. Il l'a sortie de sa poche, et nous en avons parlé. C'était un petit jeu entre nous basé sur le nombre 0230, qui était aussi le code de mon répondeur. Le zéro représentait l'infini, le deux c'était nous, le trois c'était nous deux plus Audrey, et le dernier zéro le tout retournant dans l'infini.

Vili a jeté le dé, il a obtenu deux et quatre, et non deux et trois. Vingt-quatre pouvait vouloir dire entre autres vingt-quatre heures, une journée symbolique pour nous deux. Cela pouvait signifier aussi nous deux, multiplié par deux pour faire quatre. Nous avons pensé alors à un autre enfant pour beaucoup plus tard. Nous n'avions pas l'intention de nous arrêter à Audrey dans le futur. Nous avons refermé la boîte avec les deux dés, face au dessus. Et Vili a jeté le tout dans l'eau. C'était un petit message dans le grand océan, que quelqu'un trouverait peut-être un jour.

Je voulais avoir d'autres enfants avec Vili. Pourquoi ? Je ne comprends pas pourquoi il faudrait l'expliquer. C'était évident à partir du moment où nous avions décidé de passer notre vie ensemble. Comment l'expliquer par des mots ? On ne passe pas le reste de sa vie ensemble sans enfants ! C'est aussi naturel que le sexe. Ce sont eux le cercle de famille. Ceux qui s'aiment et savent qu'ils passeront leur vie ensemble ont des enfants.

En réalité, à ce moment-là, je prenais des précautions pour ne pas tomber enceinte, en évitant les jours de fertilité, comme je l'ai toujours fait.

Mais, cette fois, j'ai dû mal compter. Nous menions une vie précaire, j'étais comme suspendue dans le temps et l'espace depuis ma sortie de prison. La logique de mon existence m'échappait totalement. Car il n'y avait plus aucune logique à errer ainsi dans la ville en se cachant du monde entier, lui dormant dans la voiture, moi chez Beth, sans maison, sans biens personnels, sans repères, à part notre amour fou.

Le nouvel enfant a été conçu, j'en suis certaine, cette nuit-là dans Madison Park, près du front de mer. J'ai refait mon compte sur le calendrier ensuite, je devais être à la fin du quatrième jour de fertilité ; on dit que ce jour-là on ne conçoit que des filles. Lorsque je m'en suis rendu compte plus tard, j'ai gardé le secret le plus longtemps possible. J'espérais...

Vili a dormi quelque temps dans la voiture, près de chez Beth. De temps à autre il venait me voir lorsqu'elle était sortie, mais je n'aimais guère cela, c'était offensant pour l'hospitalité de Beth. Lorsque Vili dormait dans la voiture, je devais rentrer à la maison, et y dormir moi-même. Car avais avec Beth une sorte de couvre-feu à respecter. J'aurais voulu que Vili rentre chez lui, mais il insistait pour ne pas partir et cela me rendait nerveuse de le savoir seul dans cette voiture. Il mettait sa tête à la portière sans arrêt, faisait des signes aux passants, ou bien il commençait à dessiner à la vue de tous, dès que l'aube pointait.

Cette dernière nuit où nous nous sommes fait prendre, je voulais vraiment qu'il rentre chez lui, il ne pouvait plus demeurer dans cette voiture, au risque d'être vu par un voisin. Le lendemain matin Beth n'avait pas cours à l'école, elle restait donc à la maison et pouvait tout aussi bien le surprendre en se promenant dans le jardin. J'ai beaucoup de respect pour Beth, je ne voulais pas qu'elle ait d'ennuis avec la police pour m'avoir permis cette liberté défendue.

J'ai dit à Vili :

– Il faut que tu retournes chez toi, pour quelque temps. Nous avons besoin de réfléchir.

Mais il s'en fichait. Il ne voulait pas rentrer.

En revenant vers la maison vide ce soir-là, je ne tenais pas à garer la voiture trop près de chez Beth, et surtout pas devant sa maison. Vili, lui, tentait de me convaincre qu'il n'arriverait rien. Nous nous sommes disputés à ce sujet. Je maintenais qu'il était plus prudent pour lui de rentrer chez sa mère. Cette vie d'insécurité, cette errance permanente, les risques fous que nous prenions tous les deux m'avaient mis les nerfs à vif. Aimer, être aimée, cet impossible rêve que je poursuivais de toutes mes forces m'épuisait ce soir-là. Demain serait un autre jour, demain je trouverais la solution, pour nous deux, nous trois. Je le voulais, et il me fallait un peu de calme pour la trouver.

Mais je n'en ai pas eu le temps. Je me suis fait prendre... Vili est-il responsable ? Je ne peux vraiment pas le montrer du doigt.

Il pouvait décider ce qu'il voulait, je l'aurais suivi. Parce que je l'aime pour le reste de ma vie.

Vili est capable de prendre le commandement quand il le faut, et je le suivrai toujours.

Mais je me suis fait prendre, et on m'a remise en cage comme un animal sauvage.

32

Trente jours avec elle

Vili

Je savais que Mary allait sortir de prison, j'avais entendu ma mère en parler au téléphone avec une de ses amies, ça devait se faire dans la semaine. Quand j'ai demandé la date, ma mère m'a répondu qu'elle sortait pas encore.

Ça m'embêtait pas tellement, j'étais sûr que Mary me laisserait un message sur mon récepteur de poche dès qu'elle serait dehors. Je l'avais paumé mais je pouvais quand même faire le numéro et vérifier les messages. Je le faisais tous les jours au cas où elle m'appellerait.

Et juste au moment où j'y pensais, elle l'avait fait.

C'était un message typique de Mary : « Où es-tu ?... Tu me manques... Je t'aime... N'aie pas peur de me laisser un message. On communiquera comme ça. »

Ça m'ennuyait d'appeler depuis la maison, la ligne était peut-être surveillée, on nous avait interdit de nous voir, de nous écrire, et même de nous parler.

Alors j'ai dû attendre d'aller chez une copine, pour lui passer un message sur son récepteur. Ça m'embêtait mais je lui ai dit quand même d'appeler à la maison, depuis une cabine publique. Je lui ai dit de laisser sonner une fois, de raccrocher, de compter jusqu'à vingt et de rappeler. Pendant quelques jours on a communiqué comme ça à coups de messages au travers des récepteurs. Et finalement je suis allé chez ma copine Shasta pour téléphoner.

J'avais eu une petite histoire avec Shasta, mais depuis on était juste amis, je risquais rien d'appeler de chez elle. Je voulais tout de même pas qu'elle sache que j'appelais Mary, mais elle restait plantée à côté du téléphone.

– À qui tu parles?

– C'est pas tes oignons.

– Mais... moi je sais *qui* parle avec Bouddha... allez, te fais pas de bile...

J'étais heureux d'entendre enfin la voix de Mary en direct. Content de pouvoir lui parler vraiment. On en avait marre des messages. L'avoir au bout du fil, ça me redonnait le moral, comme avant, je fonctionnais tellement bien avec elle quand on était ensemble.

On a convenu de se retrouver dans le parking de la cité en face de chez moi, vers 2 ou 3 heures du matin. C'était notre rendez-vous habituel. C'était dangereux pour nous, je le savais bien, on pouvait se faire coincer. Si ces salauds de flics nous trouvaient ensemble, je ne la reverrais plus avant un bon bout de temps. Mais Mary, c'est le genre qui prend des risques. Moi aussi. Pourtant, je crois pas que j'aurais risqué la taule comme elle l'a fait. Je prends des risques seulement quand je sais que je peux payer les conséquences. J'étais avec la bande quelque part à Roxbury. Je suis revenu pour l'heure du rendez-vous. J'ai vu sa voiture, je suis monté en vitesse, et je l'ai regardée.

On a pas dit un mot, on se parlait avec les yeux, on est restés comme ça au moins deux ou trois minutes. Comme si on voulait rattraper le temps perdu, se remplir les yeux de l'autre. C'est Mary qui a rompu le silence. Sa voix était douce, comme un léger chuchotement :

– Tu m'as manqué...

– Je suis là.

Putain ce qu'elle m'avait manqué! Privé d'elle, de l'embrasser, de lui faire l'amour, j'en pouvais plus! Ça me manquait de ne pas parler avec elle de toutes ces conneries, pour résoudre les problèmes qu'on avait pas résolus. Ça me manquait de parler à notre manière à nous.

C'était plus simple de discuter avec Mary qu'avec n'importe qui d'autre. Je me sentais toujours libre avec elle, libre de tout dire. Pour ça aussi elle m'avait tant manqué!

Mary était un peu inquiète, et moi j'avais une trouille bleue que les flics nous coincent. Elle regardait mes fringues, un sweat Adidas rouge, un pantalon armée rouge, des baskets blanches K.Swiss, une veste noire First Down, et une casquette de base-ball rouge.

– Pourquoi tout ce rouge ?

Je lui ai dit que les types de mon gang se fringuaient avec des trucs comme ça, alors pour sortir avec mes potes dans Roxbury, je pouvais pas me fringuer autrement.

– C'est mignon...

J'ai détesté qu'elle me dise ça comme ça. Comme si je portais un truc de même !

J'ai pris le temps d'avaler la vanne, avant de lui demander :

– Et mon baiser de bienvenue ?

On s'est embrassés longtemps, comme des fous. Elle m'avait manqué pendant six mois, et j'avais envie d'elle. J'ai commencé à la déshabiller, j'en pouvais plus, on a fait l'amour dans la voiture, et on s'est écroulés de sommeil après.

Le jour se levait quand je suis rentré chez moi. Je me suis débrouillé plus tard pour la joindre sur sa boîte vocale. Et on a recommencé à se voir tous les jours, dans le même parking à deux pas de chez moi. On faisait l'amour, on s'endormait, après ça je me faufilais en douce à la maison, vers 6 ou 7 heures, avant que les autres se réveillent.

Seulement j'étais salement crevé. Je dormais jamais vraiment, j'étais à peine sous la couette à la maison que ça faisait du boucan partout. Je voyais bien que ça pouvait pas durer comme ça.

J'avais des emmerdes au collège en plus. On m'avait viré, enfin, suspendu des cours pour un moment. Ça m'a servi d'excuse pour me barrer de temps en temps de la maison. Ma mère pensait que je pieutais chez un copain, que je faisais n'importe quoi, elle savait pas où j'étais, la pauvre.

Mary s'était installée chez sa copine Beth, dans un autre secteur de Seattle, près du lac Washington. On prenait des risques, on le savait, et on faisait un peu gaffe quand même.

Comme on pouvait pas se voir dans la journée, parce qu'on risquait d'être reconnus, on se retrouvait que la nuit dans sa bagnole, pour faire l'amour et dormir. Cette voiture, c'était tout ce qui lui restait. Elle y trimbalait sa vie.

Mais j'en avais marre de ce parking à côté de chez moi, d'abord parce que si un mec me voyait, il penserait tout de suite que j'étais avec Mary, et il foncerait chez les flics. Alors je me suis barré de chez moi pour de bon, pour qu'on se voie davantage et plus tranquillement. Je lui ai passé le message de venir me chercher en voiture. Quand elle est arrivée, je lui ai dit :

– Okay, Mary... C'est fini, je retourne plus chez moi. Je veux rester avec toi.

Là-dessus elle a paniqué.

– Tu ne peux pas faire ça. Ce n'est plus comme avant, tu ne peux pas rester avec moi, Beth aurait des problèmes avec la police !

On a discuté un moment, finalement j'ai décidé de dormir dans la voiture, quelque part du côté de chez Beth. Mary dormirait dans la maison de sa copine, et moi dehors, dans la bagnole, c'était simple. On a trouvé un coin pour garer la voiture, cachée derrière des buissons, il y avait quelques maisons autour. Je suppose qu'en regardant bien quelqu'un aurait pu me repérer, mais la voiture était assez bien planquée.

J'avais pas pris de fringues en partant de chez moi, alors Mary m'en a acheté des neuves. Un jean, des T-shirts, des caleçons et des chaussettes. De temps en temps je mettais son sweat-shirt ou son pantalon.

C'était super d'avoir Mary tout près, mais qu'est-ce que c'était chiant d'attendre tout le temps dans la voiture ! Par moments je devenais dingue de rester assis dans cette saloperie de bagnole pendant des siècles. Je faisais beaucoup de dessins, un truc sur « Cupidon et Foi », deux personnages de bande dessinée que j'avais inventés, supposés représenter Mary la Foi, et moi Vili Cupidon. J'écoutais la radio, en faisant gaffe de pas décharger la batterie, comme ça m'était déjà arrivé une fois. Il faisait froid dans cette putain de bagnole ! J'essayais de me réchauffer en me couvrant avec le manteau noir de Mary, ça marchait un peu, mais la plupart du temps je me gelais le cul. J'étais ankylosé, raide de partout, je sentais plus mes jambes. Chaque fois que je m'extirpais de cette voiture, je me sentais comme un vieillard, ça grinçait, ça coinçait dans mon dos. Je savais pas pourquoi je dormais dans sa saleté de bagnole, sauf que je l'aimais tellement Mary. Tellement! J'étais même obligé de pisser dans une canette de bière ou de Pepsi vide. Après il fallait trouver une poubelle pour la jeter. Pour bouffer, on achetait des trucs au mini-marché le soir avant de rentrer. Cette histoire de dingue a duré près d'une semaine. Pendant deux nuits, j'étais tellement crevé et gelé, que je me suis faufilé dans la maison de Beth, en profitant d'un moment où elle était sortie. Je voulais faire une blague à Mary, en me planquant dans sa chambre à l'étage. Je m'y suis même caché quand Beth et sa fille étaient à la maison. Beth dormait en bas sur le divan, mais c'était risqué.

C'était une drôle de comédie quand j'étais là, parce que le plancher craquait dès qu'on faisait un mouvement. Alors, quand j'avais besoin d'aller aux toilettes, Mary venait avec moi, on marchait du même pas, sur la pointe des pieds, collés l'un contre l'autre. Si quelqu'un entendait un craquement, il penserait que c'était Mary.

Une fois on était en train de faire l'amour dans son lit, la fille de Beth était en bas, le lit faisait du bruit, et Mary poussait des soupirs...

On riait, on étouffait de rire, et elle me chuchotait à l'oreille :

– Chut... tais-toi... chut!

Et je lui chuchotais à l'oreille :

– Mais merde, c'est toi qui as commencé!

La nuit d'après on s'est endormis tous les deux, et Mary s'est réveillée tout à coup, elle m'a viré du lit, je suis tombé entre le sommier et le mur. J'avais rien compris, j'allais me relever quand j'ai entendu Beth arriver dans la chambre.

Elle m'a pas vu, elle a rien pigé du tout, mais putain, c'était limite!

Pendant cette semaine-là, on a erré toute la journée en bagnole avec Mary, elle avait des trucs à faire, des papiers pour toutes ses embrouilles légales qui continuaient.

C'était pénible de vivre comme ça. C'était vraiment pas terrible, et je regrettais la maison de Mary, où on avait vécu l'été précédent, avant la prison, quand Steve s'était barré en Alaska avec les enfants. Je me disais merde, j'en ai marre de tout ça, je peux pas vivre comme ça!

Parfois on passait quand même de bons moments, comme cette nuit à Madison Park. C'est comme une petite ville là-bas, où tout le monde se connaît. C'est près de chez Beth, il y a la plage et un parc, c'est joli et toujours bien entretenu.

On y allait tous les soirs vers 11 heures, on avait pas d'autre endroit où aller. Il y avait sur la plage une grande chaise haute pour les maîtres nageurs. Un soir on a grimpé là-dessus, il y avait de la place pour deux. On dominait tout, et on a commencé à parler du Roi Lion sur son trône, alors j'étais le Roi, et elle la Reine. On est restés là très longtemps à contempler le spectacle de la nuit. De l'autre côté de la plage on voyait une maison, les rideaux étaient ouverts, et un couple est venu faire l'amour juste devant la fenêtre.

C'était vraiment marrant.

On a fait semblant de faire la même chose, et je l'aurais bien fait en vrai, on était libres, heureux, la nuit était magnifique, c'était génial de le faire sur un trône royal!

Alors j'ai dit à Mary :

– Allez, on le fait là! Tout en haut! Devant la mer!

Mais Mary a dit non. Elle voulait pas.

– Pourquoi?

– Et les rondes de flics? Il ne manquerait plus que ça! Me faire prendre en train de baiser sur une chaise de Madison Park, et en plein mois de janvier!

Elle parlait de plus en plus comme moi.

On avait avec nous cette petite boîte avec deux dés que j'avais achetés. On les a tournés dans le sens du deux et du quatre, on a refermé la boîte et on l'a jetée à l'eau en faisant un vœu.

Pour moi, le deux représentait deux enfants, celui qu'on avait déjà et celui qu'on ferait plus tard. Le quatre, les gosses de Mary.

Après ça on est retournés dans notre coin de parking, et on a fait l'amour.

Mary avait ce truc à calculer pour les jours du mois où elle pouvait tomber enceinte, et ceux où elle pouvait pas. Elle devait compter sur un calendrier, au bout d'un certain nombre de jours après ses dernières règles, là elle savait qu'elle risquait d'être enceinte. J'ai jamais su exactement quels jours, mais elle disait qu'elle calculait, et que j'avais pas à m'en faire. Alors je m'en occupais pas, je baisais quand je voulais. Elle m'a jamais dit une seule fois qu'on pouvait pas, mais je lui faisais confiance, ça ne m'inquiétait pas.

Et le jour où ils ont dit qu'elle était de nouveau enceinte, j'ai eu l'air d'un con!

Tout le monde m'avait demandé avant si j'étais sûr qu'elle l'était pas. Et moi je disais non, je suis sûr! Après ça, j'étais comme un dingue! Je l'avais crue, moi! Je l'avais répété à tout le monde, à ma mère, à l'avocat, aux amis, à tous ceux qui avaient posé la question, j'avais dit qu'elle était pas enceinte.

Et là j'étais vachement déboussolé, parce que je me sentais pas vraiment prêt pour un autre bébé, j'avais déjà des problèmes à assumer le premier. J'ai eu l'impression qu'elle m'avait trompé, ou menti, un truc comme ça. Plusieurs fois elle m'a dit qu'elle était pas enceinte. Et moi, pauvre con, je lui disais :

– T'es sûre? t'es sûre?

– Oui je suis sûre!

Si je l'avais eue devant moi à cette minute, je l'aurai insultée un maximum. Parce qu'elle m'a fait passer pour un nul! J'étais là à radoter qu'elle était pas enceinte, et je l'ai pris sur la gueule! Elle aurait dû me le dire! J'aurais eu l'air moins nul. Mais après tout, peut-être qu'elle s'est pas rendu compte, du moins au début...

Ce qui me manque énormément aujourd'hui, c'est de plus faire l'amour avec elle parce qu'elle est plus là, parce qu'on a fini par se refaire choper. J'ai goûté à une merveille et on me l'a volée. Des fois, je me dis que j'aurais préféré ne jamais y goûter, puisque c'est fini maintenant. Putain de vie!

Je me souviens qu'un jour à Madison Park, Mary voulait que j'aille chercher des cafés au Starbuck. Elle m'avait filé un billet de cent dollars pour que je me traîne là-bas, et que je paie cinq dollars de café. Je m'engueulais avec elle parce qu'elle avait pas de monnaie. Et voilà que je ramasse par terre dans la voiture, une espèce de carte-lettre signée par un mec. J'ai oublié le nom, et Mary me dit :

– C'est rien, c'était juste un copain, il y a très longtemps.

Ouais, mais moi je me disais que c'était plus qu'un copain, parce que le mec avait écrit : « On a été heureux sur la plage au coucher du soleil... »

J'essayais de bousiller cette saleté de carte postale, et elle gueulait :

– Ne la déchire pas ! Ne la déchire pas !

Tu peux pas garder cette putain de lettre !

– Mais ce n'est qu'une image, juste une carte postale ! J'adorais cette image !

– T'en as pas besoin !

– Je voulais seulement la garder en souvenir de lui. J'ai plus rien, j'ai plus de vie.

– Et pour quoi faire ? Il est plus dans ta vie depuis long-temps ce mec ? Quelle importance ?

Elle a haussé les épaules, alors j'ai déchiré le truc en deux, je lui ai donné l'image, j'ai fichu le reste par la fenêtre, et je suis parti chercher son café. C'était sûrement un vieux truc, j'aurais peut-être pas dû. À l'intérieur de la voiture c'était un vrai déménagement, tout ce qu'elle avait ramené de chez elle, des boîtes, des papiers... Et moi je me disais, mec tu dors dans une poubelle ! Je lui ai demandé de ranger son bordel, mais elle a répondu que c'était le mien !

N'empêche, tout ce qui traînait derrière, c'était à elle. J'en pouvais plus de cette voiture. Chaque fois qu'on allait quelque part ou qu'on passait un carrefour, il fallait que je me planque la tête dans les genoux pour que personne me reconnaisse. C'était pas une vie !

La dernière nuit on était au même endroit, près de chez Beth, et je taquinais Mary, parce qu'elle voulait pas faire l'amour. On a fini par s'engueuler. Elle m'a dit :

– Va te faire voir !

Et elle s'est réfugiée tout au fond de la bagnole en passant par-dessus le siège. Puis elle a dit :

– C'est cette voiture ! On peut pas bouger là-dedans !

Et la voilà qui commence à délirer grave, elle dit qu'elle va finir par se tuer, parce qu'elle ne me rend pas heureux, et que rien ne marche.

– Qu'est-ce qui te fait dire ça ?

Elle répond pas, elle dit qu'elle va rentrer, prendre un couteau de cuisine et se poignarder toute seule. Pour lui faire comprendre que j'y crois pas, je réponds :
— C'est bien...
— C'est bien ? Quand je voudrai, j'irai jusqu'au bout, et je le ferai !
Et moi je souris.
— Vas-y... Fais-le ! J'attends...
— Va te faire foutre ! Ferme-la ! Je le ferai !
— J'attends toujours...
Alors elle s'est mise à me taper sur le bras en répétant :
— Va te faire foutre !
C'était devenu son mot favori apparemment. Pour la calmer j'ai dit :
— D'accord, si tu te suicides, je me suicide !
On en avait parlé une fois. On s'était fait le genre Roméo et Juliette. On avait vu le film en vidéo. Ce qui m'a vraiment frappé dans cette histoire, c'est le moment où Roméo rêve de sa vie future, il est pris dans cet amour interdit avec Juliette, parce que leurs familles ne vont pas ensemble. Comme pour Mary et moi. Deux mondes différents, deux âges différents. Les adultes, les adolescents, les enfants, ils ont chacun leur monde à eux. Mary et moi aussi, nous sommes de deux univers différents, parce qu'elle vient d'un milieu riche et bourgeois, et moi de la rue où j'ai appris des choses dures, qui n'ont rien à voir avec le joli monde de Mary.
Roméo a rêvé de la manière dont il allait mourir, et ça ressemble un peu aux rêves que je fais parfois ; même si c'est pas tout à fait pareil, pour moi aussi ça paraît vrai.
L'autre chose qui m'a frappé dans le film, c'est le personnage noir, qui se fait tuer dans le combat et qui meurt devant les deux familles en les maudissant : « Je jette un mauvais sort sur vos deux maisons, et je reviendrai vous hanter à jamais ! »
Ça aussi ça nous ressemble, nos deux familles ont subi le mauvais sort de notre amour.
Quand je lui ai dit que j'allais me suicider si elle le faisait, j'ai vu passer une voiture de flic pour la deuxième fois. Mais on s'est remis à s'engueuler, encore et encore. Elle voulait

rentrer, puis elle voulait plus. Et puis on l'a bouclée, on est restés silencieux pendant au moins cinq minutes, les vitres de la voiture étaient pleines de buée tellement on s'était disputés et insultés.

La voiture de flic est revenue pour la troisième fois, et Mary a compris aussitôt ce qui allait se passer, elle a dit en se prenant la tête dans les mains :

– Oh! merde!

Et moi, encore furieux :

– Et voilà, imbécile!

– Ne bouge pas, Vili, reste là. Je vais sortir leur parler.

– À quoi ça sert? On reste dans la voiture, on laisse le flic venir nous demander ce qu'on fait là. On va lui dire qu'on discute, c'est tout... on fait rien de...

Mais avant que j'aie pu finir ma phrase, Mary avait sauté de la voiture et je l'ai vue qui marchait vers le flic. Je me suis dit :

– Putain, mais qu'est-ce qu'elle fait? Qu'est-ce qu'elle fait?!

Mais c'était trop tard... Ils l'avaient reprise, et cette fois, c'était vraiment sérieux. Moi, je devais encore fermer ma gueule. Jusqu'à quand?

33

Il vit en moi

Mary

Le procès vient de se terminer. Le troupeau des médias, les histrions de la cour, tous ces gens qui ont toujours voulu me condamner peuvent rentrer chez eux. Sept ans et demi de prison m'attendent. Quatre-vingt-neuf mois, plus de dix mille jours. Une condamnation historique désormais, elle a fait le tour du monde. Le visage d'une femme amoureuse court la planète, sous des titres infamants : « Elle a recommencé ! »

J'ai quitté la salle d'audience avec soulagement, une curieuse sensation de liberté. C'est étrange, car je sors de là pour entrer en cellule, et pour longtemps, pourtant je me sens libérée. Libérée de mes fers. Du système qui m'a déjà contrainte à subir un traitement de redressement psychologique pour attentat à la pudeur et pour viol. Je ne suis plus obligée d'abandonner mes enfants, ou, du moins, je peux lutter pour les reprendre. J'ai retrouvé le droit à la liberté de parole. Alors, qui porte des fers ?

Je suis sortie du tribunal menottes aux mains, une fois de plus. J'ai marché lentement, avec assurance, laissé le temps aux caméras de filmer chacun de mes pas. C'est tellement nécessaire pour les journalistes, je fais partie de leur gagne-pain. Je leur sers de proie. Mais eux aussi devraient me servir. Je n'ai honte de rien, je revendique cette condamnation comme la plus stupide qui soit. Ce jugement comme le plus inique. M'écouteront-ils ?

On m'a ramenée dans la cellule de transit, l'administration doit remplir des papiers, établir un dossier. J'attends...

Un groupe d'étudiants en visite guidée passe devant la cellule. Ils doivent avoir entre quinze et seize ans, à peu près l'âge de Vili. Je recule légèrement sur mon banc, pour me soustraire à leur curiosité, mais ils regardent à l'intérieur de la cellule, et ils savent tous qui je suis. Ils ont reconnu mon visage. Je les sens un peu embarrassés. Le curieux face-à-face ne dure que quelques secondes, ils défilent, puis le bruit des pas décroît dans le couloir...

On vient me chercher, je sors du bâtiment pour monter dans une camionnette. On m'emmène au sud de Seattle, à une heure de route. Je me sens affamée à présent. Ces derniers jours, j'étais incapable de manger. C'est bon de mordre dans un sandwich, de boire du lait. Et le parfum subtil du café que me tend le garde est encore meilleur.

Le besoin d'appeler mes enfants m'obsède en permanence, il faut que je leur explique ce qui se passe, qu'ils sachent que tout ira bien maintenant. Je veux faire avancer les choses dans la bonne direction, puisque je ne serai plus enfermée dans cette institution de fous. Dieu merci, j'en suis débarrassée.

J'entends encore vibrer dans ma tête chaque mot de leur rapport :

« Trois ans minimum de thérapie pour inadaptation sociale, mentale, et perversion sexuelle. »

Et ils n'ont cessé de faire référence à Vili, en qualité de « victime ». C'est surtout ce mot-là qui attise ma fureur contre ces gens. « Victime »...

Il tourne et tourne dans ma tête comme un vent de folie. La leur.

« Pourquoi lui fallait-il un garçon de cet âge ? Elle affirme qu'il est intellectuellement et moralement en avance. »

Ils n'ont jamais compris Vili. Ils ne l'ont jamais vu, jamais rencontré, encore moins écouté. Et ils prétendent juger nos relations. Je suis coupable d'attentat à la pudeur ? Depuis quand ?

La seule chose que je suis prête à accepter, c'est que nous avons eu des rapports sexuels, mais rapports sexuels ne signifie pas *abus sexuel* !

Ils n'ont cessé de dire qu'en ayant plaidé coupable je

n'avais pas admis l'importance du concept d'abus sexuel. Ils ont raison dans un sens, et tort dans l'autre. Je n'ai pas admis ce concept, c'est vrai. Mais je vois bien la faille dans leur législation. C'est un strict point de droit qui veut établir que des relations sexuelles entre nous équivaudraient à un abus sexuel. Ils n'ont pas pris en compte un cas tel que le nôtre, où les deux parties sont consentantes. Et l'amour dans tout ça ? Ce mot-là, ils ne l'ont jamais pris en considération. Jamais. Et l'enfant que nous avons eu ? Notre petite Audrey est une enfant de l'amour. Ne le savent-ils pas ?

J'ai fini mon lait et mon sandwich, nous arrivons à la prison de Gig Harbor. Voilà donc ma nouvelle demeure.

Dans cette prison je serai libre de vivre. Je sais que je ne peux pas en sortir, que je ne peux pas dépasser les limites de la clôture, elle est haute et couronnée de fil barbelé, mais dans les lumières aveuglantes qui inondent tout le secteur, j'entrevois la lueur de l'espoir.

D'ailleurs je ne ressens presque rien. Je regarde ce décor, je passe les portes, traverse des couloirs, la tête vide. On m'a décrit cet endroit comme une sorte de campus d'université, une ancienne détenue m'a raconté il y a quelques jours qu'il y avait beaucoup d'activités à Gig Harbor.

– On a pas le temps de s'ennuyer. Mais c'est une prison quand même, et toi, t'as rien à y faire.

Tout cela n'a rien d'un campus en réalité. Il n'y a personne dans la cour. Tout le monde est enfermé. Il paraît que c'est en raison de mon arrivée. Celle qui m'a dépeint cet endroit a dû passer sa vie en prison et n'a sans doute jamais mis les pieds dans une université.

On m'emmène à l'infirmerie, on m'habille en blanc, et on m'enferme dans une cellule avec un matelas par terre. Je suis sous surveillance, considérée comme suicidaire. Je me rappelle comment David Gehrke a essayé d'utiliser cette stratégie auparavant. J'ai déjà connu cela, ça n'a pas marché la première fois, alors je m'en fiche.

Les directeurs viennent me voir, chacun pour m'expliquer leur rôle et me remettre un stock de documents d'information. Je les lirai plus tard. On m'emmène chez le photographe, on m'installe debout devant un mur.

– Je peux sourire ?

La première fois je n'en avais pas eu le droit. Ici, le petit homme derrière son énorme appareil se moque pas mal de mon apparence.

– Si vous voulez...

Alors je souris.

Ensuite je dois subir la routine des examens médicaux, d'abord aller aux toilettes. Je m'assieds, une rangée de personnes me regarde. Devant moi une boîte de serviettes en papier.

J'urine, ainsi qu'il m'est demandé de faire.

Mais en me relevant, je découvre avec stupeur une légère tache décolorée sur le papier. Elle ne devrait pas exister. Je suis tellement émue que je reste immobile à regarder ce papier. Je sais ce que cela veut dire. Un médecin m'a expliqué que parfois, au tout début d'une grossesse, entre six et dix jours – la période d'implantation de l'œuf dans l'utérus –, une femme peut avoir de légères pertes de sang. Je calcule très vite, je suis en retard d'au moins une semaine, c'est ça. Je n'arrive pas y croire ! Je souris de nouveau...

Je ne cherchais pas à tomber enceinte, mais Dieu était avec moi. C'était à Madison Park, devant la mer, cette nuit d'hiver et d'étoiles filantes. Oh oui, c'est vrai, cet endroit n'est pas pour moi, mais à présent je ne suis plus seule ! On ne pourra plus mettre ma détermination et ma volonté à l'épreuve ici, puisque je porte le deuxième enfant de Vili. Il naîtra en octobre.

J'ai passé un an et demi à résister, à me battre contre la violence d'un mari et la bêtise d'une société qui m'enferme et s'emprisonne elle-même dans ses propres lois.

Dieu m'accorde un peu de paix. Il est avec moi et Il n'est pas le seul, Vili aussi est avec moi.

Mais moi je suis en cellule comme une vulgaire criminelle. Je ne veux pas que mon enfant naisse en prison. Qui, à part Dieu, dois-je supplier pour que l'on m'aide ?

J'appartiens à une société protégée par des lois morales tellement rigides et si puissantes que nos droits civils ont été balayés sans scrupule. Ceux de Vili et les miens.

Aidez-nous. Nous avons pris, je le sais, un chemin différent des autres, le chemin le moins emprunté, mais nous ne sommes plus au Moyen Âge, où l'on brûlait les femmes, les « pécheresses », les « sorcières », qui osaient aimer hors de leur mariage. Seigneur, j'ai obéi aux lois de ma religion, j'ai tout fait pour que l'erreur de ma première union ne se termine en désastre pour personne d'autre que moi. J'ai été assez punie.

L'amour ne connaît pas de lois. L'amour est arrivé dans ma vie comme la foudre, venu du cœur et du corps de ce jeune guerrier, de ce poète, mon âme sœur. Mon double. Pardonnez au moins, si vous ne comprenez pas.

Vili a quinze ans à présent, il est père, et personne ne veut toujours l'entendre. Je vous en prie : écoutez-le ! Il n'est pas ma victime ! Je ne suis pas une criminelle.

Notre seul crime, c'est l'amour.

Note de l'éditeur

Mary Letourneau a été arrêtée pour la deuxième fois le 3 février 1998, un mois après sa libération ; elle venait d'avoir trente-six ans... Condamnée à sept ans et demi de prison ferme, elle s'est vu interdire formellement de revoir Vili, ainsi que leur fille Audrey. Elle est de nouveau enceinte de Vili et accouchera dans le courant du mois d'octobre, en prison. On lui retirera son enfant dès la naissance. Quand elle sortira, elle aura quarante-trois ans...

Table

Cet ouvrage a été réalisé par la
SOCIÉTÉ NOUVELLE FIRMIN-DIDOT
Mesnil-sur-l'Estrée
pour le compte de France Loisirs
en octobre 1999

Cet ouvrage est imprimé
sur du papier sans bois et sans acide.

Imprimé en France
Dépôt légal : octobre 1999
N° d'édition : 32359 - N° d'impression : 48519